SaaS立ち上げのすべて

宮田 善孝 著

SE
SHOEISHA

はじめに

私がSaaSという概念を見聞きしたのは意外と古く、2008年まで遡る。それは、大学を卒業し新卒でお世話になった戦略コンサルティングファームの研修の時だった。そこでは、新入社員それぞれに業界や企業をテーマとして渡され、その業界分析や経営戦略の提言を行うことになった。このテーマの1つにSaaSが設定されていたのだ。残念ながら、私はこの時SaaSを引き当てることができず、自分に与えられたテーマの調査に没頭し、プレゼンを行うことに必死だった。せっかく当時同僚がSaaSについて調査し、説明していたものの、完全に右から左に流れていったことだけ覚えている。そのため、SaaSというものを理解する機会をもらいながら、実際SaaSを理解し、利用していることを認識し始めたのは意外と最近である。

日本でSaaSに注目が集まり出したのは最近で、ようやく2018年頃からSaaSを代表するスタートアップの新規上場（Initial Public Offeringを指し、以下IPOを表記する）が立て続けに見られるようになった。これに伴い、SaaSに関する様々なトレンドが日本でも紹介されるようになった。特に事業展開を支えるセールスやカスタマーサクセスの手法や体制などについて活発に議論されている。欧米で注目を集めすでに実績のあるSaaSが日本にローカライズされる際、その手法や組織のあり方も同時に輸入されることが多いからである。

しかし、意外かもしれないが、SaaSというプロダクトの企画検討、開発、ゴー・トゥ・マーケット（Go to Market）戦略、そしてリリースまで、体系だって説明してくれているものは日本にはもちろん、海外でもあまり見かけない。これは、SaaSの企画検討からリリースまでを一気通貫で語り切れる人は稀有であり、長らく体系立てた説明に至らなかったからであろう。というのも、SaaSの立ち上げは企画検討、開発を進めるプロダクトサイドだけで完結するものではなく、マーケティング、セールス、導入コンサル、カスタマーサクセスとビジネスサイドもその一翼を担っており、体系立てるには、対象が広すぎるのである。

では、実際SaaSの立ち上げを一気通貫で体系立てることができないのか、主要プレイヤーを例にとってその可能性を検証してみたい。SaaSの立ち上げに深く関与するプレイヤーとして、ベンチャーキャピタリスト、起業家、プロダクトマネージャなどが挙げられる。まず、ベンチャーキャピタリストの業務内容を確認していくと、彼らは事業計画や事業の評価方法について非常に知見があるが、SaaSのコアコンセプトとなる企画初期段階の調査やアイデアを創出した経験は薄い。次に起業家は顧客や市場、自社の差別化に対して独自のインサイトを持ち、SaaS立ち上げ期のコアコンセプトの創出について圧倒的なコミットメントと実績を持つが、プロダクトマネジメントの経験をしっかり積んでいる人は多くない。また、アントレプレナーシップが強く、ミッションやビジョンの実現に矛先が向いてしまい、結果的に手法や方法論の体系化には手が回りにくい。最後にプロダクトマネージャはプロダクトの改善や進化に向けて、KPIや目標の策定、ロードマップや施策の立案/実施、効果検証のサイクルを回す経験を通して、その方法論を研鑽している。しかし、ゴー・トゥ・マーケット戦略をゼロから作り上げるには、ビジネスサイドの全容を把握し、連携していくことが求められるが、プロダクトマネジメントの方法論とビジネス視点を両立できている人は少ない。また、既存プロダクトと比較し、新規プロダクト立ち上げを推進できる機会に恵まれたプロダクトマネージャは実は少ない。さらに、プロダクトマネージャが事業計画やファイナンスサイドの議論までキャッチアップしていることは滅多にないだろう。

幸運なことに、私は戦略コンサルティングファームとスタートアップでの経験を通して、SaaSの立ち上げに必要なスキルセットのうち主要なものを一通り勝ち取ることができた。具体的には、戦略コンサルティングファームで勝ち得た経営戦略をベースに、スタートアップでプロダクトマネジメントや、ビジネス/フィナンシャルアナリティックスなど、幅広いファンクションを経験してきた。さらに、プロダクトマネージャとして新たなSaaSを立ち上げる機会にも恵まれ、経営戦略、プロダクトマネジメントという視点からSaaSの企画検討、開発に関する方法論を体系化しながら、立ち上げを推し進めることができた。この機会を通して、私がプロダクトマネージャとしてリリースしたプロダクトがfreeeプロジェクト管理[※1]である。

このfreeeプロジェクト管理の企画検討、開発を進めていく中で、過去の戦略コンサルティングファームやプロダクトマネージャとしての経験を足がかりに、その方法論を1つ1つ地道に整理を行い、歩んできた。この経験から紡ぐことができたSaaSの立ち上げに関する方法論を少しでも多くの人に届けたいと考えるようになった。このような思いから、非常に多岐に亘るSaaS立ち上げに関する方法論を体系化し、書籍としてまとめ上げ広く展開することで、SaaSによる事業展開の触媒となり、SaaS業界のさらなる発展の一助になればと願いを込めている。

ところで、経営戦略、プロダクトマネジメントの知見を持っていれば、SaaSを立ち上げることができるのかと言うと、そんなことは全くない。SaaSの立ち上げを行うに当たって、この2つの視点は欠くことができないが、それらが全体に占める割合はほんの一部でしかない。本書ではプロダクトマネージャとしての役割を前提とした上で、SaaSを立ち上げる際、対応すべき論点をすべてまとめている。その網羅性を担保するために、私自身の専門とするファンクション以外についてもその概要を説明した上で、プロダクトマネージャとしてどう関わるべきかという視点で補足を行っている。具体的には、プロダクトマネジメント以外のテーマについては多種多様なファンクションのメンバーと協業し、プロダクトの企画検討を進めた経験や、多様な文献、カンファレンスの登壇内容等、特に感銘を受けたものを参考にしながらまとめている。

最後に、本書の目的はSaaSの概念や抽象的なプロセスを解説するものではなく、新規SaaSがターゲットとする潜在ユーザとしっかり向き合い、そこで得られた示唆を企画に練り込み、1つのSaaSとして提供するまでの道のりを体系立てることにある。そのため、SaaSの立ち上げを推進す

[※1] URL https://www.freee.co.jp/project-management/

る人が常に参照することはもちろんのこと、起業してSaaSを立ち上げたり、SaaSによる新規事業立ち上げ、または既存事業のSaaS化を推進するプロダクトマネージャや、その検討・開発に関する意思決定を行う経営者などが、どう進めるべきか迷った時に立ち返る場になることを目指している。さらに、SaaSを通した事業に何らかの関係性を持つ方にも届くことで、SaaSを通した価値創造の一翼となり、SaaS関連事業の発展に繋がることを心より願っている。

2021年7月吉日
宮田善孝

CONTENTS

Part 2 | SaaS構築の全体像 039

Part 3 | 事前/深掘り調査とプロトタイプ 073

Part 1

SaaSを取り巻く環境

Chapter 1 SaaSの概要

まず、国内外におけるSaaS市場の変化を捉え、そもそもSaaSとは一体何なのか、様々な観点からその定義を明らかにしていく。

1 SaaSを中心としたクラウドサービスを取り巻く市場環境の変化

SaaS先進国と言われる欧米を中心としたグローバルの状況から確認してみると、様々な側面からSaaS市場の伸びを感じることができる。例えば、総務省による情報通信白書を確認すると、クラウドサービス市場全体と共に、SaaSの市場規模も伸びていることが確認できる（図1.1.1)。その規模は2019年時点ですでに968億ドルに上り、2022年までに1436億ドルに達すると予想されている。2014年時点ではまだ290億ドルに留まっていた市場規模は、実績ベースで2019年前の5年間で3.3倍、将来的に2022年には5.0倍にまで伸びるとされている。

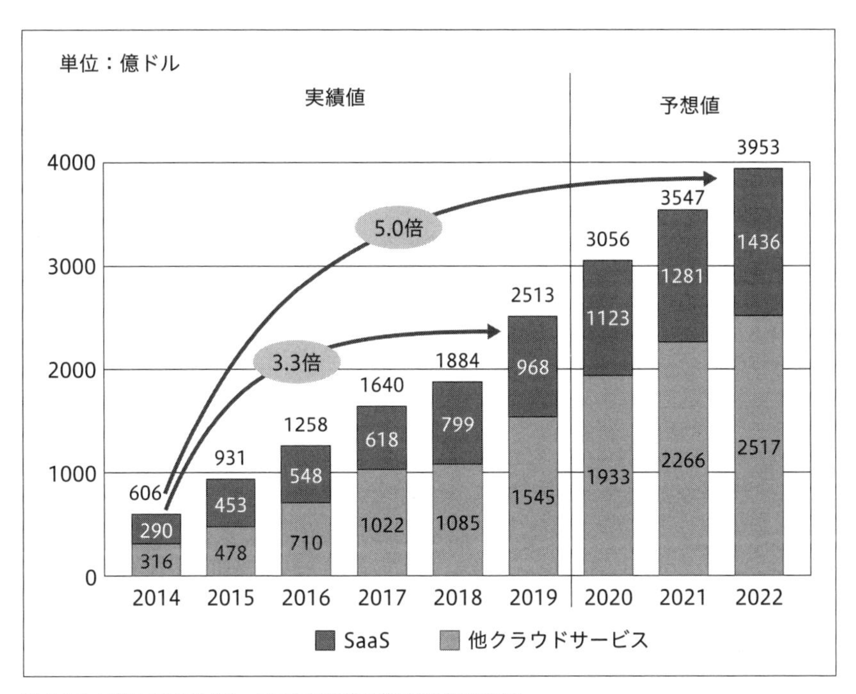

図1.1.1：世界のクラウドサービス市場規模の推移及び予測 [※1]

他にも、SaaSを中心としたクラウドサービス市場の伸びを感じられるものとして、Bessemer Venture Partners（以下BVPと表記する）[※2] が運営しているThe BVP Nasdaq Emerging Cloud Index（以下EMCLOUDと表記する）[※3] を紹介したい。BVPはこの20年クラウドサービスを中心に投資を行ってきたベンチャーキャピタルである。また、EMCLOUDはBVPが2013年にクラウドサービスを中心に事業展開を行っている企業に着目したインデックスとして運営を始めたものであり、2018年にはナスダックとの連携

[※1] 出典 総務省令和元年版/2年度版 情報通信白書｜レイヤー別にみる市場動向により作成
URL https://www.soumu.go.jp/johotsusintokei/whitepaper/ja/r01/html/nd112130.html
URL https://www.soumu.go.jp/johotsusintokei/whitepaper/ja/r02/html/nd114110.html

[※2] URL https://www.bvp.com/

[※3] URL https://cloudindex.bvp.com/

に至った。主要企業として、Paypal[※4]、Adobe[※5]、Salesforce[※6]、Shopify[※7]、Zoom[※8]などが入っている。

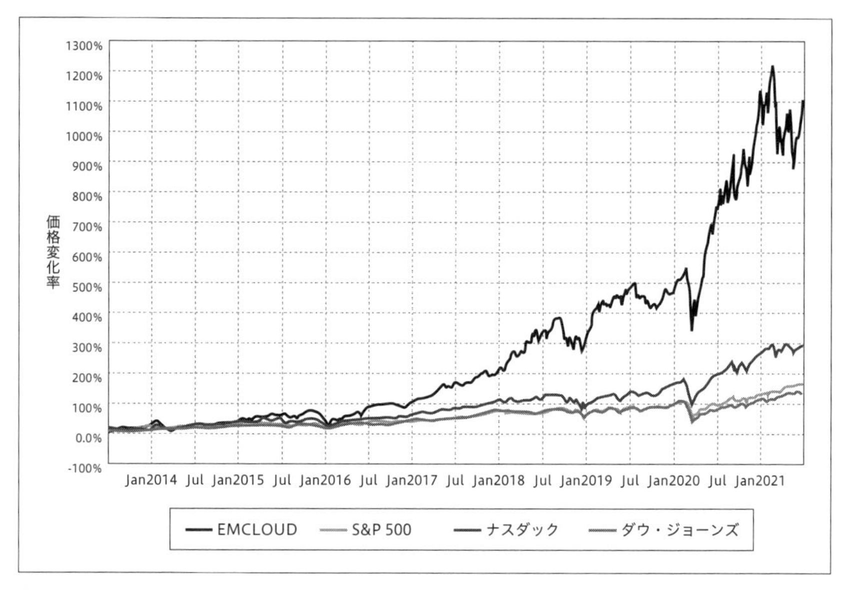

図1.1.2：EMCLOUDと主要株式市場との比較[※9]

図1.1.2は、EMCOULDと主要株式市場とを比較したものである。EMCOULDは、2016年当たりから伸びが顕著になり、2013年のインデックス立ち上げ当初と比較すると、2021年には以降は10倍程度で推移している。S&P 500、ナスダック、ダウ・ジョーンズなどの主要株式市場は、2013年と比較すると、最近は1.5〜3倍程度で推移しており、EMCOULDとの差は歴然である。

［※4］ URL https://www.paypal.com/jp/home

［※5］ URL https://www.adobe.com/jp/

［※6］ URL https://www.salesforce.com/jp

［※7］ URL https://www.shopify.jp/

［※8］ URL https://zoom.us/jp-jp/meetings.html

［※9］ 出典 cloudindex.bvp.comより作成
URL https://cloudindex.bvp.com/

一方で、国内におけるクラウドサービスの利用動向を確認すると、その需要も着実に伸び続けていることがわかる（図1.1.3）。総務省による情報通信白書によると、2019年にはクラウドサービスを活用している企業は64.7%にまで上り、直近5年間で20%も伸びているのである。

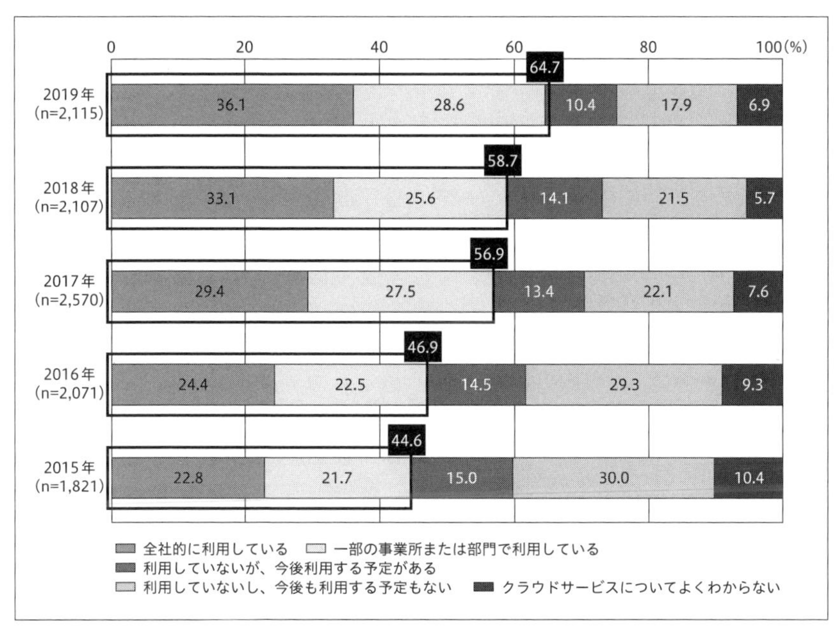

図1.1.3：国内におけるクラウドサービスの利用状況 [※10]

需要があるところには、プロダクトが立ち上がり、資金もつきやすい。例えば、世界最大級のベンチャーキャピタルであるセコイア・キャピタルやその関連ファンドからANDPADやSmartHRが出資を受けたことは記憶に新しい [※11]。

[※10]　出典　総務省令和２年度版 情報通信白書｜レイヤー別にみる市場動向により作成
URL　https://www.soumu.go.jp/johotsusintokei/whitepaper/ja/r02/html/nd252140.html

[※11]　参照　SmartHRのシリーズC 資金調達によせて
URL　https://blog.shojimiyata.com/entry/2019/07/24/131304

調達資金を活用し、ニーズを捉え、事業成長した先にIPOを行う企業が多く、2019年頃からSansan[※12]、freee[※13]、プレイド[※14]など、SaaS企業の上場が相次ぎ、株式市場にも存在感を持ち始めている。

このように、国内でもSaaSを中心としたクラウドサービスに対するニーズが高まりを見せており、ソフトウェアビジネスを行う上で、SaaSという提供手法を活用しやすい環境が日本でも整いつつある。それに伴って、SaaS関連の企業へのベンチャーキャピタルによる出資額や起業、事業のSaaS化を推進する企業は増加の一途を辿る。

2 SaaSの定義

本書では、SaaSに関する概念的な理解よりも明日から使える方法論に重きを置くことを想定している。しかし、SaaSの概要を紐解くために、まずソフトウェアビジネスまで遡り、その類型を整理していく（図1.1.4)。

SaaSを文言通り読み解くと、「Software as a Service」であり、何らかのソフトウェアをサービスとして提供していることを指している。このサービスという概念は従来ソフトウェアがパッケージとして販売されていたことを対比して定義付けられている。つまり、SaaSは何らかのパッケージ化されたソフトウェアを購入して、インストールして使うのではなく、クラウドコンピューティングを通してサービスとして提供することを指すのである。

さらに、クラウドコンピューティングにはインターネットのようなパブリックなものと、特定のネットワークや事前に登録されたユーザからしかアクセスできないようなプライベートなものに分かれるが、ここではパブリッ

[※12] URL https://jp.sansan.com/
[※13] URL https://www.freee.co.jp/
[※14] URL https://plaid.co.jp/

クなものに絞って議論を展開したい。

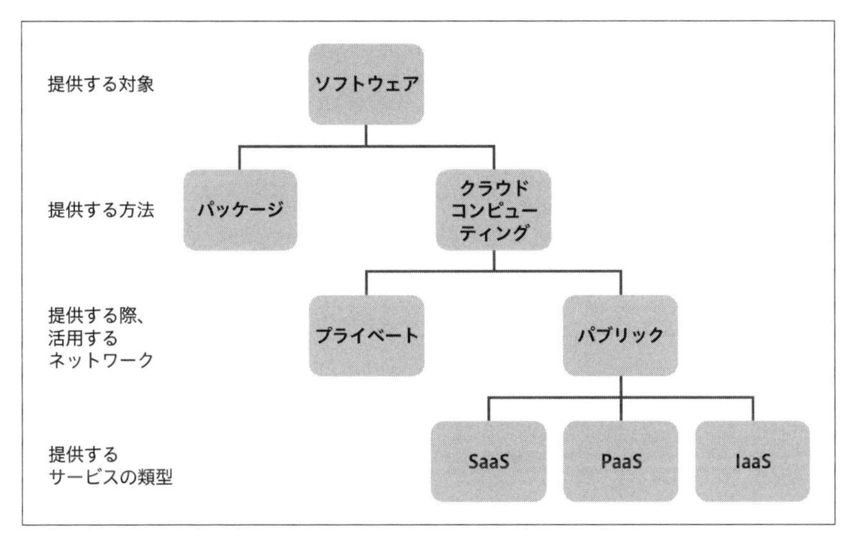

図1.1.4：ソフトウェアとSaaSの関係性

なお、ソフトウェアやハードウェア、アプリケーションなどを通して提供する製品を総称して、プロダクトと呼ぶことが多い。これは、SaaSのようにソフトウェアやクラウドにより提供することを前提としておらず、より広義の概念を指す。

3 クラウドコンピューティングにおけるSaaSの位置付け

図1.1.4で確認した通り、SaaS以外にクラウドコンピューティングを通して提供されるサービスとして、PaaS、IaaSがある。これらとの境界を明確化することで、SaaSの定義を明らかにしていきたい。

まず、PaaS、IaaSはそれぞれ「Platform as a Service」、「Infrastructure as a Service」の略語であり、プラットフォーム、インフラをサービスとして提供することを指している。

さらに、サービスとして提供することが普及していなかった時に一般的だったオンプレミスという提供方法も併せて比較し、確認していきたい。これは独自でサーバを立てて、必要なインフラやプラットフォーム、ソフトウェアを準備し、利用する方式のことを指す。

図1.1.5では、XaaSであるSaaS、PaaS、IaaSに加えてオンプレミスも併記し、縦軸にはアプリケーションを提供する上で必要な構成要素を表現している。

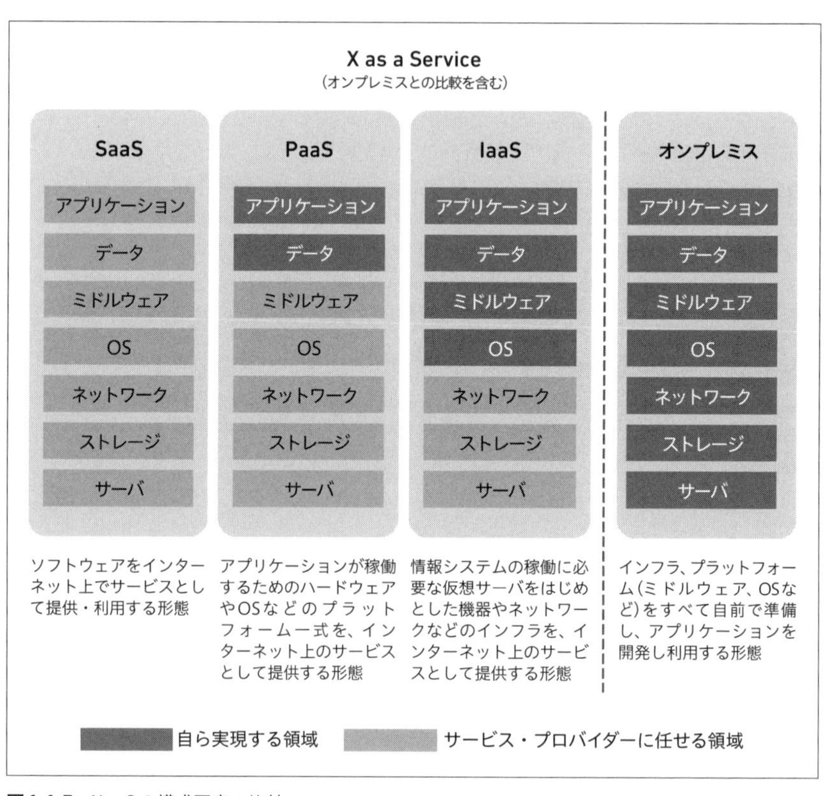

図1.1.5：XaaSの構成要素の比較

SaaSを提供する場合は、アプリケーションからサーバまでの全構成要素をサービスプロバイダーが提供し、ユーザはクラウドを通してアプリケーションを活用するだけとなる。他方、オンプレミスの場合は真逆でサービスとして提供される構成要素は一切なく、ユーザ自らインフラ、プラットフォーム（ミドルウェア、OSなど）をすべて内製、もしくは、システムインテグレーターなど外部の協力を仰ぎ、アプリケーションを開発し利用することになる。

さらに、XaaSの類型は、サービスとしてどの要素まで提供するものなのかを定義したものである。つまり、SaaSとはクラウドコンピューティングの一類型であり、サービスを提供する構成によって、IaaSやPaaSなどと区別することができる。また、ユーザによる事前準備が最小限に留められており、すぐにサービスとして活用できるアプリケーションレイヤーまで提供されている構成を指すのである。

4 BtoCのSaaSはありえるのか

SaaSとして事業展開しているプロダクトにはどんなものがあるのだろうか。真っ先に想起されるのはSalesforceなどのカスタマーリレーションシップマネジメントツール（セールスの効率化を推進するプロダクト）や、Tableau[※15]などのビジネス・インテリジェンスツール（データの可視化を効率的に行うプロダクト）だろうか。その他、国内ではSansanによる名刺管理ツールや、freeeによる会計/人事労務システムがこれに当たる。

では、これらのプロダクトをBtoBではなく、BtoCにサービスとして展開した時にもSaaSと呼べるのか。この論点に対してはほぼ異論はなく、SaaSという概念はあくまでソフトウェアの提供手法であり、ユーザの類型によって影響されるものではない。そのため、BtoC向けのプロダクトだとしてもSaaSとして提供されることがあり、SaaSと呼べるだろう。例えば、Google

[※15] URL https://www.tableau.com/ja-jp

WorkspaceやSlackのようにフリーミアムプランが用意されており、個人用途で気軽に導入できるケースもある。

すでに具体例もあり、BtoCのSaaSはありえそうだが、すぐ結論付けてしまう前にSaaSが生まれた背景を確認していきたい。少し歴史を遡ると、1960年代からすでにアプリケーションサービスプロバイダー（以下ASPと表記する）という概念が提唱され始めており、これはネットワークを通してアプリケーションを提供することを指している。この定義だけを見ると、ほぼSaaSと同義である。ASPとSaaSの違いとしてよく挙げられるのは、ASPがシングルテナントによる提供を前提としており、他方、SaaSはマルチテナントを採用していることが多い。これは同じプロダクトを活用するに当たって、複数のお互いに無関係なユーザが共同で利用する（マルチテナント）か、ユーザが個々に独立して使う（シングルテナント）かを意味する。つまり、シングル/マルチテナントの違いは、あくまでプロダクトの提供方法の違いであり、新たにマルチテナントに変えたからと言って、ユーザに対して、わざわざSaaSと銘打つほどの変革とは感じられない。邪推かもしれないが、ASPという用語自体が少しブームを過ぎてしまい、マーケティング的な目的のため、SaaSとしてリブランディングしたのではないかと考えられる。とすると、SaaSとしてリブランディングが必要だったのは、ASPによる主な提供サービス、つまり、販売管理、財務会計、グループウェアなどBtoB向けの業務アプリーケーションと考えるのが自然であろう。

したがって、BtoCのSaaSはフリーミアムプランなどを安価に、そして簡単に導入できる場合には成立しうるが、本書ではBtoB向けのSaaSを対象とし、説明を進めることにする。

5 サブスクリプションとSaaSの隆盛

SaaSと並んで、最近サブスクリプションやサブスクという単語をよく耳にしていないだろうか。これらの用語はSaaSと同義として使われることが多いように思うが、サブスクリプションとは何なのか、そして、それはSaaSに対して何をもたらしたのだろうか。少し回り道かもしれないが、一息ついて整理を進めようと思う。

まず、サブスクリプション自体の定義に目を向けることから始めていきたい。製品やサービスをユーザに提供し、その対価を直接的に受け取ることを想定した場合、単発で受け取るか、継続的に受け取るか、またはそれらの組み合わせしかない。この継続的に対価を受け取るビジネスモデルこそがサブスクリプションなのである。例えば、スポーツジムや新聞、携帯の基本料金などもサブスクリプションに当たる。

次いで、SaaSはクラウドコンピューティングの一類型であり、ソフトウェアを提供する構成から定義付けたものである。他方、サブスクリプションはビジネスモデルに着目し、その対価の受け取り方を定義したものである。つまり、SaaSとサブスクリプションは、定義している対象も、その視点も全く異なるのである。

にも関わらず、SaaSとサブスクリプションは同義的に使われることが多いのはなぜなのか。それは、SaaSという提供方法がサブスクリプションというビジネスモデルと非常に相性がいいからである。サービスとして継続利用が前提とされている状態でソフトウェアを提供する際、ユーザの利用に応じた課金、つまりサブスクリプションを採用することに整合性があるのである。ユーザ視点に立っても、毎月定額の利用料を支払うことで、サービスを継続的に使用できるようになるので、納得感が高い。そして、提供者としてもユーザが継続して利用する前提を置くことで、売上の見込みを立てやすくなり、事業運営にもメリットがある。そのため、SaaSを展開する場合、サブスクリプションというビジネスモデルを採用し、事業展開しているケースが大半を占めるのである。視点を変えて説明するとSaaSの事業化に適したビジネスモデルがサブスクリプションというだけであり、あくまでサブスクリプションというビジネスモデルの採用自体が目的ではない。

つまり、サブスクリプションというビジネスモデルの採用により確かに事業運営を進化させたことは間違いないだろう。**ただ、サブスクリプションの採用を支えたのは、ソフトウェアをサービスとして提供するというコンセプトであり、これこそがソフトウェアビジネスの変革の根源であると言える。**

当然、従量課金などサブスクリプション以外のビジネスモデルを採用したSaaSもある。しかし、SaaSの多くはサブスクリプションを採用しているので、ここでは、サブスクリプションを前提としてSaaS構築の方法論を紐解いていきたい。

Chapter 2 SaaSの優位性

ソフトウェアビジネスではこれまでパッケージソフトウェアを売り切る形式を採用してきた。2000年前後からSalesforceを始めとするスタートアップがサブスクリプションによる事業の見通しの良さに目を付け、1つ、また1つと新たにサブスクリプションを採用したSaaSが展開され始めた。

従来パッケージソフトウェアを購入していたユーザは、手元にデータがないことやセキュリティの観点で懸念があり、当初SaaSはスモールビジネス向けにしか成立しないものとして捉えられていた。しかし徐々にエンタープライズ企業も、サービスとして享受することのメリットを理解し始め、徐々にSaaSが浸透していった。このSaaS化の波がアメリカを中心とする諸外国に広がっていき、日本にも波及し始めているのである。

SaaSとパッケージソフトウェアの比較という視点から、SaaS普及の理由を、ユーザとのコミュニケーションと売上の認識の2点を取り上げて明らかにしていきたい。

1 ユーザとのコミュニケーションにおける優位性

ユーザがソフトウェアをサービスとして利用することに対し、サブスクリプションにより対価を得るモデルが確立した。これに至る前はパッケージソフトウェアとして売り切りの形で販売されていた。

Part1 Chapter1 Section3「クラウドコンピューティングにおけるSaaSの位置付け」で確認した通り、SaaSとはクラウドコンピューティングの一類型であり、サービスという形でソフトウェアを提供することを指している。この提供方法はサブスクリプションと相性が良いこともすでに確認した。他方、パッケージソフトウェアはソフトウェアのインストールを前提とした提供を指している。これに対応させる形でビジネスモデルも売り切りモデルが採用されることが多かった。

今となっては業務上SaaSを活用しているが、もともとはパッケージソフトウェアとして購入して使っていたものはないだろうか。この問いの背景として、これまでパッケージソフトウェアとして購入していたものが、サービスとして提供されることになり、ユーザは価値自体を購入できるように進化したことが挙げられる。この変化により、プロダクトがどれだけ優れたものであるかではなく、ユーザがどれだけ価値を感じるかが支配的な判断基準になったのである[※16]。つまり、ユーザはパッケージソフトウェアの提供企業からプロダクト自体を購入して自分で価値を実現してきたが、SaaSを選択することで、SaaS提供企業からサービスを通した提供価値自体を購入できるようになったのである。さらに、SaaS提供企業はクラウドを通してユーザの利用動向を分析することで、適切に活用してもらえるようにプロダクトの改善を行ったり、より適切にユーザにサポートを行うことができるようになったのである。

今でこそユーザに対してSaaSがどのような優位性があるか理解されているが、SaaSが立ち上がり始めた頃はそもそも認識されていなかった。当時の

［※16］　参照『サブスクリプション――「顧客の成功」が収益を生む新時代のビジネスモデル』（ティエン・ツォ、ゲイブ・ワイザート［著］、桑野 順一郎［監訳］、御立 英史［訳］、ダイヤモンド社、2018/10）、p.37〜p.39：「顧客の時代の新しいビジネスモデルとは？」

ことを『クラウド化する世界』(翔泳社)[※17]では、パッケージソフトウェアが主流の中、Salesforceの立ち上げ時に潜在ユーザから懐疑論に投げかけられたと紹介している。

「万一セールスフォースが倒産したら、自分達のデータも一緒に消えてしまうのか？スピードは十分早いのか？カスタマイズすることは可能か？インターネットに接続できなくなったらどうなるのか？情報セキュリティは？多数の企業が共有するシステムに情報を流して、しかもライバル企業も利用しているとなれば、セキュリティが危ういのではないか？」

パッケージソフトウェアしか使ったことがないユーザの立場からSaaSを評価すると、どの指摘も懸念を感じるポイントだろう。こうした問いにSalesforceを始めとしたSaaSのリーディングカンパニーが先陣を切ってくれ、業界や業種に応じた対応を行い、SaaSに対する安心感を醸成してきてくれたのである。具体的には、サーバ・クライアントモデルと変わらない応答速度の実現や、データの保存もしくはキャッシングへの対応、最新の暗号化技術の採用を行い、数々の懸念を払拭し、SaaSの信頼性を担保したのである。

SaaSの提供側もサービスとして提供することを通してユーザの向き合い方に変化があった。それはSaaSを継続して利用してもらえるようにユーザと接点を持ち始めたことである。このことにより、プロダクト自体の漸次的な改善と定期的な機能などのバンドリングやプライシングの見直しという新たな概念が表出した。これまで、パッケージソフトウェアは売ってしまうと、メンテナンスとバージョンアップによる買い替えぐらいしかユーザとの接点はなかったことと比較すると大きな変化であると言える[※18]。

さらに、パッケージソフトウェア提供企業からユーザに対して、要件とそ

[※17]　参照『クラウド化する世界〜ビジネスモデル構築の大転換』(ニコラス・G・カー［著］、村上 彩［訳］、翔泳社、2008/10)、p.84

[※18]　参照『ソフトウェアファースト　あらゆるビジネスを一変させる最強戦略』(及川 卓也［著］、日経BP、2019/10)、p.24〜p.27：「サービス化を象徴するSaaSの普及」

の費用という一方向的なコミュニケーションから、SaaS提供企業はユーザの懐に一歩踏み込んで、プロダクトの改善と機能のバンドリングやプライシングを通して、ユーザとの相互的で発展的なコミュニケーションを実現したと言える。

2 売上認識における優位性

次に、売上という観点でパッケージソフトウェアとSaaSを比較してみたい。Part1 Chapter1 Section5「サブスクリプションとSaaSの隆盛」で確認した通り、SaaSの多くはサブスクリプションというビジネスモデルを採用することにより、ユーザが使い続けている限り、定期的に売上が立つことになる。これをリカーリングレベニューと呼ぶ。逆に、パッケージソフトウェアは原則として売り切りモデルを取ることが多く、売った瞬間に売上を満額認識することになる。

パッケージソフトウェアの業態は、プロダクトの開発に向け初期投資がかさむが、一度開発してしまうと、それ以降の限界コストはかなり低い業態である。そのため、売上至上主義になりやすく、プロダクトとして高額で売り切れるのであれば、わざわざSaaSというモデルを組んで、短期的に赤字体質の事業や企業にするという選択は取りにくいだろう。短期的な売上の構築という観点であれば、ソフトウェアベンダーの経営者だけではなく、投資家目線でも同じ評価をして、パッケージソフトウェアに軍配を上げるだろう。つまり、SaaSは短期的な売上は低いが、使い続けてくれるユーザが増加することにより、リカーリングレベニューが累積されていき、来期における売上の見通しが立てやすいというSaaS/サブスクリプションの本質を曇らせやすかった[※19]。

[※19]　参照『サブスクリプションシフト DX時代の最強のビジネス戦略』(荻島 浩司［著］、翔泳社、2020/1)、p.58～p.60：「はじめ投資家の理解は得られなかった」

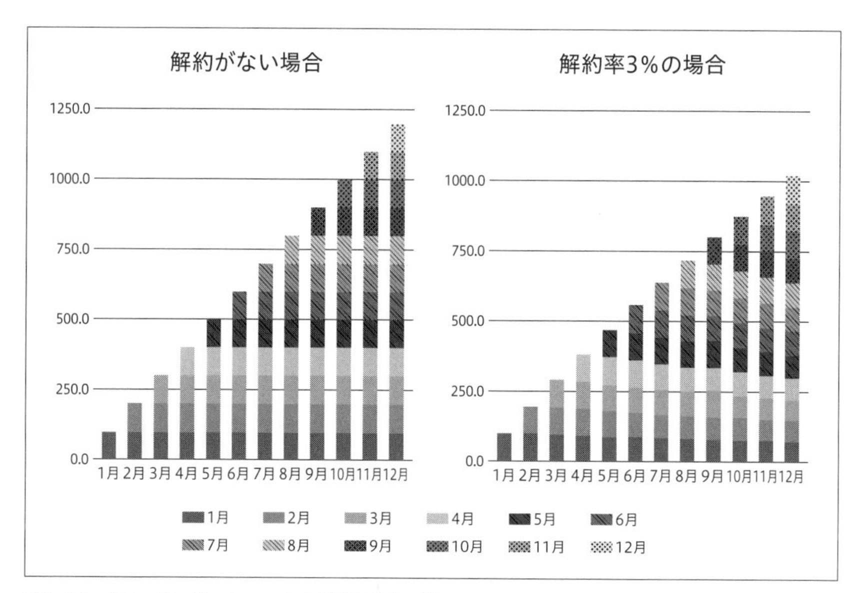

図1.2.1：リカーリングレベニューによる累積売上のグラフ

図1.2.1のように、SaaSを提供することにより獲得したユーザが永遠に価値を感じ使い続けてくれたとすると、左図のように獲得すればするほど売上は低減することなく累積され続ける。もちろんそれが理想的な状態だが、すべてのユーザが永遠に使い続けることは考えづらく、一定割合で価値を感じてもらえなくなり、解約を行うことを想定する必要がある。その場合でも、右図のようにリカーリングレベニューが累積されることで、翌月の売上を見通しやすくなる。また事業展開が進むと、解約が生じる理由やその割合などが可視化されるようになり、場合によっては推測さえできるようになる。つまり、すでに使い始めているユーザによる翌月、翌年の売上は当月、当年をベースに高い精度で推測できるため、SaaSの場合、売上の見通しを立てやすく、安定した事業運営を行うことができるのである。

Chapter 3 SaaSの評価方法

前Chapterでは、パッケージソフトウェアとの比較からSaaSはユーザとの発展的なコミュニケーションを通して、プロダクトの価値を継続的に感じてもらい続けられれば、半永久的に売上を認識することができることを確認した。このChapterでは、具体的にSaaSをどのように評価していくべきかを確認していく。

1 ユニットエコノミクス

パッケージソフトウェアの場合売り切りモデルなので、パッケージソフトウェアを1つ売るごとに売上が立つことになる。この原理は極めて直感的なメカニズムであり、下記分解を行い、評価すれば良かった。

売上 = 単価 × 数量

一方で、SaaSの場合ユーザが使い続ける限り、継続的に利用料を支払ってくれ、毎月や毎年など、そのサービスを提供したタイミングに併せて売上が立つことになる。そのため1ユーザへのサービス提供を評価する際、売上で確認するのではなく、一定のフレームワークが必要となり、そこで導入されたのがユニットエコノミクスである。

このユニットエコノミクスは、ライフタイムバリュー（Life Time Value、1ユーザが利用することによりSaaS提供企業が将来受け取る対価の累積額を指す、以下LTVと表記する）と、潜在ユーザ獲得コスト（Customer Acquisition Cost、1ユーザを獲得するまでにかかったコストの総額、以下CACと表記する）という2つの側面で構成される。数式を用いて、ユニットエコノミクスと2つの構成要素の関係を表現すると、以下のようになる。

$$\text{Unit economics} = \frac{\text{LTV}}{\text{CAC}}$$

上記数式を念頭に置き、ユニットエコノミクスの構成要素であるLTVとCACに関して個別に確認していく。

2 LTV（ライフタイムバリュー）

LTVは先程定義を確認した通り、1ユーザから将来受け取る利用料の総額であり、1ヶ月など単位ごとの平均単価（Average Monthly Recurring Revenue（以下MRRと表記する）per Customer）に平均継続月数（Average Lifetime of a Customer）を掛けることで算出できる。SaaSが対象としているプロダクトの特性ごとに四半期、半期、年ごとなどの契約期間を持って自動更新としている場合は、それに準拠してもらいたい。ここでは便宜的に月次の契約期間とし、説明を進める。

$$\text{LTV} = \text{Average MRR per Customer} \times \text{Average Lifetime of a Customer}$$

基本的な考え方を表した数式は上記の通りであるが、より厳密を期すべく、未来の収益をそのまま累積する、つまり平均単価に平均継続月数をかけるだけでなく、現在価値に引き直すべく割引率を掛け合わせてからLTVを算出することもある。

3 CAC（ユーザ獲得コスト）

上記の通り、LTV、つまり1ユーザの価値を算出する方法が確認できた。とすると、次に気になるのはCACである。CACとは、読んで字のごとく、マーケティング及びセールスコストを獲得したユーザ数で割ったものである。

$$\text{CAC} = \frac{\text{Sales and Marketing Costs}}{\text{Number of Acquired Customers}}$$

ここで、1つ論点が出てくる。それはCACの分母に当たるユーザ数を有料で獲得したユーザに限るのか、それとも全獲得数を使って算出するのかというものである。そもそもユーザ獲得経路は大きく2つに分解できる。展示会への出展やオンライン広告への出稿などを通してユーザが獲得するもの（Paid Acquisition）と、マーケティング施策によらず、ユーザが自ら契約し、課金し、使い始めてくれる自然流入（Organic Acquisition）である。そのため、CACを算出するに当たって分母のユーザの獲得数（Number of Acquired Customers）に、マーケティングやセールスを駆使して獲得したユーザに限定した獲得数を使うのか、それともマーケティングやセールスなど関係なく、ただ単純に獲得数を活用するのかが論点となる。

これらはどちらが絶対的に正しいという優劣がある論点ではなく、CACを活用する目的によって、どちらで算出したほうが良いかが決まる。つまり、マーケターが打った個別の施策の投資対効果（Return On Investment、以下ROIと表記する）を確認したいのか、マーケティングによる獲得数の増加に起因して自然流入も増えることもあるため全獲得ユーザ数をベースに、事業全体の獲得効率を見たいのかによって、分母とすべき獲得数が決まる。

以下では、SaaSを通して展開している事業全体の評価を行うことを想定し、全獲得ユーザ数をベースにしたCACを前提とする。

4 LTV、CACを活用した評価

最後に、LTVとCACを用いて行うSaaSの評価について確認していきたい。まず率直に気になるのは、下記の不等式が成り立っているのか、と言うことだろう。

$$\mathrm{LTV} > \mathrm{CAC}$$

これが成り立たない、もしくは成り立つ可能性や仮説、道筋が見えていなければ正直ビジネスとは言えないだろう。この不等式が成り立たないということは、ユーザの獲得コストより1ユーザから受け取る対価のほうが低いことを意味しており、ユーザを獲得すればするほど損をすることになる。すでにPart1 Chapter3 Section1「ユニットエコノミクス」で説明した通り、このようなLTVとCACの比較を一般化し、ユニットエコノミクスは下記数式で表現される。

$$\text{Unit economics} = \frac{\mathrm{LTV}}{\mathrm{CAC}}$$

ベンチャーキャピタルでもこのユニットエコノミクスは活用され、一般的に3倍以上であることを1つの目安に投資性向を判断しているようである[※20]。とはいえ、短期的にマーケやセールスのコストを絞り込んだり、ユニットエコノミクスが3倍になりそうな特定のユーザに絞り込んだりして達成すれば良いという話ではない。高いユニットエコノミクスを維持しながら、継続的な事業成長のために多くの潜在ユーザにリーチして、ユーザを獲得し続ける必要があるのである。

5 CACの回収期間としての評価

ここまでLTVとCACを比にすることで費用対効果を確認していきたが、他にもCACを回収するまでどの程度の期間がかかるのかという手法で評価することもある。これをコスト回収期間（Payback Period）と言い、下記数式で表現される。

$$\text{Payback Period} = \frac{\text{CAC}}{\text{Average MRR per Customer}}$$

上記の通り、CACをAverage MRR per Customerで除することにより、CACを回収するまでの期間を算出することが可能である。およそ半年から1年で回収することが良いとされている。

これらのSaaSの評価方法は企業や事業全体のファイナンスを評価する際のディスカウントキャッシュフロー（Discount Cash Flow）により現在価値（Present Value）を算出し、正味現在価値（Net Present Value）や内部収益率（Internal Rate of Return）、コスト回収期間（Payback Period）による企業や事業全体のファイナンスを評価し、投資判断のために行う手法と似ている。これは、SaaSを通して何かしらの事業展開を意図しており、この事業の

[※20] 参照『SaaSの公式「LTV/CAC > 3x」ってなんでなの？分解して考えてみた。』
URL https://www.wantedly.com/companies/wantedly/post_articles/136733

評価するに当たり、ファイナンスの手法を導入したからであろう。特に、SaaSの場合、企業や事業全体の視点に立たなくても、1ユーザごとにリカーリングレベニューが発生することが多く、ユニットエコノミクスという概念が確立したと解釈できる。

Chapter 4 まとめ

経営者という立場からは売り切りでパッケージソフトウェアとして売れるものを、わざわざ短期的な売上の規模を落としてまで、サブスクリプションを前提としたSaaSによる提供を採用するという判断はしにくかっただろう。しかし、ここまで順を追ってみてきた通り、国内においても、昨今SaaSの評価方法は確立し、浸透するフェーズを迎えている。**つまり、SaaSを評価するユニットエコノミクスを中心とした概念がベンチャーキャピタルや経営者に浸透し、今後プロダクトを通して事業を立ち上げていく1つのオプションとしてSaaSを認知し、採用しやすい環境が整ったのである。**そのため、SaaSが急激な伸びを見せていることはすでに言及した通りである。

ここからは、プロダクトマネジメントの視点からSaaSの立ち上げに関する方法論を再構築していく。

Part 2

SaaS構築の全体像

Chapter 1 SaaSを立ち上げるためのフェーズと体制

本Chapterでは、SaaSを立ち上げるに当たり、どのようなフェーズがあり、具体的にどのようなことを行っていくのかを確認する。作業内容を詳細に確認するのではなく、SaaSの立ち上げを検討し始めるところから、最終的にリリースするところまでを概観する。

また、SaaSを立ち上げる前提となる体制や協業のあり方についても見ていく。

1 4つのフェーズ

では早速、SaaSをリリースするまでに、どのようなフェーズがあるのかについて具体的に見ていきたい。一般的にプロダクトを立ち上げる時と変わらず、以下4つのフェーズに分解できる。

1. 事前/深掘り調査とプロトタイプ
2. 開発
3. ゴー・トゥ・マーケット戦略
4. リリース

上記の通り、各種調査を経てプロトタイプを作るところから始まる。そして、要件に沿って、開発を進めていくことになるだろう。ある程度プロダクトが形になってくると、どのように展開していくのか、主にビジネス面の計画を策定する。最後のリリースはこれまでの集大成になる。ここでは、各フェーズについて概要を確認しておく。

なお、本書のPart3以降で、各フェーズについて具体的に解説しているので、必要に応じて参照されたい。

1. 事前/深掘り調査とプロトタイプ

各種調査を通して対象とする業務を把握した上で、現状における課題を洗い出し、ソリューションの方向性を策定し、プロトタイピングを行う。そして、調査結果やプロトタイプへのユーザフィードバックなどを総ざらいし、開発に進むべきか否かの意思決定を行うことになる。

2. 開発

プロトタイプを通して受けたユーザフィードバックを元に、ユーザストーリーの精緻化を行い、開発に着手できるように具体的な要件を固めていく。また実際に開発を進める上で必要なインフラの構築や、スクラム、品質保証（Quality Assurance、以下QAと表記する）などの運用を確立していくことになる。これら開発に関する前提に則って、リリースに向け実装を進めていく。

3. ゴー・トゥ・マーケット戦略

具体的な開発要件が決まったら、いくらで売るべきか、どの程度売れそうか、さらにどのように売っていくのかを議論し、決めていく必要がある。これらは、プライシング、事業計画、販売戦略を指し、ビジネスサイドと協働し、進めていくことになる。

4. リリース

最終的にプロダクトをリリースしていく上で、リリース判定基準やベータ版の種類と目的の整理など、まだ検討項目は残っており、対応を進めることになる。事前/深掘り調査から進めてきたことが無に帰さないためにも、盤石な状態でリリースを迎えたい。

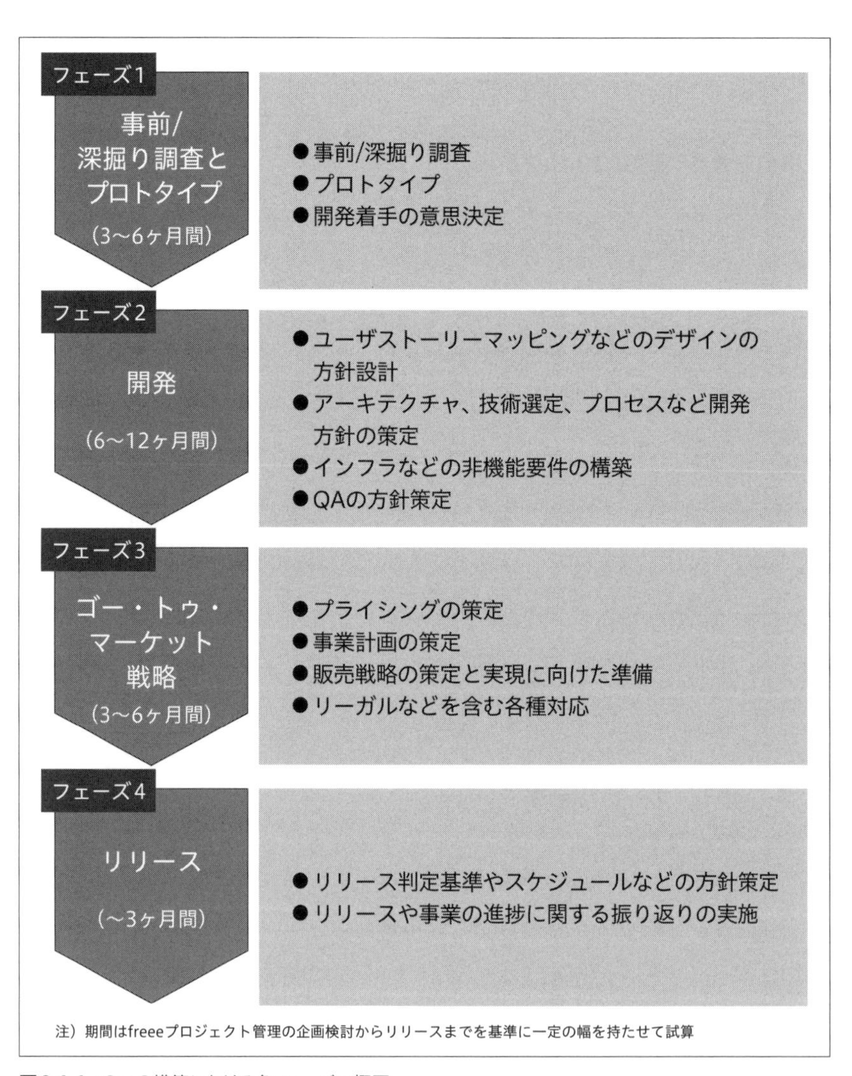

図2.1.1：SaaS構築における各フェーズの概要

図2.1.1では、SaaSを立ち上げるに当たり、4つの大きなフェーズを定義し、それに伴う概要は一部デフォルメして、わかりやすさを重視し記載している。またフェーズ2の開発とフェーズ3のゴー・トゥ・マーケット戦略は直列ではなく並列で議論され進められることも多い。フェーズ1のプロトタイプを進める上で開発で精査されるユーザストーリーマッピングを前倒しし、ドラフト版として実施することもある。このようにフェーズごとに完全に固定化されたタスクをこなしていくのではなく、フェーズを跨いでタスクに取り組んだり、場合によってフェーズを並列させるなどの工夫を行い、柔軟に進めることが求められる。

また、フェーズごとの期間は対象となるタスク、プロダクトの要件、開発の難易度、SaaSの立ち上げに投下するリソースなどによって大きく変わる。どれだけ事前/深掘り調査やプロトタイプの期間を取るのか、要件をどこまで切り詰め、開発期間をどの程度とるのか、リリース初期からプロダクトとしてどこまで完璧な状態で迎えるのかといった論点によっても、リードタイムは大きく変わる。図2.1.1には、freeeプロジェクト管理の企画検討からリリースに至るまでのスケジュール感を基準に少し幅を持たせて、目安として期間を記載している。

上述の通り、4つのフェーズに分け、個々のリードタイムを意識して、全体設計を行い、それぞれ進めていくことになる。ただし、このフェーズの整理はあくまでリリースを迎えた後で、結果的にスケジュールを振り返り、フェーズごとに費やした時間を把握したものである。実際進めていく上では事前/深掘り調査とプロトタイプを経て、開発を行うかどうかの意思決定が大きな関門となり、それをくぐり抜けた後に、その後のスケジューリングすることもある。また、要件次第で開発期間は大きく前後するので注意が必要である。

少しまとめると、SaaSを立ち上げるに当たって、全体像を俯瞰し、4つのフェーズを意識して進めていくことが非常に重要である。そして、これらのフェーズを経て、リリースを手繰り寄せるには、多岐に亘るタスクを丁寧に、そして臨機応変に進めていかなければならないのである。

2 組織体制

SaaSの企画検討を進めるに当たって、2つの組織設計の考え方がある。それは事業型とファンクション型である。前者の事業型は各事業に必要なファンクションを備える体制を指す。この場合、事業責任者がSaaSの企画検討に対して責任を負い、異なるファンクションのメンバーを巻き込むだけでなく、ピープルマネジメントもその職務として担うことが多い。

後者のファンクション型はプロダクトマネジメントや開発など、ファンクションごとの組織を組むが、ファンクション横断のバーチャルチームを組成し、プロダクトや事業を運営するスタイルを指す。各ファンクションが結果責任を負い、CEOを中心とした企業の中枢にレポーティングを行うことになる。具体的には、プロダクトの責任者としてCPO（Chief Product Officerの略）やVPoP（Vice President of Productの略）を置くように、各ファンクションの責任者に据えて、その配下に組織が組まれることが多い。

昨今のスタートアップの多くがファンクション型の組織を採用しており、SaaSを運営しているスタートアップでも同様の傾向が見られる。これは、SaaSの立ち上げに高い専門性を持った様々なファンクションの人が協働し、推進していく必要があるからである。逆に、事業型があまり採用されない理由は、事業責任者が事業の運営に必要なファンクションに関する知見を併せ持つ必要が出てくるが、SaaSの立ち上げに必要な知見が多様すぎて、適切な事業責任者を擁立しづらいからである。

本書の目的はSaaSを立ち上げていく上での方法論を確立させることにあるため、多様でかつ専門性の高いファンクションの協働が可能なファンクション型の組織体制を前提に議論を進めていくことにする。

3 SaaS構築に関するプロダクトサイドの体制

まず、SaaSの立ち上げに必要なファンクションはプロダクトサイドとビジネスサイドの2つに大きく分類される。前者はプロダクトマネージャ、エンジニア、デザイナーなどが所属し、SaaSの企画検討、さらには開発を担当することになる。後者はマーケティング、インサイドセールス、フィールドセールス、導入コンサル、カスタマーサクセス、カスタマーサポートなどで構成されることが多い。潜在ユーザにプロダクトを知ってもらうところから最終的に価値を感じてもらい、使い続けてもらうところまでを担当することになる。本Sectionでは、プロダクトサイドの体制についてもう少し深く確認をしていく。ビジネスサイドについては、Part5 Chapter4 Section4「SaaSを取り巻くビジネスサイドの全体像」にて詳述する。

プロダクトサイドの規模に応じて組織設計は大きく異なるため、20人程度と50～100人程度になった時に分けて言及していきたい。

20人程度の場合

プロダクトサイドの体制が20人程度であれば、まだ開発組織が小規模であり、CEOがプロダクトに関して責任を持つケースが多く、プロダクトマネージャはよくCEOに直接レポーティングすることになる。つまり、CEO自身がプロダクトマネージャを、CTO/VPoEが開発組織を統括するのである（図2.1.2)。この規模感の場合、エンジニアは技術ドメインに分岐させることが難しく、フルスタックで開発に当たっていることが多いように思われる。実際の開発は組織横断的にチームを組んで、プロダクトマネージャが企画検討し、エンジニアが開発を進めるという役割分担が機能し始める時期だろう。

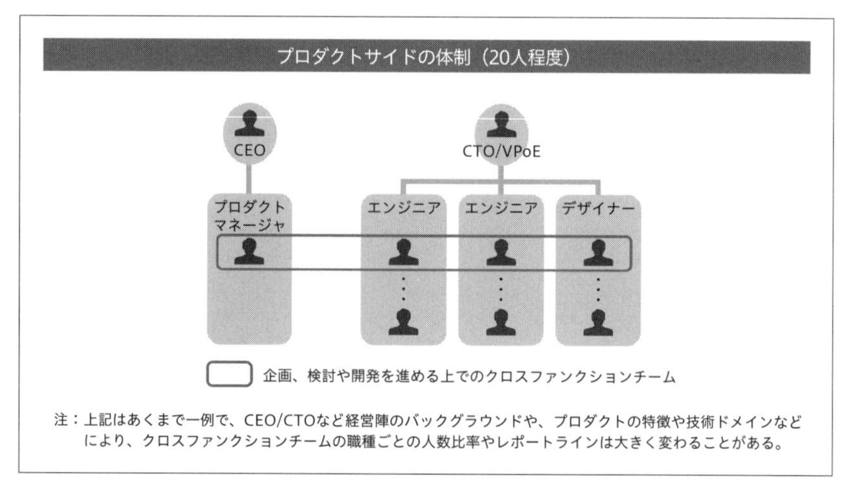

図2.1.2：20名程度のプロダクトサイドの体制（例）

50〜100人程度の場合

プロダクトサイドの体制が50〜100名に及ぶと、機能分化が進む。プロダクトマネジメント、開発それぞれに責任者が立つようになり、開発には、組織運営に責任を持つVPoEと、開発技術に責任を持つCTOが役割分担を行うこともある。プロダクトマネジメントは開発に比較して組織が小さく、50〜100人規模であれば、CPOかVPoPのどちらかがプロダクトの責任を負うケースが多い。また、VPoEとCTOほど明確な役割分担が定義されていることも少ないように思う（図2.1.3）。

20名前後の場合と異なり、この規模感になると複数のプロダクトを運営していたり、海外展開、新規事業の立ち上げなどのチャレンジを行う必要性も出てくる。そのため、ファンクションごとの組織体制を活かしつつ、実際の業務はプロジェクトやプロダクトごとに組成されるクロスファンクションチームを主軸に進めていくようになる。

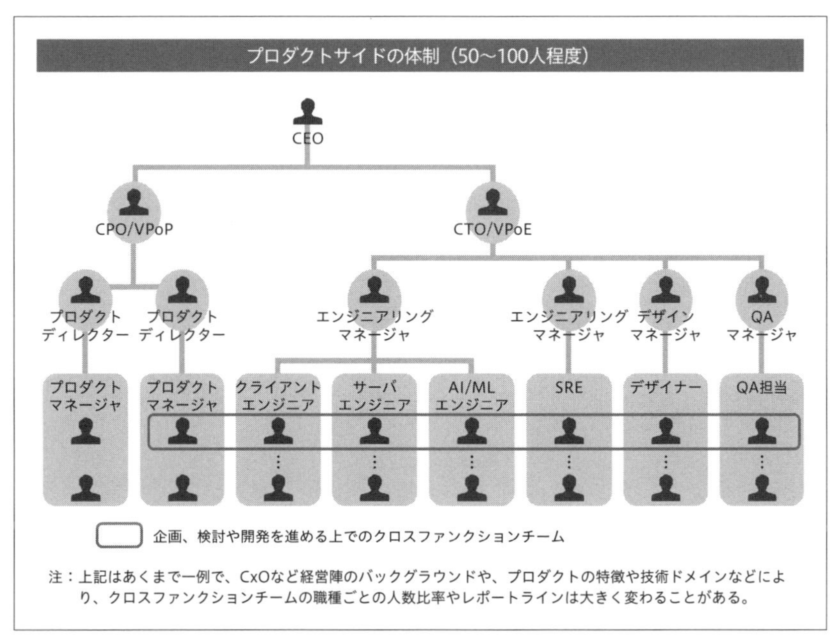

図2.1.3：50～100名程度のプロダクトサイドの体制（例）

例えば、社内の新規事業として進める場合はコアとなるプロダクトマネージャとエンジニア、デザイナーなど、企画、検討を進める最低限のチームを立ち上げ、進めていくことになる。すでに機能分化が進んだ組織であることを踏まえ、SaaSの要件に併せて、特定の専門性を持ったメンバーがクロスファンクションチームを組成し、開発に当たることになる。

4 フェーズごとの体制と協業のあり方

SaaSの立ち上げを進めていく上で、前のSectionで整理したフェーズごとに、関わるファンクションの業務を整理すると、図2.1.4のようになる。

	プロダクトサイド		ビジネスサイド
	プロダクトマネージャ、デザイナー、エンジニア、QA担当	プロダクトマーケティングマネージャ	マーケティング、セールスなど
フェーズ1 事前/深掘り調査とプロトタイプ	●SaaSを立ち上げていく上でコアとなるプロダクトマネージャ1名、デザイナー1名、エンジニア1〜2名によって事前/深掘り調査を推進 ●各種調査を踏まえて、プロトタイピングを行う	●事前 / 深掘り調査からコアメンバーの1人として、参画することもある	●−
フェーズ2 開発	●コアメンバーに加えて、実際開発を進めていくエンジニアや QA が参画する ●インフラなどの非機能要件の開発を進めるに当たり、サイトリライアビリティエンジニアなどとも連携を行う	●−	●−
フェーズ3 ゴー・トゥ・マーケット戦略	●ゴー・トゥ・マーケット戦略を具体化していく上で、プロダクトマネージャが中心になってビジネスサイドに必要なインプットを行う ●プライシングや事業計画の策定については、プロダクトマネージャが推進するケースもある	●プロダクトサイドとビジネスサイドのハブになり、ゴー・トゥ・マーケット戦略の策定を推進する	●ゴー・トゥ・マーケット戦略の策定に向けて、これまでの各種調査結果やプロダクトの概要、開発の進捗を受けて、マーケティングやセールス観点から意見する ●特に販売戦略の実現に向けた準備を推進することになる
フェーズ4 リリース	●プロダクトサイドとビジネスサイドで、リリースに向けた各種準備が漏れなく進めることができているか、お互い確認しながら、ベータ版、正式版のリリースを行う ○開発観点では、QA主導でリリース判定基準の策定を行い、リリース直前に確認を行い、リリースできる状態か確認することになる ○ビジネス観点では、プレスリリースや、リリース直後のプレスイベント等が露出を集め、リード獲得の起点になるため、注力することになる		

図2.1.4：SaaS立ち上げのフェーズごとの各ファンクションの役割

事前/深掘り調査とプロトタイプのフェーズにおけるチーム構成は、どこまでプロトタイプを作り込むかにもよるが、プロダクトマネージャ1名、デザイナー1名、エンジニア1〜2名ぐらいであることが多い。もちろん複数デバイスへの展開などプロトタイプの要件が増えれば増えるほど、エンジニア比率が上がっていくことになるだろう。また各種調査に専門性を持つユーザリサーチャーを交えて、進めることもある。同様に、プロダクトマーケティングマネージャもこのフェーズから参画し、協働することで、メインミッションとなるゴー・トゥ・マーケット戦略の策定にスムーズに移行していけるようになる[※1]。

さらに企画検討が実を結び、開発のフェーズに駒を進めることになると、プロトタイプを元にユーザが実業務で使ってもらえるように要件を決めて開発を進めていく。そのため、このタイミングで新たにエンジニアやデザイナーが参画することになる。具体的に開発が進むことになった時に、忘れてはならないのがQAである。開発を進めていく上での技術選定やアーキテクチャなどの目処が立ち、機能要件の開発が始まったタイミングでQAの担当者が参画し、QAの方針策定や実際の検証作業を通して、リリースに向けた最後の砦としての機能を果たす。

ゴー・トゥ・マーケット戦略ではビジネスサイドと協働しながら、プライシング、事業計画、販売戦略など非常に多岐に亘る議論を進めていくことになる。ここではプロダクトマーケティングマネージャがプロダクトサイドとビジネスサイドのハブとなり、推進していくことが多い。

最後に、リリースでは最初から正式版リリースを行うのか、それともベータ版を経てから正式版をリリースするのかを決め、リリース判定基準の設定とその評価を行う。リリースに伴い、販売を開始することになるので、ビジネスサイドとしても佳境になる。そのため、プロダクトマネージャ、エンジニアリングマネージャ、プロダクトマーケティングマネージャがリリースに向けて各ファンクションのハブとなり、乗り切っていくことになる。

[※1]　参照 『Product Marketing Debunked: The Essential Go-To-Market Guide』(Yasmeen Turayhi、Cali Schmidt［著］、Createspace Independent Pub、2018/8)、p.32～p.64：「Step1: market validation: Discovery, Research & Prioritization」

Chapter 2 目標設定

SaaSの立ち上げは非常に関係者が多く、壮大なプロジェクトになる。そのため、オブジェクティブとキーリザルト（Objective and Key Resultsを指し、目標と主要な結果を意味する。以下OKRと表記する）などの目標設定を行い、チーム運営に活かしていくことになる。OKRはインテルで最初に導入され、シリコンバレーにおけるメガベンチャーからスタートアップまで幅広く活用されている。本Chapterでは、各社で成果を出しているOKRを取り上げ、SaaSの立ち上げ時における活用方法を明らかにしていきたい。

1 OKRとは

OKRについてはすでに書籍等でも多く取り上げられている。特に『OKR シリコンバレー式で大胆な目標を達成する方法』（日経BP）[※2]と『Measure What Matters 伝説のベンチャー投資家がGoogleに教えた成功手法 OKR』（日本経済新聞出版）[※3]は必読書だろう。ここでは簡単にフレームワークと

[※2] 『OKR　シリコンバレー式で大胆な目標を達成する方法』（クリスティーナ・ウォドキー［著］、二木 夢子［訳］、及川 卓也［解説］、日経BP、2018/3）

[※3] 『Measure What Matters 伝説のベンチャー投資家がGoogleに教えた成功手法 OKR』（ジョン・ドーア［著］、ラリー・ペイジ［序文］、土方 奈美［訳］、日本経済新聞出版、2018/10）

してのOKRを説明し、それを踏まえた上で次のSectionでSaaSの立ち上げ時にどのようにOKRを運用していくべきか整理していく。

OKRとは目標管理を行うためのフレームワークで、同じ目標を持つべき企業や部署といった組織や、協働するクロスファンクションチームなどで設定されることが多い。

OKRはオブジェクティブとキーリザルトに分解でき、オブジェクティブは設定する組織やチーム単位でのミッション・ステートメントを指す。そのため定性的なもので、聞いた時にワクワクして人を惹きつけるような形で設定すべきものである。キーリザルトは定性的なオブジェクティブに対し、設定する期間（1年、四半期等）に応じた主要な結果を指し、定量的な目標を掲げることが多い。こちらについては検証可能性が高いもので、OKRを設定した組織やチームが独立して業務を進めることで、期間内に達成可能であることが望ましいとされる。

OKR設定後は期間に応じて振り返りを行う。期間終了後に振り返りを行うだけでは各種施策の変更等を適宜行えないので、設定した期間よりも高頻度で振り返りを行うこともある。

また、運用を始めてOKRをより適したものに変更していく場合、まずはOKR自体の振り返りから始める。現状のOKRが良かったか悪かったか、改善点はあるのかなど自問自答したり、メンバーを集めて振り返りを行ったりする。また、今後を見据えた施策群を洗い出した時にこのまま継続して既存のOKRを持つべきか、変更すべきかなどを思案する。オブジェクティブに照らし、実行すべき施策を見渡し、何が最もオブジェクティブへの進捗を表す上で効果的なのかを勘案し、キーリザルトの候補を洗い出していく。そして現状における具体的な数値を取得し、期間終了後にどこまで行くべきか、行けそうなのかシミュレーションして、キーリザルトを策定することになる。もちろん昨今の事業環境は変化に富んでおり、途中で状況を踏まえてOKR自体を変更する可能性もあるが、期中でのOKRの変更は関係者も多く、楽な作業ではないので、新たに設定する際に納得行くまで議論するのが望ましい。

プロダクトの拡張、改善や立ち上げなどを担うプロダクトマネージャ、デザイナー、エンジニアなどのプロダクト関連の職種においては職種ごとの所属組織ではなく、組織横断のクロスファンクションチームを組成し、そのチーム単位にOKRを掲げることが多い[※4]。これと同時に上述の部門（プロダクトマネージャ部門、ユーザエクスペリエンス部門、エンジニア部門など）ごとにOKRを掲げても問題ない。担当するプロダクトや部門の特性などにより、どちらの軸をより重視すべきか、所属部門やチームとすり合わせて設定することになる。場合によっては個人OKRなどにより言語化しておくことで、その後の調整を省くことができる。

ここまでの議論をまとめると、OKRは目標管理のフレームワークであり、企業、部門などの組織やチームなどで設定されることが多く、オブジェクティブとキーリザルトで構成される。OKRの設定はメンバーと様々な観点でしっかり議論と検証を踏まえ、策定し、振り返ることが肝要である。

2 SaaSの立ち上げ時におけるOKRの設定

SaaSの立ち上げの過程を4つフェーズに分けて、プロダクトサイドからビジネスサイドまで非常に多くの人が協働し、どのように進めていくのかを確認した。ここでは、SaaSの立ち上げを推進するクロスファンクションチームが、どのようにオブジェクティブを設定し、4つのフェーズごとにキーリザルトを設定していくのか、その方法を詳述していく。

［※4］ 参照『OKR　シリコンバレー式で大胆な目標を達成する方法』（クリスティーナ・ウォドキー［著］、二木 夢子［訳］、及川 卓也［解説］、日経BP、2018/3）、p.148～p.152：「プロダクト・チームのOKR」

オブジェクティブ

オブジェクティブはフェーズに関わらず、SaaSを立ち上げ、これをユーザが導入し、課題を解決した時に、どのような世界が待っているのか指し示すことになる。

もちろん、事前/深掘り調査とプロトタイプを進める前から設定ができれば良いが、どのようなプロダクトを立ち上げていくかわからない中、ユーザが導入した時の世界をイメージすることは難しい。そのため、事前/深掘り調査と並行しながら、オブジェクティブを検討していくことになる。

キーリザルトに比べ、オブジェクティブは頻繁に変更すべきものではなく、基本的にリリースするまで踏襲していくのが理想的である。ただ、SaaSの立ち上げはフェーズが進むにつれて、ビジネスサイドなどの関係者が増えていく。当然プロダクトサイドとビジネスサイドは責任範囲や役割が異なるので、オブジェクティブを見る視点も異なる。また、業種や業務に対する理解が高まり、立ち上げるプロダクトの解像度が向上することで、プロダクトを通して実現したい世界観もより鮮明になっていく。そのため、関係者の広がりや、プロダクトに対する解像度に応じてオブジェクティブを改良していくと良いだろう。

キーリザルト

キーリザルトはSaaS立ち上げのフェーズに応じて、設定すべき内容が大きく変わるので、個別に確認していきたい。

まず、事前/深掘り調査とプロトタイプでは、SaaSを立ち上げていく上での事前知識を収集し、プロトタイピングを行い、最終的に開発を行うかどうかの判断を仰ぐことになる。そのため、開発の意思決定ができる状況を作ることがキーリザルトになるだろう。この段階はまだ開発の意思決定前であり、リリース時期など開発することを前提としたキーリザルトを設定しても、あまり意味がない。逆に、企画検討時期にリリース時期などを設定してしまうと、開発の意思決定が予定調和になりかねないので注意が必要である。

次に、開発が始まると、リリース時の要件を策定し、開発方針を決めて、開発していくことになる。リリース時の要件は開発を進める上ではもちろん、ゴー・トゥ・マーケット戦略を考える上でも起点になる。そのため、リリース時の要件の策定には期限を設定し、キーリザルトに入れるべきだろう。実際開発が始まると、リリース時期の決定やリリース自体をキーリザルトに設定していくことになる。

ゴー・トゥ・マーケット戦略では、プライシング調査を踏まえて、プライシング、事業計画、販売戦略を決めることが大きなマイルストーンになる。そのため、この3つに対して期限を設定し、決めていくことをキーリザルトに設定することが多い。

最後に、リリースではリリース判定基準を明確化し、ベータ版、正式版ともにスケジュール通りにリリースすることをキーリザルトに設定し、最後の追い込みをしっかり行うことは不可欠だろう。また、ベータ版を展開する場合、一定数のユーザを獲得し、収集すべきフィードバック件数などをキーリザルトに入れることもある。

SaaSの立ち上げにおいては、フェーズに関係なく運用できる力強いオブジェクティブの設定と、刻々と変わるフェーズに合わせたキーリザルトの運用が重要である。これらは、既存プロダクトのOKR設計とは異なる醍醐味があるので、もしこのような機会に恵まれたら、ぜひ楽しんで頂きたい。

3 プロダクトサイドにおける人事評価

上述の通り、プロダクトサイドはクロスファンクションチームを組成することが多い。そして、チームの中で追っていくOKRが決まった後は、部門の上長に決裁などを仰ぐことなく、チーム内で様々な意思決定をしていくことになる。そのため、上長よりもチームと協働することのほうが多く、極端なことを言うと上長とコミュニケーションを取らなくても業務を進めることができてしまう。ここで問題になるのは、上長がコミュニケーションを取ってないことにより適切な人事評価ができない可能性があることである。そこで、きちんと協働したチーム内での成果を元に人事評価される仕組みの構築が不可欠である。

この状況を鑑み、よく採用される評価手法は3つある。それらは評価軸を大きく所属組織に寄せたものか、クロスファンクションチームに寄せたものか、もしくはこれらの折衷案である。まず所属組織に寄せたものとしては、部門の目標設定に依拠して評価を進めていく。この場合、評価を実績に基づいたものにすべく、ピアレビューなどを通して開発を進める上で協働するクロスファンクションチーム内でのパフォーマンスを振り返る場を設けていることが多い。次に、クロスファンクションチーム側に寄せるということは、チーム自体をタスクフォースなど企業の組織上の部門と認定してしまい、担当役員や責任者をアサインし、タスクフォース内で評価することを指している。この場合はもはやチーム自体が部門と認識されるため、そこで評価を行うことになり、特別な取り扱いが不要になる。最後に上記2つの折衷案として、クロスファンクションチームと所属部門の目標を鑑み、場合によって個人目標を策定し、評価するケースである。この方法は事前のすり合わせに時間を要するが、メンバーでそれぞれの目標を確認するので、後々認識齟齬が起きにくくなるメリットがある。

この3つのうち、どれを採用すべきかは、担当するプロダクトの特性や、フェーズ、関係するメンバーなどにより変わる。一般的にはまずは所属組織に寄せながら、クロスファンクションチーム内で相互レビューを行うなどして補完することが多い。これで思うようにクロスファンクションチームの運営ができない場合は折衷案に進み、それでも課題がある場合にタスクフォース化を検討していくのが良いだろう。個人的には新規SaaSの立ち上げは、既存の基幹事業のしがらみを一掃し、立ち上げに必要な人員をできる限り専任でアサインしていくべきである。そして新規SaaSのリリースやプロダクトマーケットフィットまでの期限を決めて、タスクフォースとしてチーム内で人事評価できる体制を組むのが望ましい。

Chapter 3 プロダクトマネージャとは

まず、SaaSの企画検討からリリースに至るまで、起点となるプロダクトマネージャの役割や業務内容、スキルセットなどを確認していきたい。SaaSの立ち上げを担当する場合だけではなく、広くSaaSに関わるプロダクトマネージャを想定して詳述し、SaaSの立ち上げ時に特に重要なポイントも付記していく。

1 プロダクトマネージャの役割

プロダクトマネージャの役割は、ユーザに選ばれ、簡単に利用でき、それでいて、実現可能性があるプロダクトを見出すことであるとされる。そのため、プロダクトマネージャの業務領域はビジネス、テクノロジー、ユーザエクスペリエンスが重なり合った部分と定義され、プロダクトマネージャはこれらの要素を理解し、プロダクトを通して価値創造を実現していくことになる（図2.3.1）[※5][※6]。

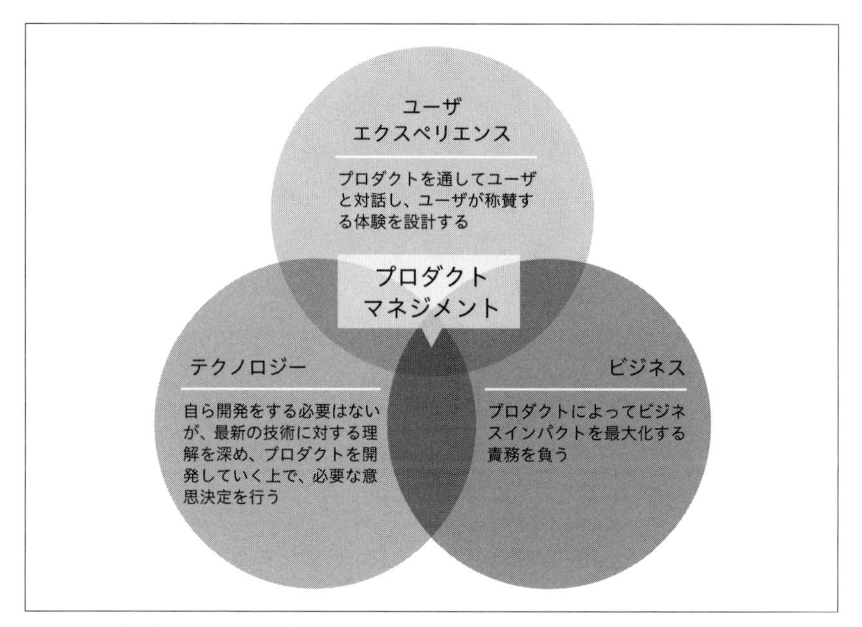

図2.3.1：プロダクトマネージャの業務領域

この説明では概念的なイメージしか湧いてこないと思うので、もう少し業務レベルの話をすると、プロダクトマネージャは企画検討を進めているプロダクトが参入する市場や業界、想定されるユーザ、競合他社、ビジネス環境などをきちんと理解し、プロダクトが向かうべき先を定義し、具体的な施策や要件に落とし込みを行う。そして、プロダクトサイドやビジネスサイドを巻き込み、クロスファンクションチームの協働を推進し、プロダクトを通してユーザに価値を提供する役割を担う。ただし、プロダクトマネージャはエ

[※5]　参照「What, exactly, is a Product Manager?」（Martin Eriksson, 2011/5）
URL https://www.mindtheproduct.com/what-exactly-is-a-product-manager/

[※6]　参照『世界で戦うプロダクトマネージャーになるための本』（Gayle Laakmann McDowell、Jackie Bavaro［著］、小林 啓倫［監訳］小山 香織［訳］）、p.13〜p.24：「プロダクトマネージャの役割」

ンジニア、デザイナーやビジネスサイドと協働するが、レポートラインにあるわけではないので、推進と言っても指示するわけではない。

つまり、プロダクトマネージャはアラインメントとオートノミーを維持しながら、チームを運営していくことこそが責務なのである。ここで言うアラインメントとはクロスファンクションチームがオブジェクティブなどの1つの方向に向かうことであり、オートノミーは様々なバックグラウンドや役割を持ったメンバーに指示するのではなく、各自の自主性を尊重することを指す。

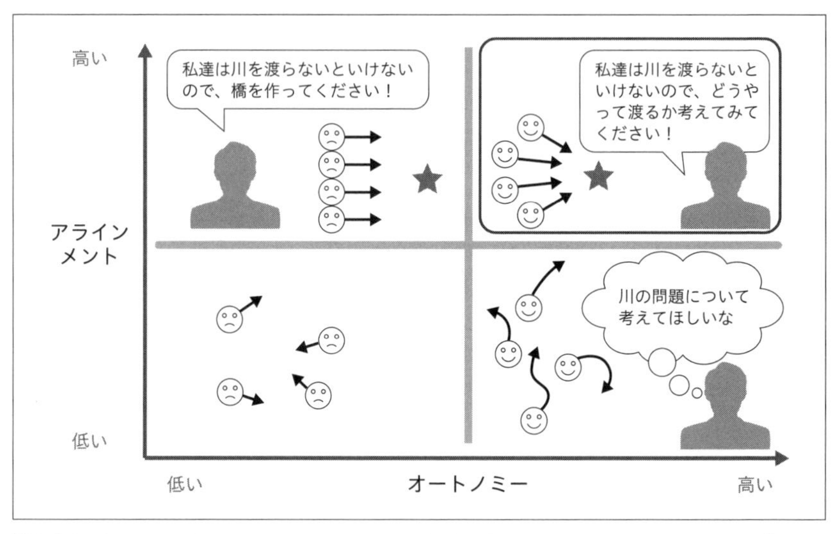

図2.3.2：クロスファンクションチームでのアラインメントとオートノミー［※7］

図2.3.2は、プロダクトマネージャの役割であるアラインメントと、オートノミーを端的に示したものである。枠で括られた右上の象限の通り、プロダクトマネージャは、クロスファンクションチームにおいて目的目標をしっかりすり合わせて、各ファンクションの自主性を重んじ、チームを運営することが求められるのである。とは言いつつも、私自身初めて聞いた時、こんな都合のいいことができるのだろうかと思った。しかし、今では他部署の意図

［※7］ 出典 『Spotify engineering culture (part 1)』、動画（3:53）から作図
URL https://engineering.atspotify.com/2014/03/27/spotify-engineering-culture-part-1/

や役割を正確に把握しつつ、うまくSaaSの立ち上げという目標のすり合わせを行い、各ファンクションから参画したメンバーがその専門性を遺憾なく発揮できるインフラを整えることがプロダクトマネージャ業務の難しい点であり、醍醐味だと感じている。

この役割ゆえか、プロダクトマネージャはmini-CEOと称されることがある。しかし、実際には先程確認した通り、他ファンクションを指示する権限は持ち合わせていない。このことから昨今海外のカンファレンスでは、そもそもプロダクトマネージャは予算や人事に関する意思決定権を持つことが少ないため、「プロダクトマネージャが全員CEOなわけがない」と、逆に揶揄されているのを見聞きすることが増えたように思う。あくまで指示する権限はないが、クロスファンクションチームのアラインメントとオートノミーを担保し、プロダクトの立ち上げや改善に責任を持つのである。

また、SaaSの立ち上げは様々なファンクションから高い専門性を持つメンバーが集結し、進めていくものであり、プロダクトマネージャが他ファンクションの領域について口出しすると、ボトルネックになるリスクすらある。そのため、プロダクトマネージャの役割の原則通り、アライメントの担保に留め、他ファンクションへの介入を最小限に留め、オートノミーを維持することが重要なのである。

2 プロダクトマネージャの業務の流れ

では、プロダクトマネージャの役割を全うするには、どのように業務を進めるべきだろうか、その流れを確認していく。具体的には、担当プロダクトが参入する市場や業界、想定されるユーザ、競合他社、ビジネス環境などをきちんと理解し、プロダクトが向かうべき先を定義し、施策や要件に落とし込み、実現していくまでの流れを詳述していく。

早速、何らかのプロダクトを任された場合、そのプロダクトが関係する業界の動向やターゲットとするユーザの業務の理解（以下業務理解と表記する）を行うことから始める。既存プロダクトであれば、現状のユーザの動向などを分析し、来年度や来四半期に掲げるべきOKRを設定していく。また、新規プロダクトの場合は企業のビジョンまで遡り、新たにプロダクトビジョンを策定し、立ち上げのフェーズに応じたOKRを策定していくことになる。なお、プロダクトビジョンについては、Part3 Chapter4 Section1「プロダクトビジョンとは」で詳述しているので、参照されたい。

そして、プロダクトのOKRが設定できたら、その達成に向け新たに追加すべき機能や既存機能の改善ポイントを洗い出す。ただ個々の施策を洗い出すだけではなく、プロダクトビジョンを踏まえた上でそれらを元に戦略性を付加したロードマップを策定していくことになる。

さらに、ロードマップに準じて、個々の施策の詳細を決めていく。企画案を洗い出す段階で事前/深掘り調査や分析などを通してプロダクトの現状を見つめ直し、前提となる知識の拡充から入ることも多い。また、ユーザが直接操作することを想定した機能であれば、要件を決めていくに当たり、ユーザストーリーの確認に始まり、具体的なユーザインターフェースをモック等に起こし、ユーザに確認してもらうことで、企画の狙い通りに効果を創出できるか検証することもある。

ユーザからのフィードバックを元に要件が決まれば、開発を進めていくことになる。ここではどのように実装していくか認識をすり合わせ、開発の見積もりを行い、企画内容の実現可能性を高めていくことになる。場合によって、アーキテクチャやデータベースの設計についても議論が及ぶことがある。

開発を進め、機能をリリースしてもユーザに使ってもらえないと意味がない。そのため、マーケティングなどのビジネスサイドと協働し、どのようにユーザに価値を届けていくか議論し、施策を実行していくことになる。このタイミングで、個々の施策に対してどのように検証していくかも併せて設計しておくと良いだろう。

最終的に四半期や年度ごとにOKRの振り返りを行う。期初に設定したキーリザルトに対して実績がどうだったかを確認し、リリースできた施策の内容と成果もまとめていくことになる。そして、この振り返りを元に、来期のOKRの策定を行っていくのである。

実際業務を進めるには、プロダクトマネージャだけで全部完結するものはほとんどなく、エンジニア、デザイナー、リサーチャー、アナリスト、マーケターなどと協働することになる。ただし、リサーチャー、アナリストの業務については企業のフェーズによっては役割が分化しておらず、プロダクトマネージャが併せて行うことも少なくない。そのため、各種業務を協業して進めていくことはもちろん、目標の設定や企画立案だけでなく、各種調査や分析についてもプロダクトマネージャ自身がオーナーとなり、進めることも多い。特にSaaSを立ち上げていく場合、最初から全ファンクションがアサインされることは少なく、プロダクトマネージャ、エンジニア、デザイナーなど最低限のリソースでチームを組み、初期検討を幅広く担当し、進めていくことになる。

3 プロダクトマネージャのスキルセット

前Sectionで確認したプロダクトマネージャの業務内容からスキルセットを抽出すると、次頁の図2.3.3のようになる。

プロダクトストラテジー

- 企業のミッション理解
- プロダクトビジョンの策定
- 目標やロードマップの策定

プロジェクトマネジメント

- クロスファンクションチームの運営
- 開発ディレクション

企画

- 企画立案に向けて事前/深掘り調査
- 目標の達成に向けた各種企画の立案

デザイン

- ユーザストーリーマッピングの実施、サポート
- オブジェクトデザインの実施、サポート
- プロトタイプを活用したユーザテストの実施

開発

- アーキテクチャやデータベース設計の理解
- 開発を進めていく上で企画のフィージビリティ確認
- QA業務の理解と、テスト項目のレビューや不具合に対する評価のサポート

プロダクトマーケティング

- ビジネスサイドの体制や構造、業務の理解
- ユーザにプロダクトを利用してもらえるまでに必要なビジネスサイドとの協業

調査/分析

- 目標を立てるための分析設計
- 企画立案に向けて事前分析
- 新機能や改善施策のリリース後における効果検証

業界/業務理解

- プロダクトの対象となる業界や業務に関する知識

図2.3.3：プロダクトマネージャのスキルセット

プロダクトストラテジー

プロダクトストラテジーとは、今後プロダクトが向かうべき方向性や取るべき戦略の構築を行う上で必要なスキルセットを指している。具体的なアウトプットとしてはプロダクトマネージャの業務内容でも触れたように、プロダクトビジョンとロードマップになる。これらを策定するには、抽象度の高い企業が掲げるミッションやビジョンを読み抜き、解釈を加え、プロダクトに落とし込めるように言語化することになる。さらにプロダクトビジョンを踏まえ、施策の洗い出しを行い、単なる施策群に留めるのではなく、一連の流れや戦略性を付与して、ロードマップを形成していく力が必要になる。

プロジェクトマネジメント

上記プロダクトストラテジーで確認した通り、プロダクトビジョンやロードマップはプロダクト全体に関わるものであり、プロダクトマネージャだけが作るのではなく、デザイナーやエンジニア、さらにビジネスサイドも含むクロスファンクションチームで議論し、決めていくことになる。そのため、高度なプロジェクトマネジメント能力が求められる。また、開発を行う際、プロダクトマネージャはプロダクトオーナーを兼ねることも多く、プロダクトバックログの優先順位付けなど、開発に関するプロジェクトマネジメントも担うことがある。

企画

ロードマップに準じて個別の企画の詳細を詰めていくことになる。具体的には、プロダクトリクワイアメントドキュメント（Product Requirements Document）に施策の背景や目的から、開発の内容、想定インパクトなどをまとめていく。プロダクトはプロダクトマネージャだけでなく、デザイナーやエンジニアなど様々な専門的な能力を持った人たちによって作り上げられるため、広く意見を集約して、1つの企画にまとめ上げていく能力が求められる。

デザイン

デザイナーが主体で行うプロダクトのユーザインターフェース/ユーザエクスペリエンスの構築に関して協働するのはもちろん、より企画に近いユーザストーリーマッピングやオブジェクトマッピングについてはプロダクトマネージャが主体的に進めることもある。

またプロトタイピングを通して、ユーザテストを行う場合はその推進も求められることがある。

開発

すでにプロジェクトマネジメントで説明した通り、プロダクトマネージャが開発ディレクションを行うことがあるので、少なくとも一般的な開発プロセスと社内での運用方法を把握する必要がある。さらに、企画を進めていく上で、開発観点で実現可能性があるか、エンジニアと議論をする場面も出てくる。そのため、プロダクトの仕様、例えばデータベースの設計やアーキテクチャを理解できる素地も求められる。特に新規プロダクトの立ち上げに関しては、機能要件だけではなく、インフラなどの非機能要件も開発していくことになるため、より広く開発に関する知見が要求される。

また、QAの運営方針に関する議論に加わったり、テスト項目のレビューや不具合に対する評価などを行うこともあり、QAも開発の一部であると認識し、見識を高めておく必要がある。

プロダクトマーケティング

プロダクトはリリースして終わりではなく、ユーザに使ってもらう必要がある。特にBtoBのプロダクトでは、マーケティング、セールス、カスタマーサクセスなど、ビジネスサイドが構造化され、機能分化が進んでいることが多い。そのためユーザにプロダクトを提供していく上で、プロダクトマネージャはビジネスサイドの体制や業務を理解し、協業していくことが求められる。また、協業に留まらず、プライシングや事業計画についてはプロダクトマネージャ自身がオーナーを持って策定することもある。

調査 / 分析

プロダクトマネージャは様々な局面で分析の推進を求められる。具体的には、クロスファンクションチームの目標設定に向けた分析や市場調査、プロトタイプを通したユーザテストなどが挙げられる。そのため、まず調査や分析を行う目的を整理し、何を検証すべきか明確にした上で、定性、定量などどのような調査や分析を行うべきかを設計し、それらを実行できる能力が必要になる。

業界 / 業務理解

プロダクトは何らかの価値をユーザに提供するものであり、その対象となる業界や業務の理解が求められる。特にSaaSなどのBtoBプロダクトの場合、ユーザが業務上利用できる要件を具体化するのに、十分な業務理解が求められる。

最後に、特にSaaSの立ち上げは少人数で企画検討から開発をこなすことになるため、単に上記スキルを活用した経験があるだけではなく、プロダクトマネージャ自身が上記スキルに関係する業務については責任を持って、設計から実行まで主導できる必要がある。

4 BtoBとBtoCのプロダクトマネジメントの違い

ここまでBtoBであるSaaSのプロダクトマネージャについてその役割やスキルセットに関する説明を進めてきた。ここではPart2 Chapter1 Section1「4つのフェーズ」でも少し言及したが、BtoBとBtoCでプロダクトマネジメントのあり方が、大きく変わるポイントを明確にすることで、さらにSaaSを中心にBtoBのプロダクトマネジメントの特徴を浮き彫りにしていきたい(図2.3.4)。

まず、BtoBでもBtoCでも同じくプロダクトマネージャという役職が広く使われていることからわかる通り、その役割や必要なスキルセットについて、項目レベルで大きく変わるものではない。しかし、私が両方のプロダクトマネジメントを経験し、その業務内容や求められるアウトプットの精度から逆算するに、BtoBとBtoCでプロダクトマネジメントはお互いその半分ぐらいしか重なり合っておらず、残りの半分はBtoB、BtoCで、それぞれ独自の要素で構成されていると感じている（図2.3.4）。

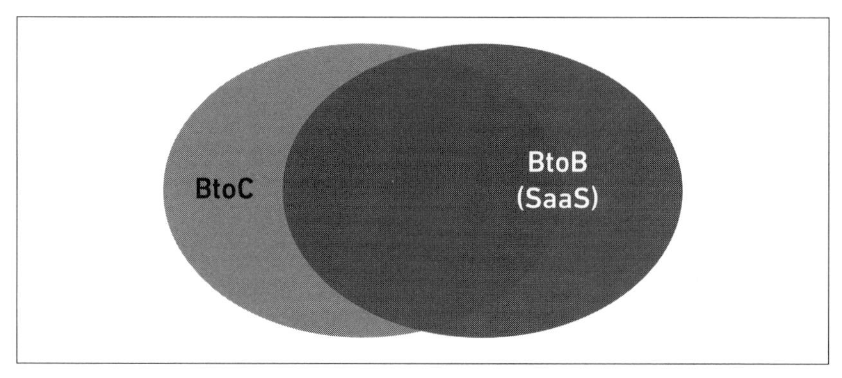

図2.3.4：BtoBとBtoCのプロダクトマネジメントで求められる業務内容やアウトプットの重なり度合い

私の感覚だけで片付けてしまうのはもったいない論点なので、SaaSの立ち上げを行うフェーズに沿って、BtoBとBtoCのプロダクトマネジメントの違いを精査していく。

まず、結論からその違いを説明すると、相対的にBtoBのプロダクトマネジメントはマーケットインであり、他方BtoCはプロダクトアウトであることが多い。

BtoBとはビジネス向けのプロダクトを開発することであり、事前にターゲットに据えている潜在ユーザにインタビューや市場調査を実施したり、さらにプロトタイプを実際使ってもらったりするなどして、プロダクトがリリースされた時に購入するかどうかを精度高く確認することができる。

BtoCに比べ、プロダクトの価値が直接業務に生きるか費用対効果は合うのかなど合理的に判断されることが多く、リリース前であっても検証可能性が高いと言える。そのため、事前/深掘り調査やプロトタイプによる検証を厚く実施することで、プロダクトマーケットフィットしないリスクを極限まで小さくしてから開発、リリースを迎えることができるのである。リリース後はユーザへの商談や導入を通して、想定していたユーザに価値を創出し、プロダクトが使い続けてもらえるものになっているか検証を進めることになる。このような検証を繰り返し行い、一定のユーザセグメントが使い続けてくれる状態、プロダクトマーケットフィットを目指していくことになる。これは、丁寧に商談を重ねた先に勝ち取るものであるので、時間をかけて着実に進めていくべきだろう。

他方、BtoCではBtoBのプロダクトと同じく事前に潜在ユーザにテストを行うことは可能であるが、ユーザが享受する価値以上に流行やネットワーク効果などに依拠するところが多く、事前に検証することは難しい。そのため、事前の検証よりもリリース後が主戦場になる。具体的にはしっかりマーケティングを行い一定数のユーザを確保し、数多くのABテストを通してイテレーションを行うことが競争力の源泉となる。

さらに、ゴー・トゥ・マーケット戦略の面から両者の違いを比較すると、BtoBでは事前/深掘り調査によってかなり精度高くユーザの反応を確認することができるため、プロダクトを起点にボトムアップで事業計画を策定することになる。来年度開発を予定している機能群を踏まえ、購入可能性が高い市場を見出して、プライシングや事業計画、販売戦略を策定していく。他方、BtoCでは事前/深掘り調査を比較的簡潔に行い、リリース後のマーケティング、イテレーションに重きがある。そのため、事業計画もプロダクト起点にボトムアップで策定するというよりも、どの規模感（売上やユーザ数など）を目指すのかから設計し、策定した事業計画を起点に、必要なマーケティング施策やプロダクトの改善を企画検討していくケースが多い。

同じプロダクトマネジメントでもこのように大きく差分があるため、要求されるスキルの項目は変わらないまでも、その重み付けが変わってくる。BtoCでは分析とユーザエクスペリエンス/ユーザインターフェースの構築に強く、とにかく早くABテストを行うことで、リリース後に正解を手繰り寄せることに重きを置く傾向が強い。他方、BtoBは企画段階における定性調査に強く、かつ潜在ユーザにプロダクトを届けるまでメンバーが多岐に亘る。そのため、プロダクトマネージャとしては、チームを牽引できるプロダクトビジョンを作り、ユーザストーリーマッピングを起点にチーム内の共通認識を醸成し、しっかりプロジェクトマネジメントを行うことができる人が適していると言えるだろう。

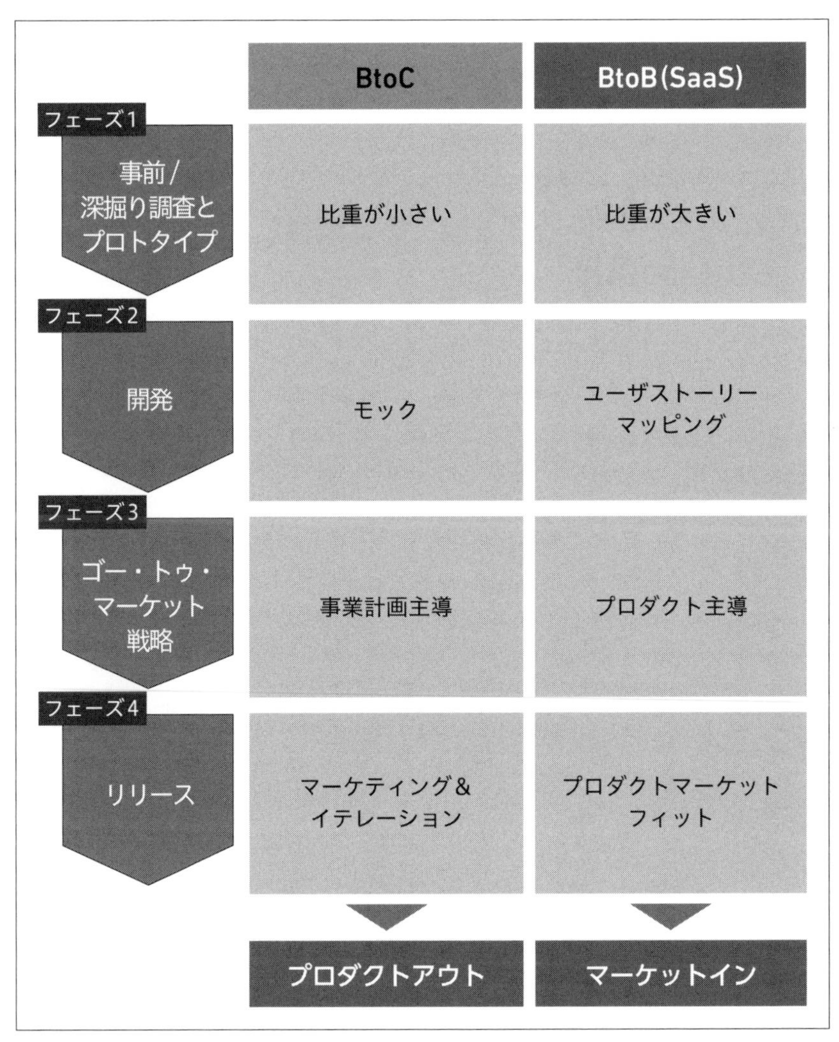

図2.3.5：フェーズごとのBtoBとBtoCのプロダクトマネジメントの違い

BtoCとBtoBの対比を強調し、ここまでの議論をまとめると、図2.3.5のようになる。BtoCとBtoBのプロダクトマネジメントで、特にその差異が生まれるポイントであり、プロダクトマネージャがBtoCとBtoBで行き来する際、最も気を付けたり、スキルの拡充が必要になるポイントでもある。BtoC

とBtoBを超えて転身し、プロダクトマネジメントを推進する際に参照してほしい。

5 プロダクトマネージャと似ている職種と、それらとの差異

プロダクトマネージャに関する説明を行ってきたが、似た職種としてプロダクトオーナーやプロジェクトマネージャがある。プロダクトマネージャが、これらの役割も兼務することも多いため、改めてそれらの定義を確認し、差異を明確化していく。

プロダクトオーナーとの違い

まず、プロダクトオーナーの定義はアジャイル開発におけるプロダクトバックログに責任を持つ人である[※8]。アジャイル開発とは開発サイクル（スプリント）を1週間から1ヶ月ぐらいの期間に切って、細かいサイクルで機能追加や改修していく開発手法を指す。そのため、開発中に要件の変更や新しい機能が追加される可能性の高いプロジェクトに向いている。新しくSaaSを立ち上げるような場合、ほとんどの企業がこの開発手法をとっている。

このような開発を進めていくには、誰にどんなものを提供するのかをまとめたユーザストーリーを定義するところから始まる。対応すべきユーザストーリーを比較し、開発の優先順位付けを行い、次のスプリントで開発すべきものを順次要件の具体化を進めていくことになる。これをプロダクトバックログと言う。つまり、プロダクトオーナーは常時次のスプリントで何を開発していくべきか、その施策の概要と優先順位を明確にしたプロダクトバッ

［※8］ 参照『INSPIRED 熱狂させる製品を生み出すプロダクトマネジメント』（マーティ・ケーガン［著］、佐藤 真治、関 満徳［監訳］、神月 謙一［訳］、日本能率協会マネジメントセンター、2019/11）、p.67：「プロダクトマネージャとプロダクトオーナー」

クログを決めていくことになる。

この業務はプロダクトマネージャが行う企画の立案と優先順位付けと同じであり、プロダクトマネージャが行う業務の一部である。つまり、アジャイル開発を採用している場合、プロダクトマネージャがプロダクトオーナーを兼ねることが多い。もちろんプロダクトが大きくなり、プロダクトマネージャがバックログを確認し切れなくなり、その管理をプロダクトオーナーに切り出すこともある。

プロジェクトマネージャとの違い [※9]

次に、プロジェクトマネージャはプロダクト開発において、その進行管理に責任を持つ。具体的な業務内容としては開発スケジュールを作成し、リリースまでの進捗管理を行う。場合によってはその成果物の品質も併せて管理するケースもある。

この手のプロジェクトマネジメントは当然プロジェクトマネージャが行うが、アサインされていない場合は誰が担うのか議論の余地がある。大きなスケジュール感はプロダクトマネージャとエンジニアリングマネージャが相談して決めることが多いが、それ以降の進捗管理についてはエンジニアサイドで進めるのが主流である。もちろん、プロダクトマネージャにプロジェクトマネジメントが長けている人は多く、結果的にプロダクトマネージャが行っているケースも一定数存在する。プロジェクトマネージャがアサインされている場合には、問題にならないが、そうでないケースでは、誰がプロジェクトマネジメントを行うのか最初に議論して決めておいたほうが良いだろう。

[※9]　参照『エンジニアリング組織論への招待　～不確実性に向き合う思考と組織のリファクタリング』(広木 大地 [著]、技術評論社、2018/2)、p.135～p.138：「プロジェクトマネジメントとプロダクトマネジメント」

Chapter 4 まとめ

SaaSの立ち上げは、事前/深掘り調査とプロトタイプ、開発、ゴー・トゥ・マーケット戦略、リリースと大きく4つのフェーズに分解ができる。フェーズを経るごとに関係者が多くなり、リリースを迎える頃には一大プロジェクトと化す。ただ関係者が多くなるだけではなく、多種多様なファンクションのメンバーが集まり、リリースに向けて協働していくことになる。そのため、クロスファンクションチームでOKRを立て、フェーズに合わせた運用が不可欠である。

プロダクトマネージャは、そのチームが追うべきOKRを策定し、同じ目標を共有した上で、各ファンクションのメンバーの自主性を担保し、チームのパフォーマンスを最大化する触媒的な役割を持つ。そのため、プロダクト開発に関わる広いスキルセットが求められるのである。その中でもBtoBを前提とするSaaSでは事前/深掘り調査を行えば把握できることが多く、高い調査スキルが求められ、調査結果を踏まえて開発を進めるマーケットインのアプローチが主流なのである。

Part 3

事前/深掘り調査とプロトタイプ

Chapter 1 事前/深掘り調査とプロトタイプの概要

本Chapterでは、SaaSの立ち上げを行うに当たって、まず着手していく事前/深掘り調査とプロトタイプの概要を確認する。

調査方法としてデスクリサーチとして進められる事前調査とインタビューやアンケートなど時間をかけて仮説構築や検証を行う調査に分けて言及していく。特に、SaaSなどのBtoBでは、エンドユーザとバイヤーなど、調査対象の整理が必要なので、併せて確認していく。

次に、事前/深掘り調査により仮説検証を行った観点を踏まえて、どのようなユーザ課題に対して、どのようなプロダクトを展開すべきなのか、絶え間ない議論を繰り返し、プロトタイピングを行うことになる。さらに、プロトタイプを作って満足することなく、ユーザテストを通して、さらに精度を上げていく。この過程を進める上で、短期間でソリューションアイデアを創出し、検証まで行うデザインスプリントを紹介しながら、できる限り詳述する。

最後に、事前/深掘り調査とプロトタイピングを経て終わりではなく、次のフェーズである開発に進むために開発の意思決定を行うことになる。この意思決定を行うに当たって、必要な観点や最終的なレポーティングについても詳細を付記している。

Chapter 2 事前調査

いきなりSaaSの立ち上げを経営陣に依頼されても、多くの人はどこから手を付けて良いか迷うのではないだろうか。SaaSはソフトウェアをサービスとして提供する方法であることを指しているに過ぎない。SaaSに限らず、BtoBプロダクトを提供するに当たって、まずはターゲットとなる潜在ユーザが、どんな業務をどのように進めていて、どこに課題感があるのか、これらを丁寧に確認していく必要がある。

まず、SaaSの開発を進めるに当たり、必要な調査の進め方を整理していく。

1 調査を始める前の心得

具体的な調査の目的や方法論の説明の前に、まずは調査に対する心構えやスタンスについて言及することから始める。そもそも調査自体が目的になることはほとんどなく、その調査が何のために実施するものなのか、そして何を明らかにすべきなのか、その後何を判断し、具体的にどのようなアクションに繋げるのかなどの問いに対して簡潔に答えられるようにしておく必要がある。この観点をさらに噛み砕き、調査に対するスタンスや心構えとして再構成すると、次の通り8点にまとめることができる。

1. 調査の目的を決めるところから始める
2. 調査の目的に直結する調査対象に絞る
3. チームで調査を行う
4. 調査対象に応じた最適な調べ方やアウトプットを思考してから実査に入る
5. 調査対象や、調べ方、そこから得られるアウトプットなどを元に調査の優先度を決め、ロードマップを策定する
6. 調査は計画的に短期間で一気に進める
7. 見つからないからと言って、ないと思い込まない
8. 調査結果に対して自分の意見を持つ

1. 調査の目的を決めるところから始める

まず何をやるにしてもそうなのだが、調査においても目的を決めてから進めるべきである。特に調査を進めると新しい事実が判明し、それだけで面白くなってしまう。それゆえ、周辺の内容により一層興味が湧いてきてしまい、気付くと調べることが目的化してしまうことがある。このような手段の目的化に陥らないためにも、何よりも先に調査を終えた後、何がわかり、何を判断し、どのようなアクションを具体的に行っていくのかをきちんと言語化しておく必要がある。このようにシンプルに調査を行う目的をまとめておくことがベストではある。ただ、最初からきれいにまとめすぎることを意識してしまうと手が止まってしまう。そんな時はとにかく気になることを列挙しておくことから始め、それによって何が判断できて、アクションにどう繋がるかを言語化していき、徐々に収束させていくアプローチが良い。見当違いでも構わず、とにかく手を止めずに書き出すことから始めてほしい。

2. 調査の目的に直結する調査対象に絞る

ある程度目的が整理できると、それらを検証するために、どのような事実を把握する必要があるか洗い出しを行うことになる。改めて検証項目を眺め

ると、当然既知のこともあるだろう。「いまわかっていること」と「わかってないこと」に分類することで、調べる必要があることを絞り込むことができる。そして未知のことに対して調査を進めることで、何を判断できるようになるのか、どんなアクションに繋がるのか、できるだけ具体的に踏み込んで確認してほしい。つまり、ただ漠然と調査を進めるのではなく、調査の目的や対象を見極め、調査後の判断とアクションのイメージを確認することで、本当に必要な調査のみを効率的に進めることができるはずである。

3. チームで調査を行う

1人で調査を進めていると、個人の思い込みになってしまう危険性が出てきてしまう。また1人で調査の目的を整理しようと思考を巡らせても、悶々とし、時間だけが過ぎていくことも多い。そもそも初期のプロダクトに関する調査は後々プロダクトの方針や、具体的な機能を考える上でも根幹になるインプットである。そのため、初期とはいえ、巻き込めるメンバーは全員巻き込み、できるだけチームとして取り組む姿勢が重要である。このフェーズから様々なファンクションのメンバーが協働することにより、いろんな観点から調査の目的を精査でき、調査の精度を押し上げることができる。また、今後検討を進めるメンバーで共有することで議論の基盤にもなるのである。

4. 調査対象に応じた最適な調べ方やアウトプットを思考してから実査に入る

検討メンバーとの議論を経て、調査の目的を整理した上で、何を明らかにすべきなのか、その後何を判断し、具体的にどのようなアクションに繋がるのか具体化できていたら、すぐに実査を進めたくなるだろう。

しかし、実査に入る前に一度立ち止まって考えるべきことがある。それは調査設計である。というのも、調査と一言に言っても、その方法論は多岐に亘る。そのため、知るべきことを最短で確認できる方法を特定すべきである。せっかくこれまで整理を進めてきたにも関わらず、思いつきの方法を採用してしまったがゆえに回り道を余儀なくされることもあるからである。調べ出すことはいつでもできるので、まずは一息ついて調査方法の検討を行ってほしい。

5. 調査対象や、調べ方、そこから得られるアウトプットなどを元に調査の優先度を決め、ロードマップを策定する

実際調査を進めていく上で、もう1つ必要なポイントがある。それは優先順位である。全調査を一気に進めることは難しい。仮に分担して全部並列にできたとしても、ものによっては依存関係があり、いきなり進めるのではなく、その進め方を検討すべきだろう。調査を進めるに当たって、調査対象や調査方法以外にも、起点となる情報の特定や、調査間の依存関係、求められる調査の精度（時間をかけてでもできうる限り精査すべきものから、限られた時間の中で概要を把握できれば良いものまで）、調査によるアウトプットなどを元に分別を行い、調査の優先順位やロードマップを決めていくことになる。

6. 調査は計画的に短期間で一気に進める

調査を一気に集中して行うことで、調査結果を密度濃く、短期間でインプットできるようになる。これにより、調査の関連性を担保しながら、示唆を生み出しやすくなる。もちろん調査の目的や調査内容にもよるのだが、例えば自分の手元でできるデスクリサーチ主体であれば、1週間で一気にやりきってしまうぐらいのスピード感でも良いかもしれない。

7. 見つからないからと言って、ないと思い込まない

事前に計画した調査を進めてみたが、判断やアクションに繋がる事実を把握できず、空振りと感じることも多いかもしれない。その際は調査を進めているチームで集まり、再度調査対象や、調査方法、取得できたインプットなどを元に再度議論し、対策を立てて検証を進めていきたい。例えば、業種や業務によって差はあれど、欧米に比して日本はSaaSの活用に対して後進国と言える。そのため、国内で認識されている業務課題が諸外国でも同様に認識されており、すでに解決するSaaSなどのプロダクトが普及しているケースも散見される。これらのプロダクトが解決しようとしている課題やそれを支える事実をしっかり読み解くと、意外と国内でも同じことが言える場合も

多い。あくまで一例だが、調査が煮詰まった時は一歩引いて、これまでの調査設計や調査結果を振り返り、調査対象を海外における類似例に広げることで、新しい発見に繋がるかもしれない。

8. 調査結果に対して自分の意見を持つ

調査を通して事実を捉えることができ、検証が進むと、調査結果をどのように捉えて、何らかの意思決定やアクションに繋げていくことになる。調査結果自体はあくまで事実の確認に留まるので、調査後は調査結果に対してどのような意見を持ち、どう活かしていくのかが議論の焦点になる。

ただ、調査の関係者で調査結果に関して議論を進めていると、1つ問題が出てくる。それは議論している内容が事実なのか、個人の解釈なのか、新たに構築した仮説なのか、曖昧になり、どこまで検証できているのかが不明瞭になることである。

つい議論が進むと、事実と解釈と仮説を入り交えてしまうが、調査からわかったこととその事実を踏まえた解釈、さらに解釈に基づくさらなる仮説をできるだけ分けて整理しておきたい。その上で事実で留まらず、自分自身の解釈と、さらなる仮説や取るべきアクションの導出まで実施しないと、そもそもの調査の目的が達成されないことも留意されたい。

上記8点を留意の上、具体的な調査方法の話に入っていく。

2 初期調査の進め方

調査方法には、自分の手元でできるデスクリサーチと潜在ユーザや専門家へのインタビュー、アンケートなどにより、詳細な示唆を得るための調査に大別される。ここでは前者について、簡潔にデスクリサーチの方法論を列挙しておく。後者についてはPart3 Chapter3「深掘り調査」で詳細に説明を行う。

デスクリサーチには大きく以下の5つの手法/媒体が挙げられる。これらについて1つずつ、その詳細を確認していきたい。

1. 過去の社内資料や社内インタビュー
2. インターネット上に公開された関連記事や資料
3. 同じ業務を対象とするプロダクトのHPやIR資料
4. 関連書籍
5. 民間、公的機関が実施した既存の調査結果

1. 過去の社内資料や社内インタビュー

新規プロダクトの立ち上げに即して、新たに業務理解が必要になった時に真っ先にやるべきことは、社内の関連資料の洗い出しと、業務理解がありそうな人へのインタビューだろう。まずは前任者や業務理解がありそうな人に対象業務に関するドキュメントを洗い出してもらい、共有を受けることから始める。過去に、新規SaaSを立ち上げようとプロダクトマネージャがアサインされたことがあれば、これまでの調査結果や過去の意思決定の根拠、各種ミーティングの議事録などがあるはずである。これらをまず読み漁ることで、課題設定や仮説、何を目的にしていたのか、具体的なこれまでの検討結果などを確認することができる。この手のメモが出てきたら、しっかりと読み込みを行い、予定していた実査をショートカットできないか併せて考えたい。

他にも直接的ではないにせよ、少なくとも間接的に役に立ちそうなアンケートやインタビューなどの調査結果などが見つかることもある。アンケートについては念のため設問まで遡り、集計をし直すことで示唆を抽出できないか確認すべきである。さらに、競合プロダクトのキャプチャや提案資料などを調べた形跡がないかも確認しておきたい。これが見つかると、プロトタイプなど、何かしらの要件を検討していた可能性があるので、注意深く検討結果がないか確認を進めるべきだろう。

さらに併せて行いたいのが、社内インタビューである。上述した過去の社

内資料が出て来たら、誰がどのような目的で調査を実施していたのかを確認し、資料を作った時の背景やそれを用いた議論、結論などについて共有を受けることは非常に有用である。他にも今後展開しようとしている対象業務を社内でも行っている場合は、実際担当している人へのインタビューも業務理解を深める意味で有効だろう。

2. インターネット上に公開された関連記事や資料

社内の資料などで実査のショートカットを行った後は真正面から調査を進めていくことになる。最初に取り組むのが、調査対象の業務に関するインターネット上の資料や記事の確認である。膨大なインターネット上の情報を対象に捉えることになるため、気付くと目的を見失い、仮説検証どころか実態としてただのネットサーフィンに失墜してしまいやすい。また、インターネット上の情報はいわゆる二次情報が多く、その情報や解釈の元になっている一次情報に遡るなど、その信憑性を常に確認する必要がある。このような特性に鑑み、半日、一日程度など時間を決めて集中的に取り組むのが良いだろう。

また、SaaSは基本的に欧米を中心にした海外の方が発展しているため、商慣習などの違いはあれど、諸外国でSaaSがどのような発展を遂げ、現時点でどのような競合他社がいるのか、市場の特徴などを把握しておくと良い。日本語だけでなく、英語での検索も併せて行いたい。

3. 同じ業務を対象とするプロダクトのHPやIR資料

インターネット上の資料の調査という観点では上記と同様とも取れるが、ここでは同じ業務を対象とするプロダクトやそれを運用する企業（便宜上、以下競合と表記する）のホームページ（以下HPと表記する）やIR資料について説明を付記していく。HPでは端的にプロダクトの訴求ポイントが明示されており、具体的に購入した主要企業のロゴや事例が掲載されているケースが多い。またホワイトペーパーやe-bookなどが公開されていると、市場に関する調査やその企業のシェアなどが簡潔にまとめられていることもある。

ホワイトペーパーなどがなくても、IR資料の決算報告会資料にも同様の情報を掲載していることが多いため、併せて確認したい。

4. 関連書籍

ここまではインターネットを通して無料で確認ができる情報を紹介してきたが、ここからは何らかのコストが発生する調査媒体の紹介になる。

まず、対象となる業界や業種が一般的なものであればあるほど、すでに関連する書籍が出ている。もちろん書籍なので、単なる事実の羅列ではなく、著者が事実に対して一定のフィルタをかけて、ストーリーにしているケースもある。できれば同じテーマの書籍を数冊読むことで、著者によるバイアスも制御でき、広範に業界のことや業務に関する理解が進むだろう。

5. 民間、公的機関が実施した既存の調査結果

最後に、民間、公的機関が実施した既存の調査結果にも当たりたい。最もオーソドックスなのは、日経テレコン[※1]、SPEEDA[※2]やMDB[※3]など、調査用の媒体を活用し、条件に合う記事や調査を検索し、該当したものだけ閲覧し、確認を進めていくことである。これらの媒体によりインターネットにない雑誌などの記事も検索対象に含めることができ、有象無象のインターネット上の情報よりも内容の濃い情報に安価で触れられる可能性が高い。

実際買うことが難しい調査レポートでも、刊行されているものであれば、確認する手段がある。それは国立国会図書館[※4]である。この図書館には基本的にすべての刊行物が保管されており、その場で閲覧することができる。刊行物として存在していることは確認できたが、一般に流通していないような場合、国立国会図書館に行くと、確認できることを覚えておきたい。

[※1] URL http://telecom.nikkei.co.jp/
[※2] URL https://www.ub-speeda.com/top/welcome?4
[※3] URL https://mdb-biz.jmar.co.jp/
[※4] URL https://ndlonline.ndl.go.jp/#!/

上記の通り、デスクリサーチですら非常に多岐に亘る調査手法/媒体が準備されているので、何をどれだけ知るべきかを洗い出した上で、まだ把握できていないことを明確にし、それを把握する上で最も適した方法を選択し、順を追って調べていくことができる。これだけの調査手法/媒体をすべて駆使すれば、対象となる業種や業務に関する基本的なこと（業務内容や主要プレイヤーや、喫緊の取り組みなど）であれば何らかの形で把握できることが多いのではないだろうか。

3 調査対象との向き合い方

上述で調査手法/媒体の説明を行ったが、真面目に関連するものを全部集めると、それだけで自分のデスクが埋まってしまい、パソコンすら開けられない状況になってしまうことがある。特に書籍や調査レポートなどは情報量が多く、真正面から読み始めると時間がかかりすぎる。そのため、まず読むべきものと読まないものを分別する必要がある。近くにその業務の専門家がいれば、読むべきものをリストアップしてもらうのが最も早い。もし近くにいなくても、関連する新書や学術書の巻末によくある参考文献や、よく引用されているものから当たるようにしよう。こうすることで、大まかに必読の調査対象とそうでないものが分類できる[※5]。

さらに、書籍のように目次が文献にあれば、まず目次をしっかりと読み、その文献の構成を紐解き、どこに何がどこまで記載されているか把握することから始める。これを行うことで調査の目的に立ち返って、どの部分をどれだけ精読すべきかが決まるだろう。実際に読み進めようとすると、インター

[※5]　参照『ビジネスマンが大学教授、客員教授になる方法』（中野 雅至［著］、ディスカヴァー・トゥエンティワン、2013/9）、p222～p244：「大学教授だけが知っている少ない時間でインプットを倍増させる三つの読書法」

ネット上の記事から学術書まで、書かれている内容の精度や分量に大きな差があることに気付く。上記を分類する上で役に立つのは著者の経歴である。ビジネスパーソンなのか、学術的なバックグラウンドなのか、さらに経歴の長さなどから記載されている内容の深度を推測すると良い。ビジネスパーソンが書くものは、一般に読んで気持ちよく理解できるように7割ぐらいは既知のことや推測できることが書き連ねられていることが多い。そのため、書籍全体や読むべき該当箇所の冒頭と結論を読み、結論をサポートするエピソードや具体的な調査結果を確認できれば、他の部分は斜め読みすれば事足りことがほとんどである。他方、学術書や専門書の類は基本的には精読が必要であるが、構成がしっかりしており、読みたいところをピンポイントで確認できることが多い。ただし、該当箇所だけ読むのではなく、念のためミスリーディングしないように前後を少し広めに読んでおくことをお勧めする。

最後に、Part3 Chapter2 Section1「調査を始める前の心得」でも事前に言及した通り、あくまで調査することが目的ではなく、業界理解や今後SaaSなどのプロダクトを立ち上げ、提供していく上で意思決定に必要なインプットを得ることが目的である。そのため、様々な媒体に当たることで何がわかり、どういう示唆を得ることができるのか、その目的を常に意識しながら調査対象に向き合うことが重要である。意識し続けるのが難しい場合は、ボトムアップで調査を進めることをやめ、最終成果物となるフォーマットを先に作ってしまい、調査をしながら新たに判明したことを書き入れていくスタイルで進めると迷子になりにくい。このように最終アウトプットを先に規定してしまうことで、調査自体が目的化することが少なく、調査完遂までのイメージがつきやすいので、お勧めしたい。

Chapter 3

深掘り調査

デスクリサーチを中心に調査を進めていくと、業界や業務理解が進み、立ち上げるプロダクトの方向性を考え始められるようになる。しかし、プロトタイピングを進めるに当たっても、十分理解できているだろうか。

実際、プロトタイピングを進めるには、デスクリサーチを中心とした二次情報では足りず、潜在ユーザへのインタビューを通し、業務の進め方を体感できるまで把握する必要がある。さらに、アンケートを行うことで定量的に市場を把握することで、ターゲットとすべきユーザセグメントを導出し、彼らに併せた機能をプロトタイプを通して試していくことになる。またユーザに価値を感じてもらうために、どこまでプロダクトを作り込む必要があるのかを考える上で、競合プロダクトは参考になる。そのため、HPやe-bookの確認はもちろん、可能であれば実際利用してみて、個々の機能を体感すべきだろう。

本Chapterでは、深掘り調査として、上記インタビュー、競合プロダクトの調査、アンケートを取り上げ、これらの進め方を具体的に確認していく。また、その前提となる調査対象の中心になるのはユーザであるが、一言にユーザと言っても、導入してくれた企業を指したり、企業内で実際利用してくれているエンドユーザを指すケースもある。そのため、まずはユーザなど深掘り調査を行うに当たって、関係するプレイヤーの整理から行う。

1 深掘り調査の対象

本書ではBtoB向けのSaaSを想定しているため、SaaSはBtoB向けプロダクトであることから、SaaS導入の対象になる企業に着目して、調査対象の整理を進めていく。単にユーザの類型を行うのではなく、ユーザに関連する言葉の定義も行う。ここでは、企業を分類していく上で2つの概念（ニーズと導入可能性）を活用して、調査対象の理解を進めていく。

ニーズ

まず、ニーズには大きく顕在ニーズと潜在ニーズの2つがある。先に、わかりやすい顕在ニーズから説明すると、これは業務担当者が業務を進める上で、ほしいプロダクトを認識している状態を指す。他方、潜在ニーズは担当者自身が認識できていないが、何らかの欲求が存在している状態を指す。何か明確な商品がほしいという欲求があるかどうかは自分で認識しやすいが、欲求の理由に当たるニーズを自分で認識できていることはそれほど多くない。例えば、業務を進めていく上で、具体的にどのような機能がほしいかは要望しやすいが、なぜそのような機能が必要なのか、その機能を通して何に対応し、どのような状況を実現したいのかについては、具体的な機能の欲求に比して抽象的で、自分で認識しにくいのである。そのため、ニーズは顕在ニーズと潜在ニーズの2つに分類することが多い。

導入可能性

導入可能性は自社が展開する新規SaaSを提案した時に導入してもらえる可能性の有無のことを指す。たとえ、顕在ニーズを抱えていたとしても、競合プロダクトを利用していて満足していれば、導入可能性はない。逆に、潜在ニーズがあれば、それを商談を通して気付かせてあげることで導入可能性が出てくるのである（図3.3.1）。

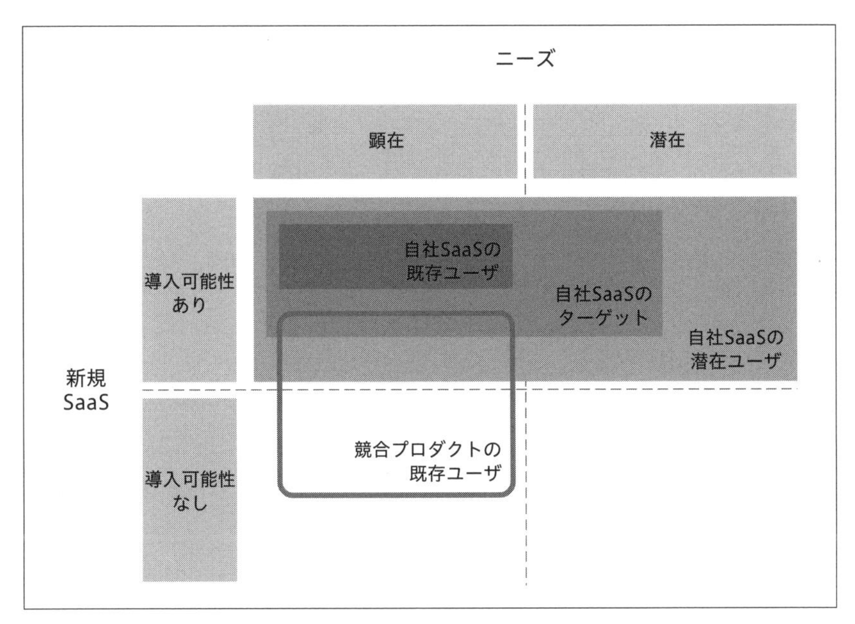

図3.3.1：深掘り調査の対象を取り巻く概念を整理するフレームワーク

導入可能性がないところにアプローチしても仕方ないので、導入可能性がある図3.3.1の上段の企業にアプローチしていくことになる。上段の2つの象限は自社SaaSを導入してくれる可能性があるので、潜在ユーザと呼ぶ。

さらに、潜在ユーザの一部をターゲットに据えて、自社SaaSの販売を進めていくことになる。顕在ニーズと比較すると、潜在ニーズは商談などの場を通して気付かせるところから始まるので、まずは顕在ニーズを持った潜在ユーザを獲得に乗り出すことが多い。ただし、顕在ニーズは競合企業からもアクセスしやすいため、すでに寡占状態になっていたり、そもそも十分な市場がないことが多い。そのため、顕在ニーズだけでなく、潜在ニーズまで広げて、販売していくことになる。

なお、自社SaaSを展開する際、潜在ユーザを一気に獲得しようとするのではなく、まずは潜在ユーザを業種などでユーザセグメントに切って、特に攻めやすいユーザセグメントをターゲットに据えて、獲得を進め、徐々にターゲットを広げていく傾向が強い。そして、自社SaaSの販売が進めば、ターゲットの一部が既存ユーザになる。

他方、競合プロダクトにとって、自社SaaSの導入可能性は関係なく、ユーザ獲得を行うことになる。また、プロダクトを利用し始めるにはニーズが顕在化している必要があり、競合プロダクトも自社SaaSと同様、既存ユーザには顕在ニーズがあることになる。

上記の通り、調査対象を精査していく上で、ユーザの定義だけではなく、ユーザを整理するために必要なニーズや導入可能性といった概念についても理解を深めておくべきだろう。

2 エンドユーザとバイヤー [※6]

BtoC向けの有料プロダクトを想定すると、プロダクトを使ってくれているエンドユーザ自体が課金を行うバイヤーであることがほとんどである。これに対してBtoBではその様相が異なる。まず、プロダクトの導入を決めた企業のことをユーザやユーザ企業（以下ユーザと表記する）と呼ぶ。そして、実際SaaSを利用するのはユーザ自体ではなく、ユーザに所属し、SaaSが対象としている業務を担当している従業員であり、エンドユーザと呼ぶ。また、エンドユーザが所属する部署の責任者がSaaSの導入の意思決定を行うことが多く、この人がバイヤーに当たる。

もし、社内で使っているSaaSがあれば思い出して頂き、そのSaaSを導入するかどうか、自分で意思決定したか振り返ってほしい。自身の主たる業務ですら、SaaS導入の意思決定に関与していないこともあるのではないだろ

[※6] 参照 PMF APAC 2019、Role of a PM in an Ever-Changing B2B Market
URL https://apac.productmanagementfestival.com/conference/role-pm-ever-changing-b2b-market/

うか。主たる業務外のSaaSに至っては、主幹部門から使うように指示されただけのものがほとんどだろう。例えば、労務や経理、情報システム以外の部署の人は勤怠システムや経費精算システムを自ら使うことがあっても、どのシステムを導入すべきか、その意思決定プロセスに関与することはほぼない。これは各業務の主幹部門が業務プロセスを構築し、それをサポートするSaaSを選定する、もしくはその逆で、SaaSを先に選定し、業務プロセスを合わせていくことを前提に、SaaSの導入に関する意思決定をすることが多いからである。そのため、SaaSの選定を行う人（バイヤー）と、導入されたSaaSを活用する人（エンドユーザ）が異なるのである。

なお、目的論的な整理を行うと、SaaS導入の意思決定を行うバイヤーが受益者であることが多く、その便益をSaaSの利用により提供するのがエンドユーザという構図になることが多い。

基本的なユーザ、及びエンドユーザとバイヤーの違いを確認したので、次にバイヤーとエンドユーザの関係性について説明を進めていきたい。というのも、SaaSの特徴やSaaSが対象とする業務によってバイヤーとエンドユーザの力関係は変わるからである。例えば、バイヤーがエンドユーザによる利用を配慮して導入が進められるものから、逆にそんなことは一切勘案されず、バイヤーがエンドユーザに利用を強いるようなものまである。SaaSの利用がエンドユーザの業務効率を上げることに直結するのであれば、エンドユーザの意向も配慮してもらいやすい。逆に、各種法規などに対応が要求されるものについてはエンドユーザ目線の使い勝手よりも、バイヤーによりSaaSの比較を行い、独断で導入することが多い。

このようにSaaSにはバイヤーとエンドユーザが別々にいることが多く、どちらに向いたプロダクトなのかを見定めて、各種調査を進める必要がある。誰が導入に関する予算を持っており、意思決定できるのかをまずはしっかり押さえるべきである。その上でバイヤーがどこまでエンドユーザを配慮すべき業務なのか把握すべきだろう。エンドユーザに全く配慮せずにトップダウン的にエンドユーザに利用を強いるケースから、導入前にエンドユーザにも広く告知しテスト導入を実施したり、SaaSの提供企業による説明会を開いたりするなどの配慮を行うケースまである。

バイヤーとエンドユーザが異なるのか、そして、予算権限を持っているバイヤーは誰なのか、さらにバイヤーはどの程度エンドユーザを配慮すべきかの3点をしっかり押さえてから、インタビューなどの深掘り調査を進めていきたい。

3 深掘り調査の方法

デスクリサーチでわかることも多いのだが、新たにSaaSなどのプロダクトを立ち上げていく上で、対象業務の内容や課題の理解が十分と言えることは少ない。情報の幅という観点では充足することもあるが、情報の深度という観点ではさらなる深掘り調査が必要になることが多い。その時の調査方法は大きく以下の3つに分類される。

1. インタビュー
2. 競合プロダクトの調査
3. アンケート

上記3点について、1つずつ個別に詳細を確認していきたい。

1. インタビュー

使い古された調査方法の1つであるが、SaaSなど新規プロダクトの立ち上げにおいてインタビューは極めて重要な調査方法である。過去に対象となる業務を自分が担当したことがあったとしても、この世の中には様々なビジネスがあり、業務のあり方は企業や担当者によって千差万別である。例えば、本書を手に取った読者のほとんどは、マーケティングという言葉を耳にしたことはあると思うが、実際各企業で取り組まれているマーケティングの内容は商材やサービスなどによって大きく異なる。例えば、業務の効率化などを目的したプロダクトを立ち上げる際、その千差万別な業務内容をできうる限り広く把握し、その本質を理解する必要がある[※7]。そのため、インタビューは地道で泥臭いが、確実に業務内容の理解を進めることができる力強いアプローチである。

業務内容の理解を進める上で、誰にインタビューすべきか、精査する必要がある。再度マーケティングを例に取ると、マーケティングの部門長と担当者では同じマーケティングと言ってもその職務内容は大きく異なる。また、担当者に聞く場合、オフラインマーケティングか、オンラインマーケティングかなど、担当領域によって当然職務内容は変わる。そのため、マーケティングなど特定の業種の中でも、どの職務の理解を深め、誰にインタビューを行うべきか、事前に検討したい。

ところで、業務内容のインタビューと聞くと、ある程度知識がないと実施できないと思われるかもしれない。しかし、単にどんな業務を担当しており、どのように進めているのかをつぶさに聞いていくだけである。具体的には以下の5つを確認していくことに尽きる。

- 対象となる業務の流れはどうなっているのか
- 協働や役割分担している他部門や担当者はいるのか
- インタビュイーの担当領域はどこか
- なぜその業務をやっているのか[※8]
- どのようにその業務を進めているのか

[※7]　参照『リーン・スタートアップ　ムダのない起業プロセスでイノベーションを生みだす』（エリック・リース［著］、井口 耕二［訳］、伊藤 穰一［解説］、日経BP、2012/4）、p.119〜p.121：「現地、現物」

[※8]　参照 SaaStr 2019、Scaling from $1MM to $500MM ARR: 5 Strategies to Drive Your Next Wave of Growth with Intercom
URL https://www.saastr.com/saastr-podcast-223-intercom-coo-karen-peacock-on-scaling-from-1mm-to-500mm-arr-5-strategies-to-drive-your-next-wave-of-growth-with-intercom/

原則として、この5点をひたすら深掘りを行うことで大抵の業務は理解できると思う。5点目の業務の進め方に関しては、導入しているプロダクトの使い方を確認したり、管理しているデータを洗い出したりして、どのように管理しているのかデータレイヤーから業務内容をヒアリングしていくこともある。

また、インタビュイーの現職について聞いていくことはもちろんのこと、業界や業種によっては転職している人が多いことがあるので、前職の状況なども併せて確認したい。さらに、企業を超えた横の繋がりが強い場合は二次情報になるが、効率的な事例収集に繋がることもある。もちろん、業種や職種によっては非常に専門性が高く、一定の前提知識が必要なケースもある。このような場合は関連書籍に一通り目を通してからインタビューに臨んだり、同僚や友人に担当している人がいる場合は先にインタビューしておいたりすると、ショートカットできるかもしれない。

少し視点を変え、直接業務を担当しない人でもインタビュイーとして適切なケースがある。それは、対象となる業務領域にコンサルタントや会計士・税理士のような士業が存在してるような場合である。このようなケースでは直接業務を担当しているわけではないが、士業を通して触れてきた様々なユースケースを紹介してくれたり、個別事象の紹介に留まらず、業界における一般論にも言及してくれたりすることもある。

また、インタビューを進めていく中で業務上の課題などを聞くことも有用である。ただ主観的な課題になることもあるため、インタビュー結果を元に改めて自分で課題がどこにあるのかを思考することも重要である。

さらに、インタビューの枠を超えることになるが、聞くだけでなく、実際どのように業務を行っているのかを観察したり、業務を一緒に行うアプローチをとったりすることがある。インタビューだけでなく、この手法を通して自分で体感することで、どこに課題感があるのか、またどのような打ち手が考えられるかを担当者目線に立って、検討することができるようになる。実業務を行うことになるので、社内の担当者など協力してもらえる人に限定されるが、業務理解を進める上でこれ以上ない手法になるので、時間や協力先の有無などを確認し、必要に応じて検討されたい。

2. 競合プロダクトの調査

インタビューを通して、潜在ユーザの業務内容を確認した上で、具体的にどのように進めているのか、また、その業務を行っている理由も併せて確認した。これらを踏まえた上で、次にすでに展開している競合となりうるプロダクトがどのように業務をサポートしているのか、確認していくことになる。

本来の用途とは異なるが、ユーザストーリーという概念を活用することで、効果的に競合プロダクトの調査を進めることができる。これは「誰のために」「何のために」「何を実現したいのか」を完結にまとめたものを言う(Part4 Chapter2 Section2「ユーザストーリーマッピングの進め方」で詳述)。直接的な要件の可視化に留まらず、その背景を言語化することに焦点を当てたものと言える。開発現場ではユーザストーリーを元に、要件の策定だけでなく、ユーザストーリー間の因果関係や、業務の流れを把握し、要件に落ちたプロダクトバックログの優先順位を検討する上でも真っ先に参照することになる。つまりユーザストーリーはプロダクトを分解して整理し、評価を進める起点になるのである。競合プロダクトも一般的には上記のようなプロセスを経て、開発されることが多い。そのため、対象となる業務を明らかにした上で競合プロダクトによって、どのようなユーザストーリーが実現されているのかを1つ1つ確認していくことが重要なのである。

次に具体的に競合プロダクトが想定するユーザストーリーを確認していく手法を紹介したい。最初にアクセスしてほしいのはHPである。e-book、提案資料なども併せて公開されているケースもあるので、入手し熟読すべきだろう。これらはプロダクトのターゲットや特筆すべきユーザストーリーが簡潔に記載されていることが多い。より詳細にユーザストーリーを確認していくには実際利用するか、利用したことがある人にインタビューするのが効率的である。前者については、競合プロダクトがフリーミアムで展開されていて、期間限定等でトライアル的な利用ができる場合は実際にプロダクトに触れて調査を行うことができる。このようにプロダクトを利用することができる場合には単に機能を洗い出して星取表にまとめていくだけでなく、プロダクトのキャプチャなどをとり、できる限り使っている感覚をそのまま切り取って残しておくことをお勧めする。プロダクトが機能自体により差別化されている場合は、機能の確認で事足りる。しかし、ユーザインターフェース/ユーザエクスペリエンスの策定などに強みがあるケースでは機能をテキストで表現するだけでは体感を表現し切れないことが多い。そのため、キャプチャを取っておくと後々メンバーが増え、競合プロダクトの概要を説明する時などに重宝する。後者については、すでに説明したインタビューの重複になるが、競合プロダクトを活用している時は詳細にどのように活用しているのかを聞くと良い。

ここまでの話をまとめると、インタビューで確認した業務内容を元に、競合になりえるプロダクトを洗い出す。それらのHP、e-book、提案資料などを確認し、それぞれのプロダクトの狙いやターゲット、特筆すべきユーザストーリーを把握する。さらに詳細に確認を進める場合は潜在ユーザへのインタビューやフリートライアルを活用し、プロダクトを通して何が実現できるのかユーザストーリーの洗い出しを進めていくことになる。

ユーザストーリーに併せて必要な初期設定から各種機能を実際に利用してみることになるので、非常に時間のかかる作業である。しかし、プロダクトの企画を進めていく中で、競合プロダクトは先に市場に展開され、その洗礼を受けたプロトタイプとも評価できる。そのため、これらの要件を確認していくことは調査という枠を超えて、今後進めていくプロトタイピングのショートカットにもなりうる。また実際プロダクトを販売するというフェーズでも競合プロダクトを意識して検討を進めるため、ここでの調査内容が活きることになる。そのためできるだけ手を抜かず、プロダクト関連のメンバー（プロダクトマネージャ、デザイナー、エンジニア、QA担当など）だけではなく、マーケティング、セールスなどビジネスサイドのメンバーを巻き込んで協働して進めることが理想である。

3. アンケート

最後の調査方法であるアンケートは、これまでの調査の中で持った仮説を定量的に検証していくアプローチである。特にアンケートは市場規模の把握、業務担当者のニーズの軽重、今後開発を進めていくプロダクトの方向性/方針（プロトタイプに落とすべきかどうかの仮説検証）の策定を目的に据え、実施されることが多い。この目的の特性上、インタビューや競合プロダクトの調査を終え、仮説を洗い出してから定量的に検証すべきものに絞ってアンケートをかけていくことになる。企画検討にかける時間を短縮したいばかりに、仮説を洗い出し切る前にアンケートに踏み切ると、後々インタビューや競合プロダクトの調査を進めていく中で仮説と食い違う事象が出てくることがある。最悪の場合、並走して進めているアンケートが無駄になる恐れすらあるので、基本は順を追って進めるべきだろう。

そもそもアンケートとは調査会社等が抱えるモニターから調査対象者を抽出し、アンケートに答えてもらい、回答の傾向を定量的に把握するものを指す。なお、すでに他プロダクトを運営している場合、調査会社を通さずとも自社プロダクトのユーザに手軽にアンケートを行えることもあるので、絶対に調査会社を使わなければならないわけではない。

アンケート自体の構成はスクリーニング質問と本質問に分かれる。前者はモニターから調査対象者を抽出するためのものであり、デモグラフィックを中心とした質問内容になることが多い。後者は仮説を検証する上で作成した質問になり、選択式の質問と自由回答を組み合わせて活用することになる。

アンケートは非常に広範囲な目的に活用できるがゆえ、設計し始めると様々な仮説を本質問に盛り込み始めてしまい、とても1回のアンケートで回答してもらうには無理がある状態になる。当然ながら、新規事業の企画段階において、何度もアンケートを実施する時間やリソースが確保できることは少ない。そのため前段階で実施されるインタビューや競合調査においてできるだけ事実を集め、定量的に把握しなければ、プロダクトの方針が決められない点を調査項目として厳選していくことになる。例えば、インタビューで抽出したユーザ課題のうち、今回企画検討を進めるプロダクトを通して解決すべき課題をアンケート結果により決めていくことが想定される。わざわざ定量的に確認し、インタビューによるバイアスの除去を目的にしていることから、アンケートの焦点はプロダクトの方向性を大きく変えうるものに限定すべきである。

最後にアンケートの調査項目自体はインタビューや競合プロダクトの調査を経て抽出した仮説を洗い出し、それを構造化した上で質問票に裏返すことで検証できる。これはいわゆるロジカルシンキングの守備範囲になるので、お勧めの2冊『ロジカル・シンキング』(東洋経済新報社)[※9]と『考える技術・書く技術―問題解決力を伸ばすピラミッド原則』(ダイヤモンド社)[※10]に説明を委ねることにする。

4 深掘り調査のまとめ

本Chapterで説明したインタビュー、競合調査を行うことで、対象とする業務理解及び競合プロダクトのユーザストーリーマッピングを把握することができる。これらを元に潜在ユーザが抱える課題を踏まえ、競合プロダクトを意識しながら、プロダクトの企画検討を進めることができるようになる。さらに、ある程度プロダクトの方針が見えた段階で、アンケートを行うことで、対象とする市場の定量化に加え、プロダクトに関する仮説を定量的に検証することができるのである。

改めて私が担当した新規SaaSのリリースを振り返ると、この初期における調査内容や仮説の精度こそがプロダクトの成功を大きく左右する。業務理解が薄弱なまま企画したプロダクトはユーザに受注し、導入してもらえたと

[※9] 『ロジカル・シンキング』(照屋 華子、岡田 恵子 [著]、東洋経済新報社、2001/4)

[※10] 『考える技術・書く技術―問題解決力を伸ばすピラミッド原則』(バーバラ・ミント [著]、グロービス・マネジメント・インスティテュート [監修]、山崎 康司 [訳]、ダイヤモンド社、1999/3)

しても継続利用には繋がりにくいからである。そのため、最初はわからないなりに潜在ユーザや市場、競合プロダクトと向き合い、少しずつ業務理解を深め、開発すべきプロダクトの方向性を決めていきたい。このプロセスこそが後のプロダクトの競争優位性を築く基盤になるので、決して手を抜かず、しかし、最短距離を効率的に駆け抜けてほしい。

また、調査と聞くと、外部のコンサルティングファームや調査チームなどに委託したくなるかもしれない。しかし、このフェーズにおける各種調査は何度も述べている通りプロダクトの競争優位性を大きく左右する。そのためできる限りプロダクトマネージャ自身が自分の手で進め、自分の目で確認し、自身の血肉とされることをお勧めしたい。

最後に事前/深掘り調査を総括する意味で、BtoCのプロダクトと比較し、SaaSなどのBtoBプロダクトにおける事前/深掘り調査の重要性を確認しておく（図3.3.2)。BtoCの場合は特段前提知識がなくても、その場で自分自身が1ユーザになれることが多く、今この瞬間から競合プロダクトや周辺プロダクトを利用できてしまう。これにより競合や周辺プロダクトが、どのようなニーズを汲み取り展開しているのかユーザ目線を体感できる。他方、BtoBプロダクトの場合、自分自身が直接のユーザになれることは極めて少ない。もちろんプロダクトマネージャという職種向けのプロダクトであったり、業務上何らかの活用余地があればユーザになりえたりするが、そのほうが圧倒的に稀である。そのため、潜在ユーザが抱えるニーズを捉えているか、プロダクトの方向性がユーザ課題を解決するものになっているのかについては、これまで詳述してきた調査を通して1つずつ確認すべきである。

	BtoC	BtoB(SaaS)
ユーザ感覚の理解	●自分自身が1ユーザとして、周辺領域の主要プロダクトを使うことで、ユーザ感覚を持つことができる ●実際のユーザを集めて、グループインタビューなどを実施することで、ユーザ感覚の客観性を担保する	●対象となる業務の担当者ではなく、ユーザ目線に立って、プロダクトを利用することは難しい ●想定ユーザへのインタビューを通して業務理解を行い、ユーザ感覚を拡充していく ●業務内容や課題などに対してアンケートを行うことで、定量的な把握も行う
事前/深掘り調査の比重	小さい ●実際のユーザと限りなく近い感覚でプロダクトを利用することできるため、調査は客観性の担保などを目的に最低限行う	大きい ●自分自身がユーザになれないため、ユーザへのインタビューやアンケートを通してユーザ理解を深める

図3.3.2：新規プロダクトの企画検討における事前 / 深掘り調査の比重（BtoCとBtoBの比較）

Chapter 4 プロトタイプ

各種調査の末、対象となる業務理解やプロダクトの大きな方向性が見えてきた段階まで駒を進めることができた。とはいえ、いきなり開発に入るわけではなく、まだ整理したり、生み出したりしないといけないことがたくさん待ち構えている。本Chapterでは、業務理解やプロダクトの大きな方向性を踏まえた上で、それをプロトタイプという形に落としていくまでの過程を確認していく。

まず、新規プロダクトの根源とも言えるプロダクトビジョンの要件を確認するところから説明を行う。そして、プロトタイピングを進める前提となるソリューションアイデアを創出する手法としてデザインスプリントを紹介し、ユーザテストからフィードバックを受け、最終的にリリース時の要件の策定までの流れを概観する。

1 プロダクトビジョンとは

プロトタイピングを行っていく上で、最初にプロダクトビジョンに取り組むことになるだろう。ビジョンという単語を聞くと、すぐ企業全体のビジョンやミッションを想起し、さらにはコアバリューを思い浮かべる人が多いかもしれない。

まずは、これらの概念の一般的な定義から確認していきたい。ミッションとは企業の社会的使命や存在意義を指し示し、ビジョンとは組織や社会の将来の姿を意味する。ビジョンのほうがより具体的で企業として何を実現していくのかを言語化したものになる。最後に、コアバリューは企業という組織を構成するに当たって、共有すべき価値観や行動指針を指す。

では、これが本題のプロダクトビジョンとどう関わってくるのか。プロダクトビジョンとは企業全体のミッションに即した形で、プロダクトを通して対象となる業務や市場に対し、どのような価値を提供し、何を実現するのかを簡潔にまとめたものである。抽象度の高い議論なので、もう少し具体化を試みると、プロダクトビジョンを構築し、運用していく上で重要なポイントは以下の4点である[※11]。

1. 企業全体のミッションに即していること
2. 具体的なソリューションや機能の話ではなく、潜在ユーザが抱える課題やなぜそれに取り組むべきなのか、その理由から考え抜くこと
3. 今後開発や販売に関わる様々なメンバーを引き込み、熱狂できるものであること

[※11] 参照『INSPIRED 熱狂させる製品を生み出すプロダクトマネジメント』(マーティ・ケーガン［著］、佐藤 真治、関 満徳［監修］、神月 謙一［訳］、日本能率協会マネジメントセンター、2019/11)、p.150〜p.152：「製品ビジョンの原則」

4. 正解に近づけるものではなく、正解だと思い込んで伝え続け、そして
 1人でも多く共感してもらい、協働してもらうこと

1. 企業全体のミッションに即していること

当然企業という組織の中でSaaSなどのプロダクトを立ち上げるのであれば、企業のミッションに即したものにすべきであることは自明であろう。ただ、前に述べたインタビュー、競合プロダクト調査、アンケートなど、様々な深掘り調査を行っていると、非常に取り組みやすいテーマや解決しやすい課題に出会い、気が付くと企業のミッションと全く関係のないプロダクトの方針ができていることがある。このような事態に陥らないように、調査を進めていく中で定期的に企業のミッションに立ち返り、「今回設定すべきプロダクトビジョンは何なのか？」と、自問自答することが肝要である。

2. 具体的なソリューションや機能の話ではなく、潜在ユーザが抱える課題やなぜそれに取り組むべきなのか、その理由から考え抜くこと

プロダクトビジョンを構築する際、プロダクトを通して解くべき課題や、なぜそれに取り組むべきなのか、言語化しておくことが重要である。

解くべき課題や理由を考えていたにも関わらず気付いたら解き方について思考してしまったことがある人は意外と多いのではないだろうか。このまま課題や理由を特定することなく、解き方を考えていき、プロダクトを定義してしまうと、開発途中やゴー・トゥ・マーケット戦略を検討する際に「このプロダクトは一体何のためのものなのか、そもそもなぜあるべきなのか」という問いを様々な人からもらうことになるだろう。そして、そのような問いかけに対して個別に回答していると、その場しのぎの回答になってしまい、プロダクト自体の存在価値に対して共通認識が持てなくなってしまう。これはもはやプロダクトビジョンとしての体をなしていない。

したがって、プロダクトを通して解くべき課題や、取り組むべき理由の言語化から取り組み、関係者で共通認識が持てるプロダクトビジョンを掲げる

べきである。そして、プロダクトビジョンが構築できて初めて、具体的なソリューションや機能の議論に進み、プロトタイピングやデザインスプリントを進めていくことができるようになるのである。

3. 今後開発や販売に関わる様々なメンバーを引き込み、熱狂できるものであること

実際に潜在ユーザがプロダクトを購入して価値を感じるまで、様々な社内外の人と協働する必要があることは言うまでもない。そのため、協働する人たちの意見を幅広く取り入れ、プロダクトビジョンに触れたどんな人でも共感できるもの、もっと言うと熱狂できるようなものにまで磨き込む必要がある。特にSaaSでは一般的なBtoCプロダクトとは異なり、マーケティングを実施した後、セールス、導入支援を経て、ユーザに価値を感じ続けてもらうため、ビジネスサイドのメンバーとの協働が必須である。したがって、ビジネスサイドのメンバーがプロダクトビジョンに触れて熱狂し、その先にいるユーザにその思いが減衰することなく、そのまま波及するような力強さが求められるのである。

4. 正解に近づけるものではなく、正解だと思い込んで伝え続け、そして1人でも多く共感してもらい、協働してもらうこと

新規SaaSの立ち上げを検討している状況を想定してみてほしい。その検討メンバー自身が自分達のプロダクトビジョンに疑義を持っている状態だとしたら、そのプロダクトビジョンを社内や潜在ユーザに訴求するのは難しくなるだろう。しかし、プロダクトビジョンはあくまでプロダクトを通して実現したい世界観を指し示すものであり、そもそも正誤があるものではない。そのため、プロダクトビジョンが合っているかどうか不安に思ったり、疑念を抱いていたりしても仕方ないのである。むしろ一度プロダクトビジョンを決めたら、メンバー全員がそれを正解だと思い込んで、熱意を持って伝え続けることこそが欠くことができない要素なのである。

大胆なプロダクトビジョンがなければ、ゼロから新たなプロダクトを生み出すことはできないと言えるほど、プロダクトビジョンはプロダクトを生み

出す上で最も根源的なものと捉えるべきである[※12]。そして、プロダクトビジョンに正解があるものではなく、また策定する上で王道もないように思う。

ただ、プロダクトビジョンを策定する上で、よく耳にする手法が1つだけあるので、参考までに紹介したい。その手法はプロダクトの要件などを考える前に真っ先にリリース時のプレスリリースを書くことから始めるというものである。一般的に、プレスリリースはプロダクトの要件が決まり、開発や、ゴー・トゥ・マーケット戦略の策定に目処が見えてきたタイミングで取り掛かるものである。この前提を取り払い、事前/深掘り調査を終えたあたりで真っ先にプレスリリースを書くのである[※13]（プレスリリースの書き方については、Part5 Chapter5 Section3「プレスリリース」を参照）。

この手法はAmazonで実際に運用されており、文字通り、開発を進めるためのコードを書く前にプレスリリースを書くことを指す。プレスリリースはテクノロジードリブンではなく、ユーザドリブンで書くことが多いため、まずプレスリリースを書き始めることで、ユーザに提供する価値をベースにした要件を具体化できるメリットがある。AmazonではA4の紙1ページぐらいにプレスリリースを収め、タイトルとサブタイトル、そして潜在ユーザ課題・ビジネス機会、潜在ユーザの声という構成で記載するようである。

SaaSを立ち上げる上で、生み出さなければならないもののうち、最も抽象度が高いものがプロダクトビジョンである。存分に生みの苦しみを感じながら、その策定に心血を注いでほしい。

［※12］ 参照 『ゼロ・トゥ・ワン　君はゼロから何を生み出せるか』（ピーター・ティール、ブレイク・マスターズ［著］、瀧本 哲史［序文］、関 美和［訳］、NHK出版、2014/9）、p.109〜p.111：「あいまいな楽観主義は成り立つのか？」

［※13］ 参照 SaaStr 2019、How to Do Customer Success at Scale with Amazon Web Services
URL https://www.youtube.com/watch?v=GEaNEoiP0iA

2 プロトタイプとは

インタビュー、競合調査、アンケートを経て非常に精度の高い仮説検証ができ、プロダクトビジョンの構築が終わり、プロダクトの方向性や概要の具体化ができたとしよう。この場合すぐ開発に入って良いものなのだろうか。ご存知の通り、プロダクト開発には非常に時間とリソースがかかる。そのため開発に入る前に、もう一段階検証フェーズが設けられることが多い。それがプロトタイプによる検証である。

調査から対象業務、ターゲット、競合の機能を踏まえた上で、最低限の機能セットと差別化要素を決める。そして、それらを潜在ユーザが使う形に落としてみたものがプロトタイプである。プロトタイプを活用し、実際想定される潜在ユーザに利用してもらうことで、受け入れてもらえそうか確認を行う。ここまで進めてしまうと、開発と一緒ではないかという疑問を持たれる方も多いかもしれない。しかし、プロトタイプの形状にはグラデーションがある。例えば、対象となる業務に対して単純なウェブアプリケーションの開発を想定した場合、プロダクトの主要ページの画面キャプチャを起こし、業務を行う手順に沿って紙芝居的にプレゼンができれば、ある程度潜在ユーザが利用した際に、どのように感じるのか確認できる可能性が高い。 逆に全く新しい切り口で業務プロセス自体を変えるようなプロダクトの場合、画面キャプチャではなく、実際の入力などプロダクトのインタラクションを通して、ユーザエクスペリエンスを体験してもらわないと、フィードバックを収集できないこともある。前者のようにキャプチャを活用して資料にできる場合は実際のプロダクト開発より圧倒的に簡易である。後者の場合でもユーザエクスペリエンスまでしっかり確認すべき機能を限定でき、すべての機能開発を事前に行う必要はないことが多い。また両者ともプロダクトとしてリリースする際に求められるサインアップや課金対応などまで実装することは稀だろう。

逆に実際開発する場合に比べて、開発にかかる時間やリソースが数分の一に落ちていなければ、それはもはやプロトタイプではない。あまりにもプロトタイプの守備範囲が広くなりすぎている場合は今一度プロトタイプを通して何を検証すべきなのか、精査を行うべきである。それらの検証を行う上で必要最低限の画面キャプチャや機能を盛り込み、検証を進めていきたい。

また、プロトタイプは一度作って、潜在ユーザに確認してもらって終わるものでもない。非常に理想的な状況であれば調査から紡ぎ出した仮説がプロトタイプにより100%正しいことが検証され、プロダクトの方向性を微塵も変えることなく開発に入っていくことができるはずである。ただ、このような状況に私は出会ったことがない。というのも非常に限られた時間の中で仮説検証プロセスを経てプロダクトの方向性を決めていくため、この段階で完璧なものができていることはほぼないからである。そのため、プロトタイプ自身も潜在ユーザからの意見を聞いて、改善を続けるべきだろう。

『リーン・スタートアップ　ムダのない起業プロセスでイノベーションを生みだす』（日経BP）[※14]で紹介されている構築-計測-学習のフィードバックループをSaaSにおけるプロトタイプに当てはめると、図3.4.1のようになる。実際のプロダクトを作るには開発リソースがかかりすぎるため、ここでは潜在ユーザの課題を解決しうるソリューションのアイデアをプロトタイプに落とし込むことに留めることが多い。定性面も含めた幅広いフィードバックを潜在ユーザから回収する。可能であれば不特定多数の潜在ユーザにアンケートなどを通して定量調査を行うこともある。このようにして収集したフィードバックに向き合い、学習し、再度アイデアの磨き込みに活かしていくのである。

学習のフィードバックループはすでに様々な場面で浸透している考え方だと思うが、SaaSの立ち上げ期においても上記のように少し考えを拡張したり、定義の解釈を広げたりすることにより活用することができる。

［※14］ 参照『リーン・スタートアップ　ムダのない起業プロセスでイノベーションを生みだす』（エリック・リース［著］、井口 耕二［訳］、伊藤 穣一［解説］、日経BP、2012/4）、p.104～p.109：「ビジョンから舵取りへ」

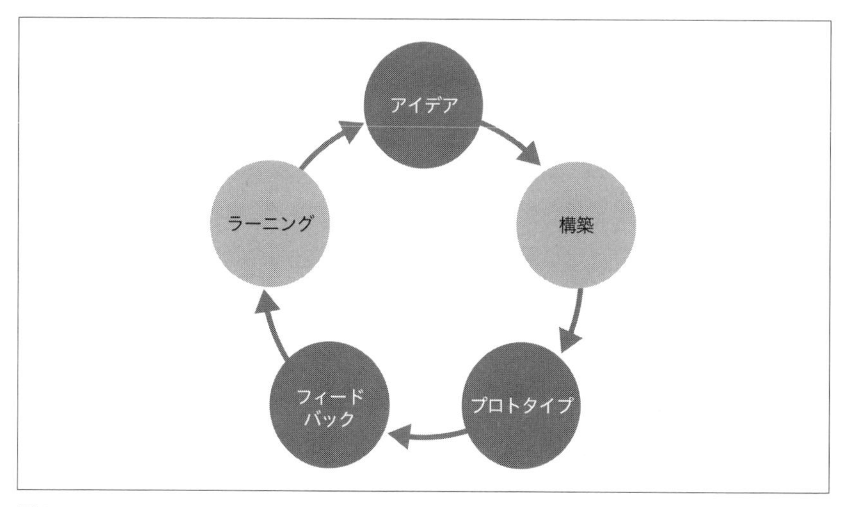

図3.4.1：SaaSにおけるフィードバックループ

3 デザインスプリントとは

対象業務、ターゲット、競合プロダクトの機能を踏まえた上での最低限の機能セットと差別化要素を決め、それを潜在ユーザに提供する形でイメージできる状態に落とし込まれたものがプロトタイプである。ではプロトタイピングを進めていくには、どんな方法があるのだろうか。ここでは最も認知され、有用なプログラムの1つとされているデザインスプリントを紹介したい。

デザインスプリントとは、GV（元Google Ventures）[※15]が、投資先へのサポートを行う中で活用したものを、様々な事例を元にまとめ上げたプログラムを指す。1週間という短期間でプロダクトのアイデアを出し切り、具体的なソリューションに絞り込んで、ユーザテストまで実施することを目的としたプログラムである。すでに、『SPRINT 最速仕事術——あらゆる仕事が

[※15]　URL https://www.gv.com/

うまくいく最も合理的な方法』（ダイヤモンド社）[※16]という書籍にその方法論はまとめられており、プロダクトマネージャにとって必読書の1冊である。参考までに、5日間のスケジュールだけ簡潔に書き出しておいた（図3.4.2）。詳細な方法論は紹介した書籍に譲り、ここではデザインスプリントに関する簡潔な紹介と実際運用するに当たっての注意点を説明したい。

[※16]　『SPRINT 最速仕事術――あらゆる仕事がうまくいく最も合理的な方法』（ジェイク・ナップ、ジョン・ゼラツキー、ブレイデン・コウィッツ［著］、櫻井 祐子［訳］、ダイヤモンド社、2017/4）

Day1 進め方の決定と、業務プロセスの可視化を行う

- 参加者、場所、進行の仕方（進行役を決め、デバイスの持ち込み制限）などを決める
- 業務を進める上で出てくるロールの洗い出しとロールごとに必要なアクションをマッピングし、課題の選定を行う
  - 関係するロールを縦軸に並べ、横軸に時系列を置いて、業務の流れをチームで確認しながら書き出していく
  - 可視化した業務フロー上でどこに課題があるのか議論し、取り組むべき課題を選定する

Day2 プロダクトを考えるきっかけの収集と、具体的なソリューションのアイデア出し

- 対象業務に関するプロダクトだけでなく、プロダクトのコンセプトを考える上できっかけになりえるポイントをお互いにプレゼンする
- 抽象的なアイデアから具体的なソリューションアイデアに落とす

Day3 ソリューションアイデアの絞り込みとストーリーへの落とし込み

- ソリューションアイデアを共有し、絞り込みを行う
- ソリューションアイデアをストーリー仕立てにして、一連の流れに落とし込む

Day4 プロトタイプを作成

- プロトタイプ作成ツールをきちんと選定し、活用し、プロトタイプを作る
- プロトタイプを通してトライアルを実施する

Day5 ユーザテストの実施

- ユーザテストを設計し、実施する
- 悪いフィードバックが来たほうが検証が進んで良いと思えるぐらいの気持ちで望む

図3.4.2：デザインスプリントの概要

実際何度かやってみると、5日間という非常に短い期間でかなり濃密な議論を効率よくこなすことができ、一種の高揚を感じることになる。ただし、その高揚感に任せて創出したアイデアに固執するのではなく、この書籍にもある通り効率的に失敗するという本来の目的を忘れてはならない。どうせ

たった5日間の議論の結果でしかないので、ダメだったらもう1回やれば良いと、常々言い聞かせながら進めていくことが重要である。

4 SaaS立ち上げにデザインスプリントを活用する上での留意点

デザインスプリントは新規プロダクトや新機能など、独立のプロダクトや機能として利用できるものに対し、アイデア出しから、プロトタイプの作成、ユーザテストまでを1週間という限られた時間で行うことを指す。ここでは、その中でもSaaSの立ち上げという大きい単位への適用になるので、具体的にデザインスプリントを活用する上で考慮すべき留意点として、事前/深掘り調査の重要性とユーザテストのスケジューリングについて詳述を行う。

事前/深掘り調査の重要性

デザインスプリントのような短期間で何かを成し遂げるプログラムにおいて、いきなり最終日にアウトプットの質が上がることは少ない。前半戦の議論の質が最終的なアウトプットを規定してしまう。そのため、Day1を乗り切るに当たって、できる限り正確に業務フローの可視化を行うべきである。SaaSの立ち上げという観点においては対象業務と業務課題は事前に調査しておく必要がある。業務理解が全くない状態で業務フローを想像するのは困難を極め、その上で課題を特定するのは無理難題に近い。

したがって、デザインスプリントを実施する前に一定の調査を行い、対象業務と業務上の課題の所在について仮説検証を行い、ソリューションアイデアの議論ができる状態にしておくべきである。

なお、デザインスプリント開始前に、Day0などとして切り出して事前/深掘り調査の結果を参加メンバーに対して共有する会を実施するのも有効だろう。

ユーザテストのスケジューリング

一般的にユーザテストを実施する際、ターゲットとなるユーザセグメントに対して5人程度が最も調査ROIが高いと言われる[※17]。この前提で、新規SaaSの立ち上げの場合、対象業務を限定したプロダクトになる可能性が高く、的確な潜在ユーザが少なく、Day5に集中してユーザテストのインタビュイーを集めることは難しい。そのため、例えばユーザテストを2人×3週に渡って実施し、徐々にプロトタイプを改善しながら進めていくと、少しリードタイムは長くなるが、精度の高いプロトタイピングを行うことができる。Day5に限定せず、状況に合わせて効果的なプロトタイプを作り上げていきたい。枝葉の議論になるが、調査会社を通してユーザテストの候補者をリクルーティングする場合には、社内稟議や調査会社との見積もり、発注などの契約手続き、さらにはリクルーティング条件や実際のスケジュール調整まで事前に行う必要がある。そのためデザインスプリント実施の2〜3ヶ月前から各種調整に動かなければならないことを忘れてはならない。

今回はデザインスプリントを新規SaaSの立ち上げで活用したが、1プロダクトレベルの議論でなくても、新機能など様々な粒度感のテーマに対して活用できるプログラムである。かなり応用可能性が高いので、いろいろなシーンで試されたい。

5 デザインスプリントのメリット

改めてこれまで実施したデザインスプリントを振り返ると、そのメリットは短い期間で効率よく上質な失敗をすることに尽きる。デザインスプリント

[※17] 参照『SPRINT 最速仕事術——あらゆる仕事がうまくいく最も合理的な方法』(ジェイク・ナップ、ジョン・ゼラツキー、ブレイデン・コウィッツ[著]、櫻井 祐子[訳]、ダイヤモンド社、2017/4)、p.265〜p.267:「魔法の数「5」を使う」

を通してプロタイピングしていくことにかける工数は参加者の5日間に限られるし、そのままそのアイデアが最終的に採用されることもある。逆に採用されなかったとしてもまたすべて一から考え直すことは少なく、デザインスプリント前に実施した事前準備とデザインスプリントからの学びを元に、もう一度実施することができる。

他にも、デザインスプリント開始前から最終日にユーザテストを実施するという期限をきちんと決めておくことで、短期的なゴールを意識し、進めることができる。具体的には、きちんとソリューションアイデアをプロトタイプに落とし込み、ユーザテスト時にインタビュイーに説明できるようにする準備期間をスケジュールに盛り込むことができる。このような細かい準備をしっかりやることで、濃いユーザフィードバックを得られるようになる。

また、デザインスプリント実施前では社歴の長い人や、事前準備をしていた人が知識的に優位になるケースもあるが、ここで参加メンバーと濃密な時間を共に過ごすことにより、前提知識が揃い、チームビルディングとしても有用である。

6 ユーザテストとは

デザインスプリントのDay5に実施するユーザテストの内容について詳しく見ていく。

まず、デザインスプリントにおけるユーザテストの目的はいわゆる販売検証的な立て付けであり、細いユーザビリティの確認が主眼になることはない。これはデザインスプリントがプロトタイプの初期段階で活用されるプログラムであるため、ユーザビリティまで綿密に練られていることが少なく、細いユーザビリティの確認までやっても有益な示唆を生まないケースが多いからである。そのため、プロダクトのコンセプトや主要画面のモックなどを材料に、大まかなプロダクトの内容を伝え、商談を行うような立て付けで、潜在ユーザに価値を感じてもらい購入してもらえそうか確認を行うことになる。

次に、ユーザテストの事前準備であるが、上述の通り実際商談を行う際に使用する提案資料にまとめるのが良い。具体的にはプロダクトのコンセプトや主要画面のモックなどを活用し、購入するかどうかの判断が行える必要最低限のプレゼンができる資料を準備する必要がある。プレゼン自体は10～15分程度に収めるべきでり、それほど資料を充実させる必要はない。またユーザテストの候補者は想定ターゲットよりも広めにインタビュイーを募ると良い。これはターゲットとなるユーザセグメントの可能性を狭めないための配慮である。

特にSaaSにおいては、BtoBの特性上、ユーザテストは販売を指向したものであり、模擬提案資料を作った上で実施したい。

7 ユーザテスト実施の流れ

では、ユーザテストの流れを確認していきたい。 先程紹介した『SPRINT最速仕事術――あらゆる仕事がうまくいく最も合理的な方法』（ダイヤモンド社）[※18]にある通り、一般的には下記の流れに沿って行われることが多い。

1. アイスブレーク
2. 潜在ユーザの業務内容の理解
3. プロトタイプの紹介
4. 仮想の業務を説明し、プロトタイプを提供
5. プロトタイプの要件に関するフィードバック

［※18］『SPRINT最速仕事術――あらゆる仕事がうまくいく最も合理的な方法』（ジェイク・ナップ、ジョン・ゼラツキー、ブレイデン・コウィッツ［著］、櫻井 祐子［訳］、ダイヤモンド社、2017/4）p.270～p.281：「「5幕構成」で話を聞く」

この流れについては、SaaSならではの要素はないのだが、各要素においてはBtoB特有の作法があるので1つずつ見ていきたい。

1. アイスブレーク

アイスブレークは、例えばインタビュイーの所属企業におけるプレスリリースを事前に確認しておいて話のきっかけにすると良い。調査会社を使うケースでは事前に所属企業を公開してもらえないことも多いので、来訪の移動手段や当たり障りなく天気の話などから入るといいかもしれない。

2. 潜在ユーザの業務内容の理解

潜在ユーザの業務内容の理解についてであるが、SaaSはBtoB向けになるため潜在ユーザが所属する企業の業種、規模を踏まえた上で、潜在ユーザが担当する業務を詳しく聞いていく必要がある。これは対象としている業務が法令などにより細かく規定されており、どの企業でも同じ業務内容であれば詳しく確認する必要はない。しかし、企業や担当者によって業務の進め方は千差万別であり、インタビュイーの所属企業などによって恣意的にカテゴライズすることなく、目の前にいる潜在ユーザの業務の進め方を事細かに理解していくべきである。

3. プロトタイプの紹介

プロトタイプの紹介では、すでに言及した通り販売検証としての位置付けで実施するのが良い。こうすることで、インタビュイーも何を答えればいいか非常に明確になり、提案を受けて前向きにプロダクトについて質問してくれ、臨場感のあるユーザテストになることが多い。また現時点ではプロトタイプ段階のためプロダクトとして完全な状態ではなく、今回のテストを通して、進化を遂げる過程であることも忘れずに伝えたい。

4. 仮想の業務を説明し、プロトタイプを提供

プロトタイプを紹介したのち、実際に使ってもらう訳だが、プロダクトを

活用し実施できる仮想の業務を説明し、実際プロトタイプを通してやってもらうことを指している。実際操作可能なプロトタイプがあればイメージしやすいだろう。操作可能なプロトタイプがなくても、主要ページのモックなどを通して、実際の業務に即してどのように操作しようとしたか説明をしてもらったり、操作後にどのような挙動になりそうか答えてもらったりすることで問題なくプロトタイプを利用できるか確認することができる。

5. プロトタイプの要件に関するフィードバック

最後に、ユーザからフィードバックをもらう上でのポイントを紹介したい。まず、定性的なフィードバックをもらう前に、プロトタイプが実際に使えそうか、また買うかどうかについて1から5段階などで回答をしてもらう。この質問により、利用や購入に対する温度感のずれをなくし、客観的な議論が行いやすくなる。また、いきなり自由回答で問いかけるよりも数字で答えてもらうことにより、自身の回答に対して責任を感じるようになり、その数字を選んだ理由について意思のこもった回答が得られる傾向にある。この手法は、潜在ユーザの実感に近いフィードバックを得るための近道の1つになりうるため、ぜひ試してほしい。

また、プロトタイプの説明を行い、導入までの流れを意識し、プロトタイプに対する関心度や、利用意向と購入意向などに関して、1から5段階で質問すると、購入検討プロセスの中で、どの段階でインタビュイーが落ちているのか確認することができる。例えば、率直に関心はあるが利用するイメージは持てなかったインタビュイーや、利用するイメージまで持てたが、購入となるとハードルを感じるインタビュイーを認識できるようになる。このようなインタビュイーそれぞれに対して、なぜ利用意向や購入意向のタイミングで落ちたのか確認し、深掘りを行うきっかけになるのである。

最後に、参考としてユーザテストを行う上でのトークスクリプトのサンプルを添付しておく（図3.4.3）。あくまでサンプルなので、状況に応じてカスタマイズして活用してほしい。

アイスブレーク（2〜3分）

本日はお忙しい中、XXXへのご参加／ご協力頂きありがとうございます。
私XXXのXXXと申します。今回のインタビューの進行役を務めさせて頂きます。
今日は、XXXであるあなたに「XXX」についてお話をお伺いしていきます。
はじめにこちらの「機密保持に関する誓約書」をお読み頂き、問題がないようでしたら署名、捺印をお願いできますでしょうか？
＊書類に記入、捺印をもらう

今日お話頂く内容について率直にお話を聞かせてください。
時間は60分程度を予定しています。終了のお時間はXX:XXぐらいです
お話の途中体調が悪くなったり、トイレに行きたくなったら、遠慮なく言ってください、インタビューを中断・中止致します。
（記録を取る時のみ）また今回のインタビューでは、音声と映像を記録させて頂きます。記録した内容はインタビュー内容の振り返り以外で使用することはありませんのでご安心ください。
ここまでで何か気になることはございますか？
ではよろしくお願い致します。

ユーザの背景の理解（5〜6分）

今から簡単にご自身について少しお話を聞かせてください。これらの情報は、我々開発チームがペルソナという仮想ユーザ像を作るために社内で共有します。差し支えのない範囲でお答えください。

本設問：プロトタイプの紹介、タスクを説明し、どのように使うか考えてもらう（45分）

＊聞きたい内容を聞いていく
＊ユーザの話ではなく、ユーザの体験を聞く
＊「全体」から「細部」について聞き進める

振り返りをヒアリング（7〜10分）

＊追加質問
＊全参加者から気になったことなどを質問

図3.4.3：ユーザテストのスクリプト例

8 ユーザテストから抽出する示唆

私自身が事前/深掘り調査、プロトタイプの限られた時間の中で、1プロダクトに対して集中的に十数件のユーザテストを実施したことがある。件数だけを取り上げると、大したことなさそうに思えるかもしれない。しかし、SaaSの場合、何らかの業務に対するプロダクトになることが前提であり、その対象業務自体が潜在ユーザやバイヤー、エンドユーザによって多種多様なのである。多様な業務を一般化したり、共通する課題を見出したりすることは非常に難しい。良いユーザテストができればできるほど、なぜその業務をやっているのか、どのような業務をどのように進めているのかを把握することができる。しかし、あくまでそれは潜在ユーザ特有の個別事象の深掘りでしかなく、そのユーザによる閉じた話になりやすいというジレンマがある。

では、どうやってユーザテストから業務の一般化や共通する課題の抽出を行っていくのか。このような場合、非常に強力な手段の1つに、そもそもの目的への回帰が挙げられる。何のためにプロトタイプを作ったのか、何のためのデザインスプリントだったのかといったワンステップ前の目線に戻り、その理由を改めて確認することが遠回りなように見えて、実は近道なのである。

プロトタイプとは、潜在ユーザが使うことを想起しやすい形でプロダクトの価値が体験できるものであり、実際に開発する前にプロトタイプを活用し、潜在ユーザに受け入れられるかを確認するためのものである。そして、デザインスプリントはこのプロトタイプを効率よくメンバーと議論し、短期間で潜在ユーザにその是非を聞くところまでの進め方をセットにしたものである。つまり、どのような潜在ユーザが何にどのような価値を感じたのか、もしくは感じなかったのかを確認できれば目的は達成されるのである。

とすると、ユーザテストによるインプットを以下のような確認ポイントに落として整理していくことで、少しずつ示唆に近づけることができそうである。

1. ターゲットとなる潜在ユーザの理解
2. ユーザが享受する価値とプロダクトの整合性
3. 業務への活用可能性の有無と直感的なユーザインターフェース/ユーザエクスペリエンス

1. ターゲットとなる潜在ユーザの理解

まず前提として潜在ユーザのあり方は多種多様であり、その多様性に向き合うことからすべてが始まる。その上で、潜在ユーザの業種など企業としての特徴と業務内容を詳細に確認していくことで、潜在ユーザの共通項を見つける土台を作ることができる。複数社の特徴を書き出せたタイミングでユーザテストに参加したチームメンバーと、何が共通項なのか、仮説をぶつけ合い、ターゲットとすべきユーザセグメントを決めていくことになる。

2. ユーザが享受する価値とプロダクトの整合性

潜在ユーザがプロダクトに何らかの価値を感じたか、そしてそれがプロダクトビジョンに整合しているかを確認していく。これは、ターゲットとなる潜在ユーザの理解と行き来するが、純粋にプロトタイプやプロダクトコンセプトを見た時に、ほしい、使いたいなどの発言があったのか、その理由とプロダクトビジョンが合致していたのかをまとめていくことになる。さらに、すでに他社のSaaSなどを活用している場合、乗り換えてまで使いたいと思ってくれるかどうか、もし思ってもらえる場合、その理由は何かを併せて確認しておきたい。競合プロダクトとの差別化を決めていく上で、重要な示唆の1つになるだろう。

3. 業務への活用可能性の有無と直感的なユーザインターフェース/ユーザエクスペリエンス

3点目は概念的な話ではなく、機能やユーザインターフェース/ユーザエクスペリエンスに関する実践的な確認項目である。潜在ユーザが実際業務で活用していくことを想定した場合、足りない機能や使い方がわからない点がないか確認していく。ユーザが享受する価値とプロダクトの整合性を確認していく際と同じく、ターゲットとなる潜在ユーザの理解を踏まえて、様々な軸で整理を繰り返しながら、どのような潜在ユーザにおいて具体的にどんな機能が足りないのか、機能自体がわかりにくいのかを炙り出していくことになる。

上述のような確認ポイントに沿って、ユーザテストから示唆を抽出していくことは非常に重要である。しかし、繰り返しになるが潜在ユーザ自身は個々別々であり、まずは目の前にいる人が何を担当しどのような思いで業務を行っているのか、また所属している企業の業種、規模、背景なども併せて深く理解することが、示唆を抽出していく上で、真っ先に取り組むべきことである。最初から確認ポイントにおける仮説を強固に持ちすぎて、ユーザテストを行うと、潜在ユーザやその業務の多様性に対して自分の仮説にとって都合が良い部分だけに焦点を当ててしまい、自分の仮説を補強するためだけのユーザテストになってしまう。ユーザテストは定性的な調査で構成されることが多いため、特に注意して調査結果の客観性を意識しつつ、ターゲットとすべきユーザセグメントの導出を心がけたい。

9 プロトタイピングを進める上での注意点

プロトタイプをブラッシュアップしていく過程の中で、気に留めるべきポイントが何点かあるので、言及しておく。

まず、気持ちを新たにデザインスプリントやプロトタイピングに取り組むべきである。特に、何度かデザインスプリントを回したことがある人が集まると、Day5を逆算してまとめ出すタイミングを意識しすぎるなど、スケジュールを中心に据えた進め方をしてしまうことがある。当然スケジュール通りアウトプットしていくにはゴールを意識すべきなのだが、デザインスプリントでは効率的に失敗することに主眼があり、最終的にプロトタイピングへの示唆に繋がれば良いので、最悪失敗に終わっても良い。デザインスプリントはあくまで一手段であり、そこからの学びを最大化する目線を忘れてはいけない。意識だけでは議論やアイデアが収束してしまい、小さくまとまってしまうのであれば、まだ社会人経験が浅いメンバーや敢えて前提となるインプットを与えなかったメンバーを入れるなどして、何も知らずに展開される無邪気な発言を担保していきたい。様々な創意工夫を行い、とにかく目に見えるプロダクトの方向性やアイデアというアウトプットに焦点を当てるのではなく、効率的に失敗することを意識し続けたい。

スケジュールの意識と近い観点かもしれないが、あまりに仮説を強固に持ちすぎると、仮説以外のアイデアの創出や反対意見を過度に排除するリスクがある。デザインスプリントは実施前の仮説を補強するためのものではなく、新たにプロダクトの方向性などを見出し、プロトタイピングを行うプログラムである。結論ありきでデザインスプリントやプロトタイピングを進めるのではなく、これまでの定性・定量調査を踏まえて業務理解を元に順を追って課題認識、及びソリューションアイデアの策定を経て、プロトタイプを通したユーザテストを行いたい。

ところで、デザインスプリントやその後のプロトタイピングを進めていると、時として強烈なアイデアが出てしまい、その後の議論がすべて引っ張られてしまうことがある。このようなアイデアが出てしまうと、大事に磨き込もうとする気持ちを強く持ちすぎ、固執しすぎてしまうのである。この結果、アイデアが1つしかない状況になってしまうと、後で実施するユーザテストで一蹴されてしまい、すべて無に帰してしまう危険性を孕むことになる。議論し尽くしたアイデアを検証し、失敗だと言えることは1つの成果なのだが、もう少し幅広くアイデアを出していれば、もっといろいろな失敗ができたのではないか、という考え方もできる。そのため、失敗の数も深さも重要であり、両方を担保した失敗の総量を意識してプロトタイピングすべきである。こうすることで、本来の趣旨である効率的に失敗を積み重ねることができることが多い。

最後に、デザインスプリントやプロトタイピングはプロダクトマネージャ、デザイナー、エンジニアなどのコアメンバーで、しっかり時間を取って腰を据えて議論すべきである。理想は対面でホワイトボードなどを活用して議論の深度を担保し、ニュアンスやイメージを余すことなく共有できる状態で実施すべきだろう。海外オフィスとの連携や国内でも本社/支社横断でデザインスプリントやプロトタイピングを行う場合、リモート環境下での実施が余儀なくされる。昨今猛勢を振るう新型コロナウイルス感染症のため、在宅ワークなどが原則とされていれば、同じ拠点でもリモートでの開催が必要になる。そのため、オンラインホワイトボードなどの機能を活かし、それぞれのチームにあったやり方を模索すべきである。リモート下でもオフラインと同様のパフォーマンスを出せるように試行錯誤することは、プロダクトマネージャとして競争力の1つになりうる。

10 リリース時の要件を決める時に陥りやすい4つの罠

デザインスプリントやプロトタイピングの末、プロダクトビジョンを体現しえる最低限の要件を決めることになる。ここでは、リリース時の要件を決めていく上でよく陥る罠を4つに絞って、紹介したい。

1. 企画段階でプロダクトの構想ばかりが膨らんでしまう
2. 仮説の精度が高い機能から要件の詳細化を進め、仮説や方向性すら見えていない機能について議論せずに、放置し続けてしまう
3. 潜在ユーザに向けてではなく、提供者視点でプロトタイピングしてしまい、自己満足に陥る
4. 潜在ユーザによる価値の実現ではなく、リリース時の要件を決めること、つまりリリースすること自体が目的化してしまう

1. 企画段階でプロダクトの構想ばかりが膨らんでしまう

まず、企画段階でプロダクトの構想ばかりが膨らむこと、これは避けられない[※19]。この後、開発フェーズに入り、エンジニアがアサインされても当然無限に開発できるわけではなく、限られたリソースと期間の中で開発を進めていくことになる。プロダクトマネージャは開発優先順位を付け、場合によって下位のものから精査することになる。あまりに開発リソースのプレッシャーが強く、当初の目的が達成できない危険性を顧みず、開発すべき機能を切り捨ててしまうこともある。これでは目標ばかりが高い状態で、機能やプロダクトの完成度が全くついて来ておらず、検証にすら値しなくなってしまう。優先順位が付くと人は要件を狭めやすくなる。しかし、企画当初に掲げたプロダクトビジョンに遡り、要件を絞っても実現できるものなのか、少なくともリリースタイミングで検証できるものなのか、冷静に見極める必要がある。プロダクトビジョンとリリース時の要件と創出できるビジネスインパクトとを相互に確認し、整合性の取れたものになっているか常にチェックする必要がある。例えば、リリース時の要件を絞ってもプロダクトビジョンは実現できるのか、また、リーチできるユーザセグメントが減っていないかなどについて、チーム内で議論すると良いだろう。

2. 仮説の精度が高い機能から要件の詳細化を進め、仮説や方向性すら見えていない機能について議論せずに、放置し続けてしまう

多種多様な調査によるインプットから当然潜在ユーザに価値を感じてもらえそうなところと、まだまだ検討を続けないと価値を感じてもらえなさそうなところが出てくる。そうした時に、人は易きに流れ、仮説の精度が高そうなところから作ってしまい、潜在ユーザからのフィードバックにも手応えを感じ、その瞬間は意気揚々となるが、実は目をつぶっている大きなリスクが

[※19]　参照　MozCon 2018、Why Nine out of Ten Marketing Launches Suck (and How to Be the One that Doesn't)
URL　https://moz.com/learn/seo/why-nine-out-of-ten-marketing-launches-suck

あり、後々顕在化することがよくある[※20]。この手のリスクはボトルネックになりうるので、後回しにするのではなく、正面から真っ先に議論し、手を付けていかなければならない。

3. 潜在ユーザに向けてではなく、提供者視点でプロトタイピングしてしまい、自己満足に陥る

さらに、入念な検討を経たプロトタイプに対して、プロダクトチームは当然手応えを感じ、自信を持ち始める。プロトタイプを通して潜在ユーザが価値を感じてくれていることに自信を持つこと自体は非常に良いことである。しかし、少し気を抜くと、プロトタイピング自体が目的化し、潜在ユーザそっちのけで、提供者視点でプロトタイプが1人歩きし始めることがある。SaaSは潜在ユーザが業務を進める上で、活用するサービスのため、それを想定し続けて企画検討しなければならない[※21]。SaaSはソフトウェア自体を販売しているのではなく、潜在ユーザの課題に焦点を当て、それを解決するサービスを販売しているのである[※22]。

4. 潜在ユーザによる価値の実現ではなく、リリース時の要件を決めること、つまりリリースすること自体が目的化してしまう

プロトタイピングの過程では、頻繁にユーザテストを行うことから、まだ提供価値を意識しやすい状況にあると言える。だが、どの機能をリリースに入れるかどうか検討を進める時でも、提供価値を意識し続けられるだろう

[※20]　参照 『INSPIRED 熱狂させる製品を生み出すプロダクトマネジメント』(マーティ・ケーガン［著］、佐藤 真治、関 満徳［監修］、神月 謙一［訳］、日本能率協会マネジメントセンター、2019/11)、p.33～p.35：「リーンとアジャイルを超えて」

[※21]　参照 『リーン・スタートアップ』(エリック・リース［著］、伊藤 穰一［解説］、井口 耕二［訳］、日経BP、2012/4)、p.146～p.150：「誰が顧客かわからなければ何が品質なのかもわからない」

[※22]　参照 SaaStr 2019、Scaling from $1MM to $500MM ARR: 5 Strategies to Drive Your Next Wave of Growth with Intercom
URL https://www.saastr.com/5-strategies-to-drive-growth-intercom/

か。このタイミングになると、メンバーも多く、実際確認を行う経営陣も様々な観点でフィードバックをしてくることになる。そのため、潜在ユーザが享受する価値の実現ではなく、リリース時の要件を決めることが目的化しやすい状況になる。そもそも論だが、リリース時の要件を切ることがゴールではなく、潜在ユーザの課題が解決されるのか、もしくは解決される足がかりとなるものなのかを確認すべきである[※23]。もちろん、リリース前にどれだけ検証を重ねていても、想定外のことは起こりうるので、最初から完璧なプロダクトである必要はないことにも言及したい[※24]。リリース初期から使ってくれるアーリーアダプターは欠けている機能を想像力や手動を含めた運用で補ってくれ、足りない部分を好意的にフィードバックしてくれる。これらの意見を汲んで、実際のユーザとプロダクトを進化させたほうがより精度の高いものになるのは間違いないだろう。

事前/深掘り調査からリリース時の要件を策定するまでの流れは、決してウォーターフォール的に設定され尽くされるものではない。デザインスプリントでも取り上げたが、事前/深掘り調査とプロトタイピングは、仮説構築と検証のプロセスを高速に循環させるものである。この循環により、潜在ユーザが持つ課題を踏まえた上で、プロダクトビジョンを通して、リリース時の要件を決めていくのである[※25]。逆に事前/深掘り調査から最終的な要件の落とし込みまで、スケジュール通り進んでいる場合は、どこかで検証が済んでいない仮説のまま、最終的な要件に押し込んでいる可能性が高い。予定調和な展開だと感じたら一度歩みを止め、これまでの流れを丁寧に振り返

[※23] 参照『INSPIRED 熱狂させる製品を生み出すプロダクトマネジメント』(マーティ・ケーガン［著］、佐藤 真治、関 満徳［監修］、神月 謙一［訳］、日本能率協会マネジメントセンター、2019/11)、p.33〜p.35：「リーンとアジャイルを超えて」

[※24] 参照『リーン・スタートアップ』(エリック・リース［著］、伊藤 穣一［解説］、井口 耕二［訳］、日経BP、2012/4)、p.128：「最初の製品で完璧を狙わない理由」

[※25] 参照『INSPIRED 熱狂させる製品を生み出すプロダクトマネジメント』(マーティ・ケーガン［著］、佐藤 真治、関 満徳［監修］、神月 謙一［訳］、日本能率協会マネジメントセンター、2019/11)、p.25〜p.32：「製品開発が失敗する根本的原因」

りたい。

ここまで企画検討から最終的にリリース時における要件の策定までの流れに沿って、陥りやすい罠について説明してきた。これらの注意点はすべて、SaaSの本質であるサービスとして提供するということを失念してしまうことに起因している。つまり、ユーザが価値を享受することから逸れてしまい、提供者視点を強めてしまい、プロダクト自体に力点を置きすぎてしまうことによるのである。

11 ミニマム・ヴィアブル・プロダクトという言葉の罠

ミニマム・ヴィアブル・プロダクト（Minimum Viable Product、以下MVPと表記する）とは「ユーザが価値を感じられる最低限の要件」と訳されることが多い。この概念は『リーン・スタートアップ』（日経BP）[※26] という書籍において提唱され、上述したプロトタイプ以外に様々な手法が提示されている。例えば、プロダクトに関するコンセプチュアルな映像を潜在ユーザに見せて反応を確認したり、プロダクトリリース前段階にリリースしたら購入してくれるかどうか潜在ユーザに確認したり、実際プロダクトを作るのではなくプロダクトが果たすべき機能を自ら手動によって実演するものなど、数種類に及ぶプロダクト設計までの仮説検証プロセスを紹介してくれている。

これに対し、『INSPIRED 熱狂させる製品を生み出すプロダクトマネジメント』（日本能率協会マネジメントセンター）では、そもそも要件定義を固めるプロセスを意味するのであれば、それは「プロダクト」と言うべきではなく、「プロトタイプ」というべきで、またプロダクトとして世に出すことを定義付けられた段階でないにもかかわらず、プロダクトということに違和感

[※26] 参照 『リーン・スタートアップ』（エリック・リース［著］、伊藤 穰一［解説］、井口 耕二［訳］、日経BP、2012/4、日経BP）、p.104～p.109：「ビジョンから舵取りへ」

があると反論している[※27]。プロダクトの設計プロセスと、世に完成したものとして出すものは概念的に別であり、明確に区分すべきという思想を感じる。

SaaSにおいても特段変わることなく、MVPで定義されているプロダクト設計プロセスはどれも活用できる。特にプロトタイプを活用しない新規SaaSはほぼないのではないだろうか。つまり、設計プロセスという意味でMVPは有用である。ただし、SaaSの場合、サブスクリプションというビジネスモデルを採用することが多く、そのため完成したプロダクトとしてはサインアップや課金などの対応を余儀なくされる。そのため、これらの対応を行わないうちは、あくまでベータ版という立て付けであり、完成されたものとして認識する人は少ないだろう。しかし、実際販売するというフェーズに差しかかった時には「ユーザが価値を感じられる最低限の要件」とはユーザがSaaSを購入でき、さらに業務上利用できることと認識されることが多い。

つまり、SaaSにおいてMVP、「ユーザが価値を感じられる最低限の要件」とは、企画、開発、販売のそれぞれの視点において具体的な価値やその前提が微妙に異なっており、多義性を持つ。そのため、仮説検証を進めた結果以外に開発の着手、リリースというマイルストーンにおいてメンバーの増加やプロダクトの主たる要因の変化に応じて、徐々にその定義が変わっていく。プロダクト開発のプロセスにおいて、メンバーが多い中、定義が曖昧な言葉を多用することは混乱を招きかねないので、『INSPIRED 熱狂させる製品を生み出すプロダクトマネジメント』（日本能率協会マネジメントセンター）で提唱されている通り、リリース前で仮説検証を行っているフェーズであれば、プロトタイプと呼び、リリースを行うフェーズであれば、プロダクトとし、明確に呼び分けたほうが良い。

私自身、MVPという言葉を多用し企画、開発を進めた際、徐々にMVPが

[※27]　参照　『INSPIRED 熱狂させる製品を生み出すプロダクトマネジメント』（マーティ・ケーガン［著］、佐藤 真治、関 満徳［監修］、神月 謙一［訳］、日本能率協会マネジメントセンター、2019/11）、p.41～p.42：「必要最小限の製品」

膨れ上がっていく感覚に苛まれ、要件の整理とメンバーへの共有、周知に終始したこともあった。MVPという仮説検証プロセス自体は非常に有用であり、今後も使われ続けるべきものであるが、MVPという言葉自体にはその目的や使う人の目線によって多義性を孕むので、注意されたい。特にSaaSでは開発着手以降、リリースに向けてマーケティング、セールス、導入コンサル、カスタマーサクセスと雪だるま式にメンバーが多くなるため、一層注意が必要である。

12 ロジカルシンキングとデザインシンキング [※28]

ここまでの調査やプロトタイピングを進めていく中で、どのような思考回路で進めるべきか少し整理を行いたい。最近よく対比されるのはロジカルシンキングとデザインシンキングである。前者は論理的に思考を整理する技術として言語化、明確化され、戦略コンサルや、MBAを中心とした実業や学術分野で発展を遂げ、『ロジカルシンキング』(東洋経済新報社)[※29]、『考える技術・書く技術—問題解決力を伸ばすピラミッド原則』(ダイヤモンド社)[※30]などの書籍を通して広く普及し、様々な場面で活用されるようになった。後者はプロトタイピングなどを経て、アイデアの具現化を通して探索していく思考スタイルを指す。簡潔に両者をまとめると、表3.4.1のようになる。

[※28] 参照『世界のエリートはなぜ「美意識」を鍛えるのか？～経営における「アート」と「サイエンス」～』(山口 周［著］、光文社、2017/7)、p.65～p.69：「アートが主導し、サイエンスとクラフトが脇を固める」

[※29] 『ロジカルシンキング』(照屋 華子、岡田 恵子［著］、東洋経済新報社、2001/4)

[※30] 『考える技術・書く技術—問題解決力を伸ばすピラミッド原則』(バーバラ・ミント［著］、グロービス・マネジメント・インスティテュート［監修］、山﨑 康司［訳］、ダイヤモンド社、1999/3)

	ロジカルシンキング	デザインシンキング
アプローチ	● 論理的、理性的 ● 1つ1つ検証を行い、論理を明確化するため、時間がかかる	● 直感的、感情的 ● 直感やひらめきをきっかけにすぐアウトプットできる
特徴	● コモディティ化しやすい ● スピードとコストの戦いになる	● 直感に依拠することろが大きく、再現性が低い
評価	● 結果に対する理由が理解しやすい形で表現されており、評価されやすい	● 思考過程や、結論に至る理由が不明瞭であることが多く、評価されにくい/しにくい

表3.4.1：ロジカルシンキングとデザインシンキング

昨今、上記のような比較は様々な場面で見られるが、新規プロダクトを検討する時に具体的にどのような場面でどのような思考が必要になるのか。ここまでのインタビューやアンケートによる定性調査や定量調査は、端的にロジカルシンキングを活用して進めることになるだろう。聞きたい内容を書き出し、構造化した上で、インタビュイーやモニターを選定して、実査に望むことになるからである。

もし調査結果の示唆に忠実にプロダクトを設計したら、論理的にはどの市場において潜在ユーザが抱える課題をどう解決していくのかきれいに整理されたものができるだろう。しかし、論理的に正しいものを潜在ユーザが求めているとは限らないし、このようなプロセスによって導出された要件を見聞きすることは多いが、爆発的な成功を収めている事例はあまり見受けないのではないだろうか。

ここまで思考方法を整理してきたが、改めて新規SaaSを立ち上げていくには、どちらが重要と感じただろうか。ロジカルシンキングはコモディティ化が進み、人工知能や機械学習を通して安価に実現できるようになるかもしれない。再度ロジカルシンキングとデザインシンキングを比較した表に戻ると、2つの思考方法には当然メリット、デメリットがある。どちらかに偏重してもいけないし、その時に解くべき問いに対してベストな思考方法を選択すべきである。

つまり、新たなSaaSを立ち上げていく上で、潜在ユーザが抱える課題の中から、今回解決を目指すものの特定と、その解決策の模索についてはロジカルシンキングというよりデザインシンキングのほうが有用である。この過程では何か論理的に展開できることは少なく、仮にできたとしてもそれは直線的で退屈な課題設計や解決策であることが多い。そのため、勇気を持って論理や理性の世界から脱却し、直感や感情に任せた着想をきっかけに、アイデアを生み、思い切って実践してみる必要がある。逆に課題を特定するための事前の調査や、解決策の有用性の確認などは、ロジカルシンキングのほうが有用である。調査結果をベースにデザインシンキングによる帰結を検証するのである。このように両者の思考方法には優劣があるわけではなく、目的に合わせて使い分けていくのが重要なのである。

Chapter 5
開発投資判断

各種調査やデザインスプリントを経て、プロトタイピングを進め、徐々に潜在ユーザから受け入れられるようになってきた。この先に待ち構える大きな意思決定は、プロトタイプではなく開発に着手し、世にプロダクトを出すかどうかの判断がある。もちろん、すでに開発を進めることは決まっていて、どう実現するかを検討している場合もありうるが、ここでは開発着手に対する判断基準やそれに必要なレポーティングについて理解を深めたいと思う。

1 意思決定に関する判断基準

開発を行うかどうかの判断基準には、ミッション/ビジョンとの整合性と事業性の2つの観点がある（図3.5.1）。

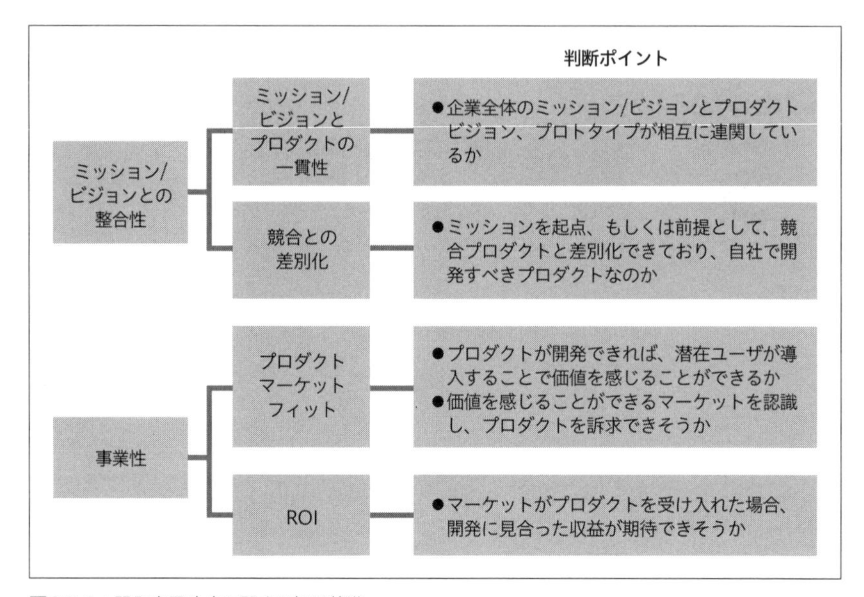

図3.5.1：開発意思決定に関する判断基準

ミッション／ビジョンとの整合性

まずは企業全体のミッション/ビジョンと立ち上げるプロダクトの整合性である。Part3 Chapter4 Section1「プロダクトビジョンとは」でも確認したが、企業という組織の中で行われる場合、母体となる企業のミッション/ビジョンにプロダクトビジョンが整合性を有しているかどうかは最も重要な判断基準の1つである。特にSaaSではプロダクトを潜在ユーザに届けるまで非常に多くの職種のメンバーとの協働が必要となる。そのため企業全体のミッション/ビジョンとの整合性を取ることは必要不可欠であり、今回のプロダクトのビジョンが協働する様々なメンバーからの意見を取り入れ、共感を生むようなものになっていることが理想である。

前者のミッション/ビジョンとの整合性はさらに2つに分解できる。まず1点目は、企業全体のミッション/ビジョンとプロダクトビジョン、さらにはデザインスプリントやユーザテストを経て具体化されたプロトタイプが相互に連関しているかどうかである。プロトタイプを通して、ユーザが享受する価値がプロダクトビジョンに直結しており、ひいては企業全体のミッション/ビジョンに繋がっていることが不可欠である。2点目は事業性にも関係するが、具体化されたプロトタイプが競合プロダクトと差別化されており、競争優位性が担保されている前提で、その企業が開発すべきプロダクトなのかどうかという点である。

事業性

次に事業として成り立ちうるか、新規プロダクトの事業性についてである。これもすでにPart1 Chapter3「SaaSの評価方法」で述べた通り、ユニットエコノミクス>3を維持でき、一定規模の市場にアプローチでき、MRR/ARRを獲得することができるのか。またリリースに向けた開発投資と将来の期待収益とのROIも担保できているのかも確認項目となる。

具体的にはプロトタイプがプロダクトとして実現したら、ターゲットに受け入れられるか、また受け入れてもらうための投資としてROIが合うか、この2点を主に検証することになる。これらは経営戦略上の事業を精査する視点で確認すれば良いので、非常にロジカルな確認作業となる。さらに言語化を試みると、下記の5点が確認ポイントになる。

- プロダクトを展開していくに足る対象業務の理解をした上で、潜在ユーザの課題を正確に把握できているか。また、その課題がプロダクトを通して解消することができるか
- どのようなユーザセグメントをターゲットにするべきか。また、そのターゲットに一定の市場があるのか
- 上記2点について、プロダクトサイドだけでなく、ビジネスサイドからも理解、共感を得られているか
- リリース後プロダクトマーケットフィットに向け、プロダクトサイドとビジネスサイドが協働し、MRR/ARRなどのビジネスインパクトを生むまでの流れがイメージできているか

- 市場規模の把握とそこを攻めるための投資がどの程度必要かを可視化し、その投資により一定のROIを実現できそうか

確認ポイントとしては上記なのだが、リリースする前から成功することが決まっているプロダクトなどなく、あくまで事前のチェックポイントであることに注意されたい。当然上記ポイントに関して精査を続けることにより事業化の蓋然性を高めることができる。ただし精査するには時間とリソースを要するため、期限を設けて実施したり、精査に執着しすぎたりしないようにするのも重要である。

企業全体のミッション/ビジョンとの整合性と事業性の担保、どちらもシンプルな問いであるが、両立するのは非常に難しい問いでもある。ミッション/ビジョンとの整合性はあるが事業性が全くないプロダクトになってしまうと、それは慈善事業になってしまうし、逆に事業性はあるがミッション/ビジョンとの整合性がないプロダクトだと、別企業で実現すべきという話になってしまう。そのため、企業全体のミッション/ビジョンとの整合性と事業性の担保、この2点はプロダクト開発に駒を進めるには避けて通れないのである。

2 判断に必要なレポーティング

開発に進める意思決定を行うに当たり、ミッション/ビジョンの整合性に関して2項目、事業性に関して4項目の計6項目に関してレポーティング内容をまとめていくことになる（図3.5.2）。

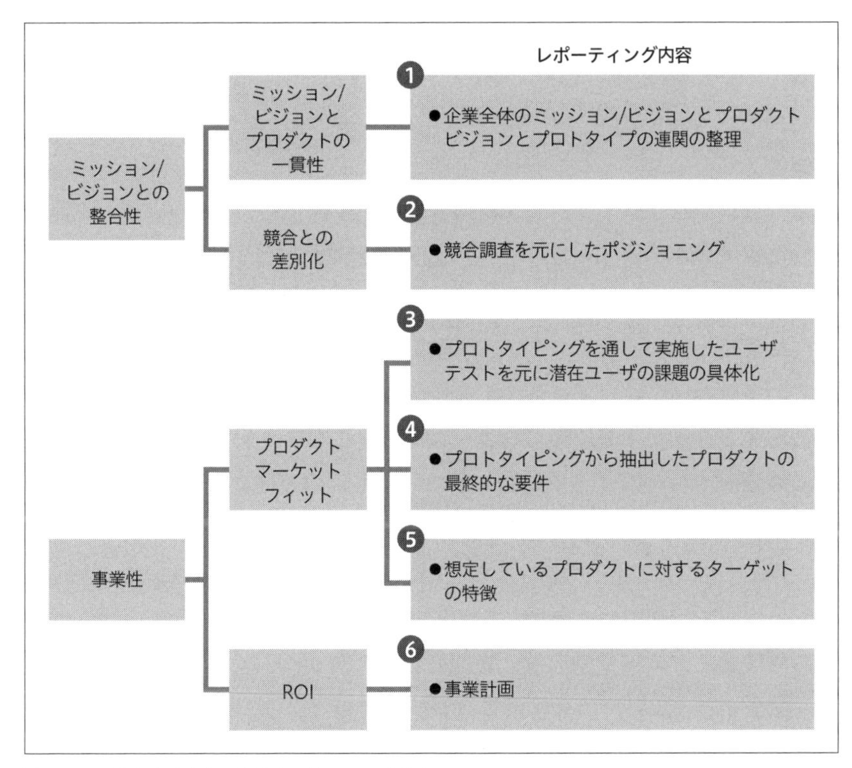

図3.5.2：開発意思決定に関するレポーティング内容

ミッション / ビジョンとの整合性

前半のミッションとの整合性に対しては、まず、❶企業全体のミッション/ビジョンとプロダクトビジョンとプロトタイプの連関の整理である。これらを繋ぐ鍵は対象業務に対する担当者、責任者の課題感の強さであり、デザインスプリントやユーザテストを経て具体化されたプロトタイプを通じて創出されるユーザが享受する価値の意味やボリュームの言語化こそが直接的な回答になりえる。

次に❷競合調査を元にしたポジショニングである。ミッション/ビジョンとの整合性を担保するには自社でやるべきと強く思う根拠が必要である。この根拠となりえるのが競合他社との比較の観点である。様々な軸で競合と比較し、自社が取るべきバリュープロポジションの明確化を行っていくことになる。この明確化により自社でやるべきかどうかを判断していくことになる。

事業性

3点目以降については、具体的に事業性が担保されているかどうかに関する論拠を述べていくことになる。ここからは論理的に必要なものを列挙することができるので、判断基準に照らして列挙すると、❸プロトタイピングを通して実施したユーザテストを元に潜在ユーザの課題の具体化、❹プロトタイピングから抽出したプロダクトの最終的な要件、❺想定しているプロダクトに対するターゲットの特徴を端的に説明することになる。そして、事業として投資をする判断に足るかどうかに対して、直接的に答えるのであれば、❻事業計画を作成すべきだろう。これはプロダクトをリリースするまでの開発を中心とした費用とリリース後の導入社数やMRR/ARRの推移を整理したものである。費用についても、リリース後プロダクトマーケットフィットを勝ち取るまでの一定期間は、短期的にはROIが合わないことを想定して、マーケティング、セールス、導入コンサル、カスタマーサクセスのリソースを投資として投入することになる。そのため開発開始からリリース後3〜5年後までの幅を持って、導入社数とMRR/ARRの推移とそれを実現するための資金と人的リソースをまとめた計画が必要になる。なお、今後開発に駒を進める判断に至った場合、ゴー・トゥ・マーケット戦略の一環として、プロダクトの要件を元に、プライシングを明確化し、事業計画を精緻化するプロセスがある。これについてはPart5 Chapter3「事業計画」で詳述するので、併せて確認されたい。

新規SaaSの立ち上げにおいて検証を行い尽くせば、それだけ成功確度を上げることができる。そのため、開発に駒を進めるかどうかの判断の際には、上記の通りかなり幅広い調査や検証を行い、レポーティングすることになる。ただし、1点気を付けるポイントがある。それは意思決定者の視点に立つと、上述6点について理路整然とまとまっていたとしても、かなりの分量になり、その場で説明だけでは流れを掴んで理解することに終始してしまう可能性がある。そのため、一度に全部伝え切るのではなく、月1回程度共有の場を持って、徐々に理解を深めていき、意思決定に足る助走期間を設けるか、ある程度前もって資料を展開し、じっくり読んでから議論の場を持つなどの工夫を行いたい。

3 判断するポイント

これまで判断するための準備や、そのアウトプットについて言及してきた。では逆に判断する側のポイントとしてはどのような点があるのだろうか。

最初のポイントとして、そもそも判断に足るアウトプットになっているかどうかがある。必要な調査が欠けていたり、必要なアウトプットが足りなかったり、判断できる状況になっていないこともある。このような事態に陥らないように上述した必要なレポーティングを見返し、もし自分が経営者だったとした時に判断できるかどうかをまずは確認したい。

次のポイントは実質的な判断である。このChapterで再三繰り返している通り、企業全体のミッション/ビジョンとの整合性と事業性を確認し、問題がなければ開発を進めるべきという判断に至ることになる。注意すべき点は、実際判断すべき人がこのプロジェクトの推進自体をしていることもあるため、できうる限り事業としてプロダクトとして成功確度が担保されているのかどうかをきちんと客観的な視点に立って判断すべきということである。

また、開発に進めるかどうかその是非の判断をすべきであるが、場合によって条件付きで開発を進めることや、追加調査を求めることもありうる。例えば、現状進んでいる開発を差し止めて、今回の企画を進めるわけではなく、既存案件の目処が立ち次第着手するという条件を付記するケースなどもある。他にも、企業全体のミッション/ビジョンとの整合性、もしくは事業性の完成度が低く、追加調査すべきケースもある。

4 開発着手に至るまでの過程

少し回顧録になるのだが、freeeに参画して初めて担当することになった新規プロダクト（後にfreeeプロジェクト管理として2020年4月リリース）を例に流れを確認していきたい。当時の私はSaaSの立ち上げはもちろん、SaaSのプロダクトマネジメントも担当したことがなく、SaaSに関して完全に素人だった。そのため、ゼロからSaaSや対象となる業務に向き合い、1つずつキャッチアップしアウトプットを蓄積していった。

SaaS立ち上げにとって、何が必要なのかを考える上で、前提となる知識すら押さえられておらず、とにかくインプットが必要だった。まず、社内で関連する情報を持っていそうな人を芋づる式に当たり、片っ端からインタビューしていった。並行してfreee会計やfreee人事労務の既存ユーザや、社外で対象となる業務を担当している知人、友人にも声をかけ、着実に対象となりそうな業務の外観を掴んでいった。結果的に1ヶ月弱程度かけて20本ぐらいのインタビューを行うことになった。このおかげで、ようやく調査設計や開発に関する意思決定に何が必要そうなのか考えられるようになった。

前提のインプットに1ヶ月かかっており、企画検討をできるだけ早く終わらせるべく、次頁のスケジュールの通り4ヶ月でやりきるように設計した。最終的には、追加調査が入り、5ヶ月に及んだ（図3.5.3）。

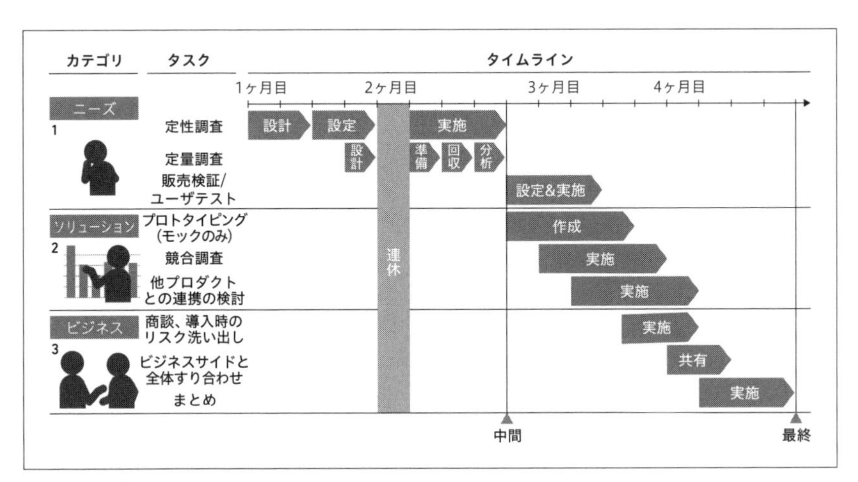

図3.5.3：freeeプロジェクト管理の企画検討スケジュール

図3.5.3のスケジュールが決まれば、後は着々と進めていくに尽きる。後にデザインと開発をそれぞれ推進してくれることになるデザイナーとエンジニアリングマネージャと協働し始めた。調査期間を短縮するために、唯一事前/深掘り調査において、定性調査で仮説を固め切る前に定量調査を並行させた以外に特殊なことはせず、ここまでの本書の説明の通り、愚直に1つ1つ前進させていった。ちなみに、定性、定量調査の並行実施は定量調査で検証しようとしている仮説と、定性調査から導出した仮説が食い違う可能性がある。この時は仮説の齟齬は生じなかったのだが、もし齟齬が生じた場合、最悪定量調査をやり直ししなければならなくなることもあるので、相当スケジュールがタイトな状況を除いてお勧めはしない。

プロダクトビジョンの策定については、freee会計やfreee人事労務が手掛けてきたバックオフィスの効率化ではなく、プロダクトを通して収益性や収益機会の可視化を実現することがある程度決まっていた。そのため、OKRを策定する過程の中で、事前/深掘り調査を元に丁寧に言語化を進めていった。

次いで、関係者全員がデザインスプリントの経験があり、普通5日間終日使って議論するところを毎日2〜4時間程度に絞って、議論の密度を高めてソリューションアイデアの創出を進めた。序盤で筋の良いアイデアが出て、他の可能性に配慮しながら、順当に進めていくことができた。参加者の中にほぼ前提知識がない人がいたので、デザインスプリントを開始する前にキャッチアップする時間を十二分に取ったことと、1週間で費用や工数をかけずに失敗するためのもので、いいアイデアが出なければまたやれば良いという割り切ったスタンスで望めたことが功を奏したのかもしれない。

その後、3週間に渡って、プロトタイピングとユーザテストを繰り返し、最終的にリリース時の要件を大まかに決めることができた。競合プロダクトの調査が甘かったため、少し調査期間を延長し、最終的に開発投資判断を行い、晴れて開発に駒を進めることになった。

ここまでの過程はSaaSをリリースするまでの中でも最も抽象度が高く、どこから手を付けていいのかよくわからない局面を数多く迎える。しかし、この過程に近道はなく、自分の足で稼いで実態を把握し続け、1つずつ丁寧にアウトプットしていくことこそが唯一前進を許されることを関係者全員が知っていた。そのため、知るべきことを知り、プロダクトビジョンを言語化した上で、ひたすら仮説検証プロセスを進められたことが何より良かったように思う。

Chapter 6 まとめ

BtoB向けのプロダクトの場合、BtoCに比較し、調査を通じて事前に把握できることが多く、しっかりと業務理解を行うことから始めるべきだろう。特にSaaSはサービスとしてソフトウェアを提供するものであり、業務を理解せずに提供するのは難しい。

調査と言っても、事前/深掘り調査として様々な手法がすでに確立しているので、知るべきことをきちんと洗い出して、必要な調査を設計し、実査を進めることになる。

調査を行い、業務理解ができると、新たにプロダクトを立ち上げる上で最も根源的なプロダクトビジョンの策定に取り掛かる。プロダクトビジョン自体に正解があるものではなく、また策定する上で王道もないので、思い思いの進め方でプロダクトを通して実現したい世界観の言語化に挑戦していくことになる。

プロダクトビジョンができると、デザインスプリントなどを通してソリューションアイデアを創出し、プロトタイピングを進めていく。この段階で初めて潜在ユーザに提案し、フィードバックを受け、プロトタイプの磨き込みを進める。この時期、ユーザテストのたびに新たな発見があり、仮説検証のサイクルが周り、プロトタイプの精度がどんどん上がっていく時期を迎える。

そして、最後に事前/深掘り調査からプロトタイプまで総ざらいを行い、開発投資判断を仰ぐことになる。今やプロダクトを運営している企業にとって、開発リソースは最も重要な経営資源の1つである。ミッション/ビジョンとの整合性と事業性の2つの視点から確認されることになるので、入念に準備すべきだろう。

Part 4

開発

Chapter 1 開発の概要

晴れて開発に駒を進めることになったら、これまで取り組んできたプロトタイプをプロダクトに昇華させていくことになる。具体的には、デザインやQAを含む開発全体の体制やプロセスを整えていく。本Partでは順を追って、それらの概要を確認していく。

まず、最初に行うのは開発を進めるに当たり起点になるユーザストーリーマッピングである。事前/深掘り調査やプロトタイプでは、潜在ユーザが業務上どのような課題を持っており、どのようなソリューションを提供すべきか、アイデアの検証を行うに留まっていた。しかし、開発する対象は業務上ユーザがプロダクトを活用でき、価値を感じられることができる最低限の要件に絞り込まれる。そのため、リリースに向けたプロダクトのデザインや開発に関する設計を行い、要件として網羅性を担保しなければならない。そこで、ここまでの事前検討を進めてきたメンバーに加えて、デザイン、開発、QAを推し進めるメンバーと協働し、ユーザストーリーマッピングという手法を通して共通認識を醸成していくことになる。

リリースに向けたプロダクトの設計が終わると、プロダクトのデザインを具体化していくことになる。ここでは、オブジェクト思考ユーザインターフェースを通して設計し、ユーザビリティテストを行い、検証を進めていく過程を詳述していきたい。

次に、開発の対象には主にユーザストーリー実現に向けた機能要件とインフラなどの非機能要件の2つがある。前者についてはその体制構築や、アーキテクチャの設計を大まかに確認した上で、実際の開発に向けて整理すべき、開発方針、技術選定、開発手法、開発プロセスを順次説明していく。

後者の非機能要件については、まずプロダクトマネージャとして理解しておくべき項目を整理する。インフラや非機能要件という言葉は無限の広がりがあるので、論点を絞って説明を行う。具体的には、全体構成、可用性、セキュリティ、キャパシティプランニング、バックアップ、監視を中心に扱っていきたい。

そして、デザインを行い、開発し終わったからと言って、プロダクトをユーザに提供できるわけではない。安心してユーザに使ってもらうにはQAを欠くことはできない。SaaSの立ち上げを行う上で、いつQAの担当者が参画し、どのようにQAを進めていくべきか、まとめていく。

上述の通り、デザイン、開発（機能要件、非機能要件）、QAを進めていくことで、プロトタイプがプロダクトへ生まれ変わり、ユーザが業務上活用できるレベルに昇華していくことになる。本Partでは、これらについて1つずつ丁寧に説明していく。

Chapter 2 デザイン

本Chapterでは、ユーザストーリーマッピングやオブジェクト指向ユーザインターフェースを通して、リリースに向けたプロダクトの設計を行っていく過程を確認していく。

1 ユーザストーリーマッピングの必要性 [※1]

プロトタイプから実際の開発に入るに当たって、より具体的な要件の設計が必要になってくる。その議論に入る前にもう一度プロダクトビジョンに立ち返り、プロトタイピングの過程で出たユーザフィードバックを振り返り、ユーザストーリー（「なぜ」「誰のために」「何を実現したいのか」）を洗い出していくことが必要になる。

この手法は、Part4 Chapter3 Section5「開発手法の選択」で説明を行っているが、アジャイル開発を前提とするものである。アジャイル開発では探索的にプロダクトを正解に近づけるべく開発を進めていくため、事前に開発の

[※1] Atlassianによる「例とテンプレートで作るユーザーストーリー」
URL https://www.atlassian.com/ja/agile/project-management/user-stories

全体像を確認することが難しい。ユーザストーリーマッピングはこの課題を解消するために実施される。ユーザストーリーという単位で「なぜ」「誰のために」「何を実現したいのか」を具体化し、それらを意味ある形でマッピングすることで簡易にプロダクトが実現したい全体像を関係するメンバーで確認し、共有できる状態にすることに最大の意義があるのである。

2 ユーザストーリーマッピング[※1]の進め方

ユーザストーリーマッピングの必要性を押さえられたので、次はその進め方を確認していく。横軸に業務の流れを縦軸に重要度を取って、個々のユーザストーリーをプロットしたものをユーザストーリーマッピングと言う。最終的にできたユーザストーリーマッピングには、対象とする業務全体がユーザストーリーという形で網羅されていることになる。このマッピングを元にどこに課題があり、どこまでプロダクトとしてサポートすべきか、その優先順位などを議論していくことになる。この段階で明らかにプロダクトビジョンに合わないユーザストーリーをリリース時の要件から外したり、リリース後のバックログとして蓄積したりするなどの判断を少しずつ行う（図4.2.1）。

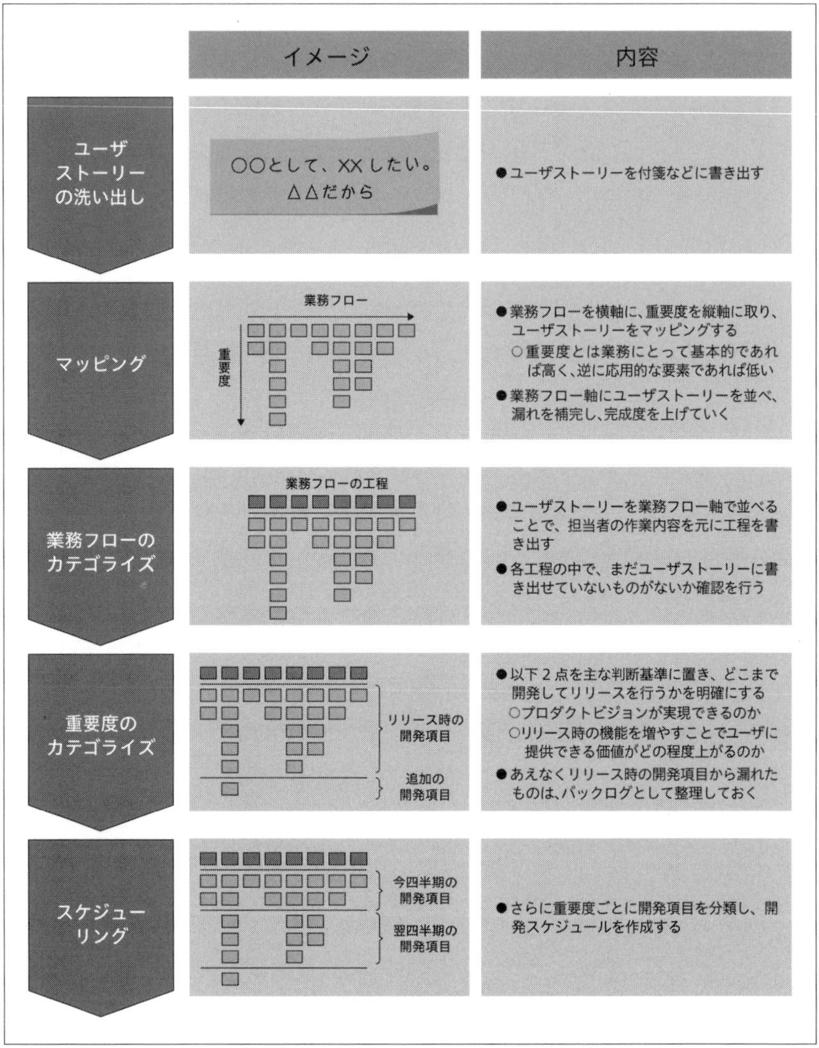

	イメージ	内容
ユーザストーリーの洗い出し	○○として、XXしたい。 △△だから	●ユーザストーリーを付箋などに書き出す
マッピング	業務フロー 重要度	●業務フローを横軸に、重要度を縦軸に取り、ユーザストーリーをマッピングする ○重要度とは業務にとって基本的であれば高く、逆に応用的な要素であれば低い ●業務フロー軸にユーザストーリーを並べ、漏れを補完し、完成度を上げていく
業務フローのカテゴライズ	業務フローの工程	●ユーザストーリーを業務フロー軸で並べることで、担当者の作業内容を元に工程を書き出す ●各工程の中で、まだユーザストーリーに書き出せていないものがないか確認を行う
重要度のカテゴライズ	リリース時の開発項目 追加の開発項目	●以下2点を主な判断基準に置き、どこまで開発してリリースを行うかを明確にする ○プロダクトビジョンが実現できるのか ○リリース時の機能を増やすことでユーザに提供できる価値がどの程度上がるのか ●あえなくリリース時の開発項目から漏れたものは、バックログとして整理しておく
スケジューリング	今四半期の開発項目 翌四半期の開発項目	●さらに重要度ごとに開発項目を分類し、開発スケジュールを作成する

図4.2.1：ユーザストーリーマッピングの進め方概要 [※2]

[※2]　出典『ユーザーストーリーマッピング』（Jeff Patton［著］、川口 恭伸［監訳］、長尾 高弘［訳］、オライリージャパン、2015/7）、p.43～p.59：「作るものを減らすためのプラン」を参照し、作図

開発内容を具体化していく過程の1つの手法としてユーザストーリーマッピングを捉えると、その対比としてユーザが享受する価値に遡ることなく必要な機能を洗い出し、要件定義書を書いていくアプローチがある。簡単に目的から各種項目における比較をしたので、ご覧頂きたい（表4.2.1）。

	ユーザストーリー	各機能の要件定義書
方針	●「なぜ」「誰のために」「何を実現したいのか」を網羅的に俯瞰した上で、どう実現していくかを具体化していく	● プロダクトの目的を実現すべく、各機能の要件を詳細化していく
重点	ユーザ	機能
オーナー	● プロダクトマネージャ、デザイナー、エンジニアが協働しながら、ユーザストーリーを言語化する ● ユーザストーリーを起点に、各ファンクションの責任範囲を明確化し、お互いが自主性を担保し業務に当たる	● 要件定義書のオーナーをプロダクトマネージャが持つ ● 要件定義書を作成する上で、ユーザインターフェース/ユーザエクスペリエンスが必要な部分をデザイナーが担保する ● エンジニアは要件定義書通り開発を進めることになる
対象機能	● プロダクト全体や、ユーザの目的に対応した意味のある機能群	● 目的達成の手段に応じた機能群や、個別の機能
スピード	● いきなり要件に取り掛かるのではなく、その背景やゴールを言語化から進めるため、時間がかかる	● 直接機能の要件から具体化を進めるため、最短で要件定義書が仕上がる
開発体制	● 直接開発作業に関連しないユーザストーリーの言語化からエンジニアも協働することになるため、同じ目線で議論し、長期間協働することを前提とするケースが多い ● 開発を内製チームで行うことに親和性がある	● プロダクトマネージャとデザイナーが協働し、要件定義書を書き上げ、それに従って開発を進めるため、外注による開発になる傾向が強い
リスク	● 抽象度の高いユーザストーリーを道標に各ファンクションにアウトプットを要求されるため、個々の能力が高いチームでないとアウトプットに至らない	● 個々の要件定義書を厳密に作成するため、プロダクト全体を俯瞰しにくく、プロダクトを通したユーザエクスペリエンスの統一感は醸成しにくい ● 要件定義書の作成に没頭してしまい、1つ作り切って、満足してしまう
対策	● 各ファンクションからユーザストーリーを元に自走できる人をアサインする ● ユーザストーリーを共有した後も相互に進捗確認などを適度に行い、ファンクション間のレベルを合わせる	● 開発すべき項目や要件の設計を統括するような役割（PMOなど）を置き、全体設計や進捗管理を推進する

表4.2.1：ユーザストーリーと要件定義書の違い

そもそもSaaSはユーザに価値を感じ続けてもらうべく、アジリティを担保し、機能拡張を前提としている。つまり、SaaSは一度リリースして開発が終わるものではなく、ユーザストーリーという最上段のレイヤーでユーザが享受する価値を定義し直し続け、プロダクトとしての全体感を担保しながら機能拡張を継続しなければならないのである。そのため、個別の要件定義書だけを作成すれば良いわけではなく、定期的にユーザストーリーマッピングを行い、プロダクトとしての全体感の把握から行う必要がある。

ただし、時間が極端に限られていたり、作り切ることに意味がある機能であれば、いきなり要件定義書の作成から入ることもありうる。今回テーマに据えているのはこのような機能ではなく、SaaSの立ち上げという一大プロジェクトであるため、ユーザストーリーマッピングから実施する必要があるのは言うまでもないだろう。

なお、ユーザストーリーマッピングはリリース時の要件を決める過程だけでなく、前段階のプロトタイピングでも有用なもので、その時点から採用されることも多い。本書ではユーザストーリーマッピングを、プロダクトのリリースに向けて要件を決めていくことに主眼があるものとして捉え、本Chapterで説明を行っている点に留意されたい。

3 BtoCプロダクトとSaaSにおけるユーザストーリーマッピングの取り扱いの違い

開発をする際には、BtoCでもBtoBでもユーザストーリーを明確化し、ユーザ課題を洗い出し、要件（モックを含む）を具体化していくことになる。では、BtoC、BtoBにおけるユーザストーリーマッピングの位置付けに違いはないのだろうか。

まず、BtoCプロダクトではバイヤーとユーザが同じであることが多く、プロダクトに対して複数のステークホルダーが複雑に絡み合うわけではないため、ユーザストーリーもシンプルなものになりやすい。そのため、巨大な開発体制を抱える場合であったとしても、事業責任者や担当役員からユーザストーリーをどのように具現化しているのか、ユーザが前提知識なく直感的に利用できそうかと問われ、モックを要求されることが多い。

また、BtoCプロダクトでは開発に携わるメンバーもその多くがユーザになれるので、ユーザ感覚を持って、開発に当たることができる。そのため、開発段階におけるビジネスサイドとの連携は不可欠というわけではなく、開発をプロダクトサイドだけで完結させることができるのである。開発に直接関係するメンバーだけで議論できる状況にあるため、ユーザストーリーのような抽象的な議論に留まらず、ユーザが直接触れるモックのレイヤーでの議論が中心的な役割を担う。

一方、BtoBプロダクトでは業務自体が複雑であり、バイヤーとユーザが異なるケースも多い。そのため、ユーザストーリーは複雑化しやすく、モックに議論を進める前にユーザストーリーをしっかりと洗い出し、マッピングしていくことは関係者が共通認識を持つ上で非常に重要なポイントの1つになる。

また、BtoCプロダクトと比較し、SaaSは利用するに当たって、初期導入コストやランニングコストがかかることが前提となっており、当然のように最低利用期間が設定されていることも多い。そのため、マーケティングだけでなくセールス、導入コンサル、カスタマーサクセスなどのビジネスサイドの体制を組んでユーザに価値を届けていくことになる。商談や導入支援の場で直接ユーザと向き合うのはビジネスサイドであり、ユーザからのフィードバックはビジネスサイドを介して、プロダクトサイドに連携されることが多い。そのため、直接開発に関係しないメンバーとも、プロダクトの要件を議論する必要があり、最終的にユーザが触れるモックだけではなく、もう一段抽象的なユーザストーリーから共通認識を持ち、議論していかなければならないのである。

したがって、BtoCよりもSaaSのほうがユーザストーリーマッピングの重要度が相対的に高くなる傾向があることを認識しておきたい（図4.2.2)。

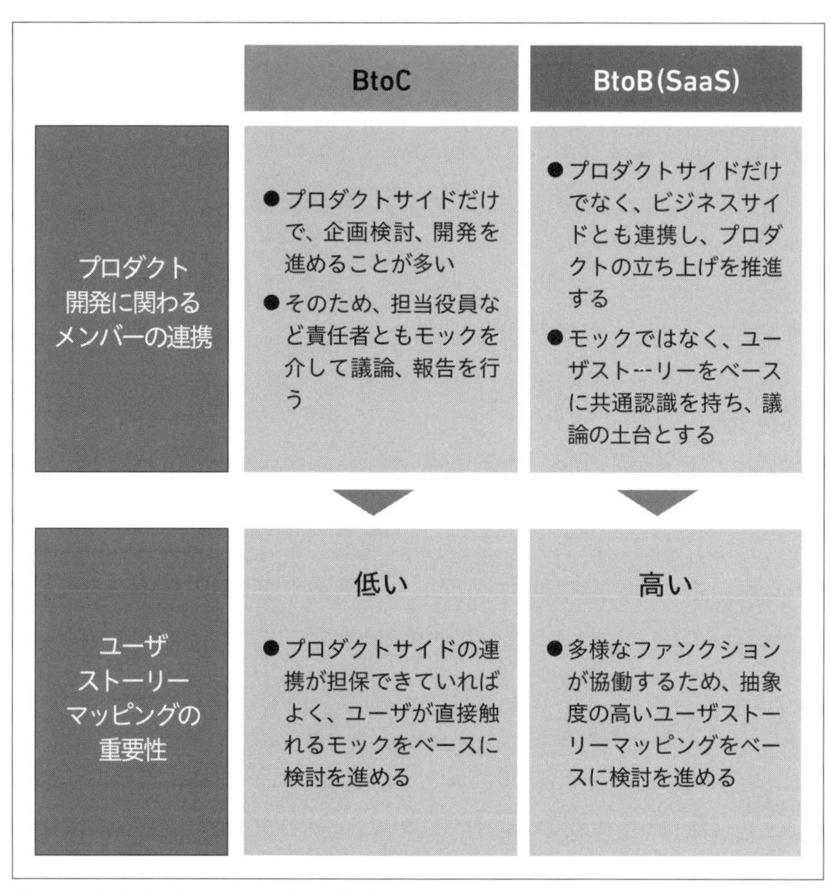

図4.2.2：新規プロダクトの開発を進める時の起点（BtoCとBtoBの比較）

4 オブジェクト指向とタスク指向 [※3]

ユーザストーリーマッピングを元に、ユーザストーリーの優先順位が決まると、早速要件を決めていくことになる。素直に考えると、1つずつストーリーを手にとって、ユーザがどのような操作をしていけば実現できそうなのか考え、出てきた要素を数珠繋ぎに何らかの意味ある形に並べれば、実現できそうである。果たして、このようなアプローチで良いのだろうか。ここでは、ユーザストーリーマッピングを元に要件の具体化を進めていく手法として、オブジェクト指向とタスク指向を説明した上で、様々な観点でそれらを比較していきたい [※4]。

オブジェクト指向はユーザストーリー上の対象となるオブジェクトが一覧性を持った形でユーザに開示されており、それを確認した上でユーザがアクションをイメージし、選択することができるものである。簡単な例として、あるSaaSのユーザが管理画面上で「従業員を削除する」というアクションをすることを想定してみてほしい。この時、オブジェクト指向では、まずメニューから従業員一覧画面にアクセスし、そこから目当てとなる従業員を見つけ、削除ボタンを押すという流れになる。

他方、タスク指向はユーザストーリーがそのまま実現できる機能として提供されており、機能の目的を元にユーザが選択し、実現していくことを指す。先程の例で説明すると、まず「削除」や「編集」といったアクションを選んでから、そのタスクの実行可能なオブジェクトを対象として選択することになるのである。

[※3] 参照 『オブジェクト指向UIデザイン――使いやすいソフトウェアの原理』（ソシオメディア株式会社、上野 学、藤井 幸多［著］、上野 学［監修］、技術評論社、2020/6）、はじめに v～viii：「ソフトウェアとデザイン」

[※4] 参照 『WEB+DB PRESS Vol.121』（技術評論社、2021/2）、p.102～p.109：「オブジェクト指向デザイン」（[篁玄太著]）

SaaSに限らず、私達が触れる様々なアプリケーションを見渡した時に、メニューバーなどに表示されているものはアクションそのものではなく、アクションを行う対象、オブジェクトであることがほとんどである。つまり、オブジェクト指向で思考されたユーザインターフェース/ユーザエクスペリエンスが支配的だと言える。では、タスク指向による機能が全く活用余地がないのかと言うと、そうでもない。使用されている例としては、わざわざオブジェクトを提示して潜在ユーザがアクションを選ぶほどでもないようなものも多い。例えば、年末調整など、年に1度手続きとして対応しないといけないことは、手続きの中で扱われるオブジェクトを並べ、1つ1つ選択して必要なアクションを行ってもらうより、受動的なユーザに対してわかりやすさを重視したタスク指向によるほうが適切なのである。

とはいえ、オブジェクトとアクションを構造化するオブジェクト指向に比べ、タスク指向はユーザが操作を進めていく上で条件分岐により同じような画面が複数出てきたり、メンテナンスなど手を加える場合においても複数の画面を改修する必要が出る。そのため、初期開発にも改修にも、より開発工数がかかり、非効率と言える。したがって、タスク指向で開発を進める場合は本当にユーザにとって最適な状態なのかしっかりと検証を行ってから、進めるべきだろう（表4.2.2）。

	オブジェクト指向	タスク指向
思考の順序	名詞→動詞	動詞→名詞
創出されるUX	まずオブジェクトを選択し、そのオブジェクトに対する動作を判断する	タスクや動作を選択し、その対象を選択する
ナビゲーション	オブジェクトを起点に設計	タスクを起点に設計

表4.2.2：オブジェクト指向とタスク指向の比較 [※5] [※6]

[※5] 参照 『オブジェクト指向UIデザイン――使いやすいソフトウェアの原理』（ソシオメディア株式会社、上野 学、藤井 幸多［著］、上野 学［監修］、技術評論社、2020/6）、p.20：「オブジェクト指向UIとタスク思考UIの対比」

[※6] 参照 『WEB+DB PRESS Vol.121』（技術評論社、2021/2）、p.102～p.109：「オブジェクト指向デザイン」（[篁玄太著]）

5 オブジェクト指向ユーザインターフェースデザイン [※6]

オブジェクト指向とタスク指向、この両者は客観的な優劣があるわけでなく、目的に応じて使い分けを行うべきものとして理解されている。ただ、本書で取り扱っているSaaSのようなBtoB向けのプロダクトの場合、複雑な業務に対する解決策になる必要があり、オブジェクト指向を採用することが多い。ここでは、オブジェクト指向で開発を進めていく手法としてオブジェクト指向ユーザインターフェースデザインが確立しているので、これを紹介していく（図4.2.3）。

まず、オブジェクト指向ユーザインターフェースとして設計するにはユーザストーリーマッピングから対象となるオブジェクトを抽出することになる。少し雑な表現かもしれないが、これはユーザストーリーマッピングによく出てくる名詞を洗い出す作業に近く、このように抽出されたものがおおよそオブジェクトになる。

次に、オブジェクト間の関係性を整理し、オブジェクトマッピングを作成する。これは、オブジェクトを書き出した上で、関係性があるものを繋ぎ合わせるなどして、オブジェクトをネットワーク状に整理したものを指す。このように整理することで、複数のオブジェクトと関係性を持つオブジェクトを見出すことができ、主たるオブジェクトと認識することができる。具体的な作業としては、まずメインのオブジェクトがユーザストーリーマッピングで出た各ロールのアクションの対象となるものを矢印等を用いて紐付けていく。この段階で、オブジェクトごとに、どのようなプロパティを持たせるか設計しておくと良いだろう。併せて、エンドユーザの種別ごとにオブジェクトに対して、どのような関心があるか書き出しておく。

次いで、一般的にはオブジェクトごとにコレクションとシングルという2種類のビューを立てる。これらはそれぞれ、一覧画面と詳細画面を示している。画面ができると、どのようなアクションを行えるように設計すべきか、具体的にイメージすることができるようになるので、改めて、アクションを洗い出しておく。

最終的に、ビューとアクションを踏まえ、レイアウトを設計していく。大まかなレイアウトを選定できれば、ビューを当てはめていく。このタイミングで、アクションも同時に具体化していく。

なお、上述の業務はデザイナーがオーナーの役割を担うことが多く、プロダクトマネージャとしてはでき上がったオブジェクトマッピングやビュー、レイアウトの確認と、それによりユーザストーリーが実現できるか、さらにリリースに向けた要件の再精査の議論を行うことになる。

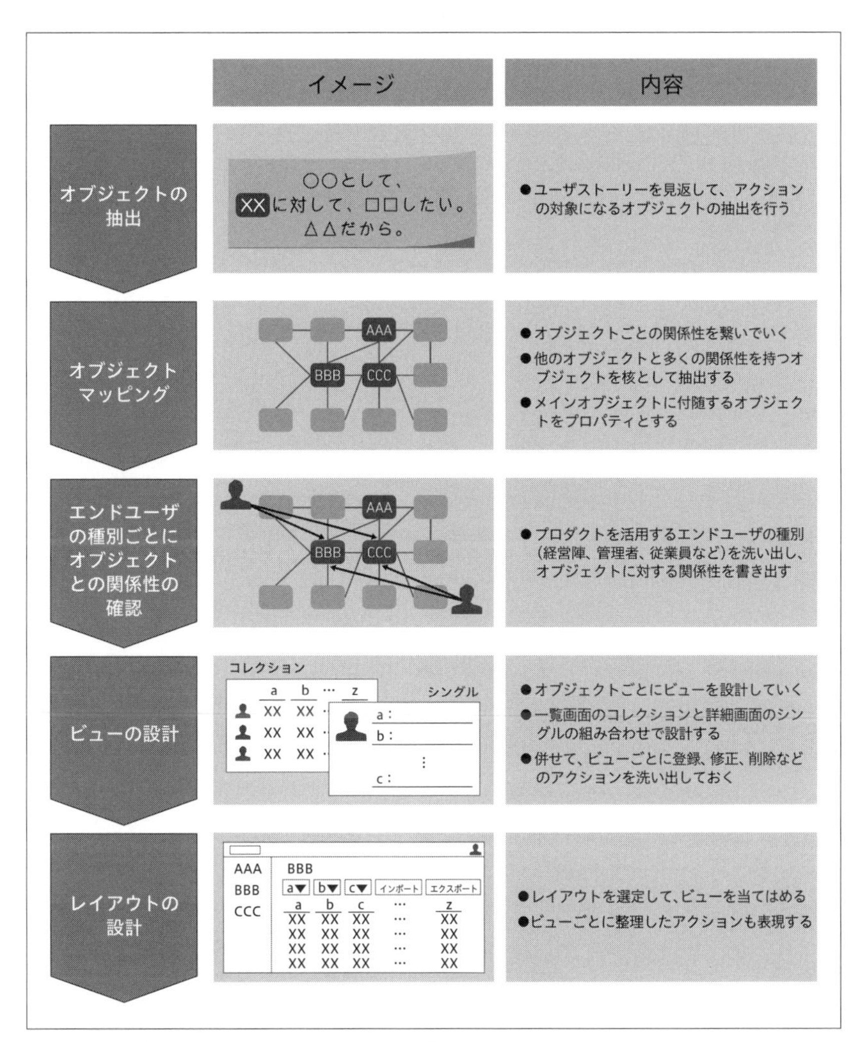

図4.2.3：オブジェクト指向ユーザインターフェースデザインの過程

この次に控える開発でデータモデルを検討していく際に、オブジェクトマッピングは厳密な意味では異なるものの、この上ないインプットとなる。これは、オブジェクトマッピングが、その性質上、プロダクト全体で実現すべきユーザストーリーを踏まえた上で扱うべきデータが整理されている状態に近いからである。さらに、実際プロダクトとしてオブジェクトマッピングをベースにデータモデルを設計した時、キャパシティプランニング（プロダクトが実用に耐えうるパフォーマンスを実現できるか）などをエンジニアリング視点で検証を進め、データモデルの最終化を行うことになる。

6 ユーザビリティテスト

ユーザインターフェース/ユーザエクスペリエンスを具体化できたら、そのまますぐにエンジニアに連携し、開発を進めることもある。しかし、デザイナーが設計したものが実際ユーザにとって使いやすいものになっているかを確認する必要がある。これを実現するのが、ユーザビリティテストである。

既出のPart3 Chapter4 Section6「ユーザテストとは」で確認した通り、ユーザテストはデザインスプリント直後に実施し、ソリューションアイデアをプロトタイプに落としたものを題材にプロダクトビジョンの確認や販売検証を主たる目的に据えたものである。これに対し、ユーザビリティテストはユーザインターフェース/ユーザエクスペリエンスを少なくとも画面イメージとして具体化し、テストユーザに実際利用してもらい、利用の仕方が直感的に理解でき、操作できるか、また使いやすいか確認するものである。

概要の確認が終わったところで、具体的にユーザビリティテストを行うに当たり、その実施時期と実査の手法、及び検証について整理を行いたい。

まず、時期についてである。ユーザビリティを確認するという趣旨に立ち返ると、実施タイミングは最低限ユーザがプロダクトを使うことをイメージできるようになった時になる。主要なユーザストーリーがユーザインターフェース/ユーザエクスペリエンスを通して、ユーザが理解できる程度に具体化できていることが必要になる。これはあくまで最低限であり、例えばインタラクションが重要なユーザストーリーがあれば、プロダクトとしてある程度開発を進めてからユーザに直接プロダクトを利用してもらい、ユーザビリティの確認を行うこともある。

次に、実査の方法であるが、これはプロダクトを利用して実現するケーススタディをユーザに説明し、業務上で利用することを想定して、プロダクトを操作してもらうことになる。ユーザが一連の操作を通して、完了したらその旨を教えてもらう。

最後に、検証はユーザの操作内容を1つずつ観察し、まず操作を完了できたのかどうか確認を行っていく。さらに、操作を完了できた場合、想定していた操作をしていたのか、それとも想定していなかった操作で実現したのか、逆に完了できなかった場合、どこに詰まったのかなどを明確化することになる。ユーザの操作が終わった後に、どのような思いで操作していたのかインタビューを設けることも多い。ユーザテスト同様、質問項目をしっかり洗い出し、望んでほしい。

上記のように、ユーザビリティテストを通して、ユーザインターフェース/ユーザエクスペリエンスを確証に近づけていく。リリース時の要件の大枠を決めていく過程にもなるので、きちんとユーザビリティテストを行い、自信を持って進めていきたい。

7 カスタマージャーニーマップによる代替可能性

少し目線を変えて、ユーザストーリーマッピングと同じような手法にカスタマージャーニーマップがある。これは定性、定量調査などのインプットを元に、潜在ユーザがプロダクトを認知し、最終的にプロダクトの価値を感じるまでのファネルを具体化したものである。そして各タッチポイントでの体験を通じて、ユーザがどのような行動、感情を持つようになるのかをまとめたものである。

カスタマージャーニーマップもプロダクト開発に役立つものではあるのだが、タッチポイントの整理という観点の色が強く、マーケターがグロースのために作成することが多い。プロダクト開発に直接関わっていないビジネスサイドのメンバーにも平易で理解しやすく、SaaS立ち上げのような幅広いファンクションのメンバーが共通認識を持っていく上で非常に有用な手段の1つだろう。

では、カスタマージャーニーマップによりプロダクト開発を進めることはできるだろうか。確かにサインアップ導線の最適化などグロース系の施策であれば、カスタマージャーニーマップからでも企画はできるだろう。しかし、SaaSを始めとしたBtoBのプロダクトではユーザが価値を感じるまでのプロセスは長く、一元的なファネルに落とし込むのは困難だろう。また、最適化以外にもオブジェクトの抽出など、ユーザインターフェース/ユーザエクスペリエンスを決めていく上でカスタマージャーニーマップでは表現できない要素もある。Part4 Chapter2 Section5「オブジェクト指向ユーザインターフェースデザイン」で確認した通り、オブジェクトの抽出はユーザストーリーを元に行う。つまり、ユーザが何に対してどのような操作を行うのべきかを想像できるレベルでないと、オブジェクト抽出ができない。そのため、新規SaaS立ち上げのためにユーザが享受する価値を言語化し、それをユーザストーリーマッピング、オブジェクトマッピングを通して、ユーザインターフェース/ユーザエクスペリエンスに落としていく必要があるのである。

Chapter 3 機能要件の開発

前Chapterで説明したユーザーストーリーマッピングとオブジェクトマッピングを元に、本Chapterでは開発を行うための事前準備を中心に紹介していく。大きくは開発に当たる体制構築に始まり、プロダクト全体のアーキテクチャの設計を行うことになる。その設計に基づいて具体的に開発を進めていくために、決めなければいけないこととして、開発の方針、技術、手法、プロセス、環境などについて詳述していく。

1 開発に向けた体制構築 [※7]

開発に入るまでの事前/深掘り調査、プロトタイピング段階では、エンジニアリングマネージャやテックリードが参画し、開発フェーズに入った時の実現可能性を逐次チェックしながら進めていくことが多い。では、実際の開発を進めていくエンジニアはどこから参画すべきか。この問いに対して

[※7] 参照 CodeZine：『新規プロダクトの開発プロセスで意識したい5つのポイントとは？その実践に学ぶ』
URL https://codezine.jp/article/detail/13018

Part4 Chapter2 Section2「ユーザストーリーマッピングの進め方」で説明したユーザストーリーマッピングからと言う人が多いのではないだろうか。理想的にはSaaSが対象とする業務は複雑であるため、できる限り開発を進めるエンジニア全員がユーザストーリーマッピングを作っていく過程から参画してもらうのが望ましい。

しかし、現実的にはリソースとの関係から参画タイミングがずれ込むケースもある。この場合はユーザストーリーマッピングの様子を録画しておいたり、少なくとも議事録を残しておくような工夫をしておきたい。ユーザストーリーマッピングは開発を進める上でも起点になるため、できれば文字では伝え切れないニュアンスまで共有できるように工夫したい。録画や議事録以外にも、事前/深掘り調査から推進しているメンバーがエンジニアに直接説明するのも一案である。

ユーザストーリーマッピングはプロダクトの全体像をユーザ視点でまとめ直したものであり、エンジニアがどこまでユーザストーリーマッピングを理解しているかがプロダクトの品質を左右する。つまり、エンジニアがユーザストーリーマッピングを把握できていればいるほど、立ち上げようとしているSaaSのコアコンピタンスを理解し、どのようにユーザに価値を届けるのかを念頭に置き、開発を進められるのである。もし要件漏れなどがあっても、ユーザストーリーに立ち返って補完することができる。そのため、エンジニアリングマネージャやテックリード、そして機能開発を担当するエンジニアも参加して、ユーザストーリー（「なぜ」「誰のために」「何を実現したいのか」）から共通認識を構築することが開発を円滑に進めていく上で最も重要なのである。

特にリリース時の要件を泣く泣く削るシーンにおいては、エンジニアリングマネージャがユーザストーリーマッピングのオーナーと同じ目線を持つことにより、プロダクトマネージャが最大の恩恵を受けることになる。要件を削るには各機能が生み出す価値に対して、開発工数も併せて把握する必要がある。しかし、すべてのプロダクトマネージャに開発の経験があるわけでなく、開発工数を概算するスキルセットがないケースもある。このようなケースの場合、エンジニアリングマネージャがユーザストーリーマッピングから理解していると、リリース時期を決めた後に起きた不測の事態に対して、開発要件ごとのROIを考慮した上で迅速に解決策を模索できるのである。

当然開発が佳境になれば、考慮漏れによりリリースまでに対応しなければならない追加開発が出てきたり、さらなるアイデアの出現により、エンジニアリングマネージャには追加の開発要件が方々から寄せられることだろう。この最も業務が過密になる時期に、正確かつ早急に開発見積もりを行い、方針を指し示すことが求められる。そのため、優秀なエンジニアリングマネージャであるほど、ユーザストーリーマッピングを念頭に置いた上で、エンジニアリングの経験や知見をベースに、直近の開発進捗、開発メンバー個々人の知見や興味と技術トレンドを常に頭に留め、即座に精度の高い回答が返せる状態を担保している人が多いように思う。

だが、まだ日本にはエンジニアリングマネージャと言える人が少ない。というのも歴史的にSaaSが主に担う業務アプリケーションの開発などはSIerに依拠し、作成済みの要件定義書通りに開発を進めてきたエンジニアが多いからではないだろうか。SaaS開発のエンジニアリングマネージャになるには、要件定義書を起点にした開発から脱却し、ユーザストーリーを起点に思考し、開発見積もりの精度と速度を担保しつつ、プロダクトを徐々に正解に近づけていくマインドと実行力が必要である。このようなスキルを持ったエンジニアリングマネージャの不足は今後のSaaS業界発展のボトルネックの1つになるかもしれない。

2 アーキテクチャの設計

開発に関わるエンジニアがユーザストーリーマッピングに対する認識を深めることができたら、次は開発するプロダクトを支えるアーキテクチャの設計から着手していくことになる。

まず、社内に既存プロダクトがある場合は、それらをどこまで今回の新規プロダクトに活用/流用していくのか、逆にどの部分を新規開発として捉えて開発を進めるのかを決めていくことになる。ログインや課金など各種基盤系や、すでに同様の用途のマスタを保持しているプロダクトがある場合には、同じようなものを2つ開発してしまわないように注意が必要である。ただユーザストーリーに直結する機能については、ターゲットも目的も異なるプロダクトを作ることになるので、そのまま使い回せるほうが稀である。

さらに、プロダクトマネージャとしてはリリース時点での要件だけでなく、リリース後におけるプロダクトの拡張方針を把握し、今後の展開を円滑に進められるように考慮することも忘れてはいけない。まだリリースしてもいないプロダクトの今後の展開を見通すことは難しいが、少しでもビジョンや方針が具体化できていると、アーキテクチャ設計時のインプットになる。例えば、今後海外展開を予定しているなら、通貨、タイムゾーン、言語など、マスタに持っておくべきということは事前に把握できる。また、他社による周辺プロダクトとの繋ぎ込みなど、プロダクトをどう進化させていくか、その方向性を見定めることができていれば、アーキテクチャもそれに併せて検討できる。

実際アーキテクチャの設計を行うに当たり、同じ業務を対象とするプロダクトでエンタープライズ向けのものがあり、そのER図を手に入れることができれば、強力なインプットになる。エンタープライズ向けのプロダクトは機能要件が多く、総じてER図も充実しているケースが多い。また、スタンダードなモデリングについて触れた文献が多く存在するので、ぜひ参照されたい。

3 開発方針の整理

まず、事前/深掘り調査やプロトタイピングを主導していたプロダクトマネージャ、デザイナー、エンジニアリングマネージャと共に、開発を担当するエンジニアは前Chapterで確認したユーザストーリーマッピングに参加し、キャッチアップを進めることになる。この段階では、技術的な制約条件を気にせずに企画検討の過程による成果物をありのままに伝え、必要なユーザストーリーを洗い出していくことが重要である。もちろん事前/深掘り調査やデザインスプリントなど、ユーザストーリーマッピングより前の段階からハブになるエンジニアと共に企画検討を進められていれば、特段問題なく、これまでの過程を淡々と共有していけば良いだろう。逆にエンジニアリングバックグラウンドのないプロダクトマネージャ、デザイナーのみでこれまでの過程を進めてきていたら、プロダクトの方針レベルまで遡って、その開発実現可能性を確認する必要すら出てくる。つまり、ユーザストーリーマッピングの共有を起点に「何を」作るのかという企画から、「どう」作るのかという、開発に議論の主眼が緩やかに移りゆくのである。

次いで、ユーザストーリーマッピングを元に開発的な視座も考慮に入れながら、ユースケース図を書き出していく。ユースケースとはエンドユーザの種別ごとにタスクを整理したものを指す。具体的には、どのプロダクト上で、誰が何を行えるようにするのかを整理していくことになり、エンジニア主導で進められることが多い。なお、エンジニア出身のプロダクトマネージャであれば一緒にその過程を進めることもあるが、ビジネス出身の場合は成果物としてのユースケース図を共に読み合わせ、ユーザストーリーマッピングと見比べ、漏れがないかなど実現方針について議論を行うことになるだろう。

さらに、整理されたオブジェクトが実際の利用に即したものかを検証していく。これがキャパシティプランニングである。具体的にはターゲットとなるユーザセグメントにおいて扱うデータ量などを踏まえた上で、オブジェクトごとに実用に耐えるものになっているのか、それを実現する上で適切なインデックスの貼り方は何かなど、パフォーマンス面が担保されたものにできるかを計画に落とすものになる。この段階になると、オーナーは完全にエンジニアに移り、プロダクトマネージャは実際のインタビュー等でどのような使い方が想定されるか、ユースケースからエッジケースの共有を行うことになる。

4 採用される技術

まず、今回開発を進めるプロダクトがウェブの範囲で実現できるものかどうか判定を行う。例えば、バックオフィス向けのプロダクトであれば、導入担当者は各種マスタの整備や従業員の登録など現状利用している他のプロダクトとの連携も鑑みながら、何かしらデータのインプットを行う。そして各種レポート等のアウトプットを行うが、この過程で単純集計を含む何らかのアルゴリズムを経ることになる。このフローを複数階層的、もしくは並列的に組み合わせることで実現できる要件で表現されたプロダクトを一般的なウェブの範囲で実現できると表現することが多い。

ウェブの範囲外として、例えばインプットされた情報を機械学習などを経て、特殊なデータに加工して新たなユーザが享受する価値を生み出す場合や、PCだけでなくスマートフォン向けアプリとしてウェブでは実現できない特殊な表現手法を活用する場合などがある。

5 開発手法の選択

開発プロセスには従来型のウォーターフォール開発と昨今主流になっているアジャイル開発の大きく2つがある（図4.3.1）。簡潔にその違いについて触れておくと、前者は開発要件が決まっており、その要件を実現するために必要なアサインを行い、スケジュールを引いて開発を進めていくものである。したがって、この開発手法の主眼はプロダクトの完成に置かれる。後者のアジャイル開発では、イテレーションという一定の期間とアサインされているメンバーは基本固定であり、その中で何をどう作っていくかを考えながら進める開発スタイルになる。そのため中長期の計画を明確に引くことは少ない。むしろスプリントごとに計画を行い、プロダクトビジョンやユーザストーリーの実現に向け、開発を進めることによりプロダクトを進化させていくことに主眼が置かれる。

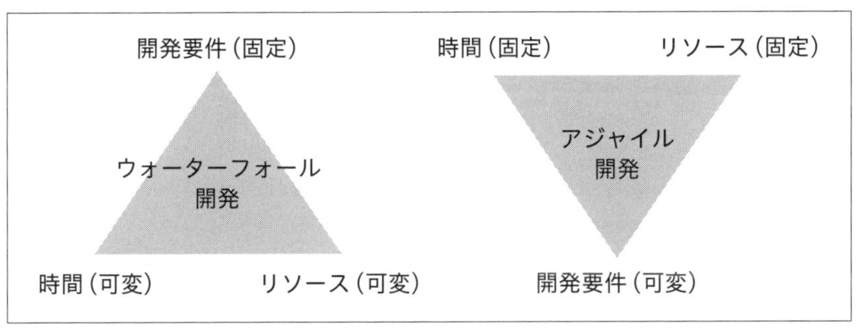

図4.3.1：ウォーターフォール開発とアジャイル開発

従来のプロダクト開発は、事前に詳細な要件定義書を作成してから、それを順序立てて進められていた。しかし、昨今プロダクトを取り巻く環境や、ユーザの環境も変化が激しく、事前にすべての要件を把握し、整理してから開発していると、リリースする頃には古くなっているようなことすらありえる。そのため、探索的に正解に近づけていくような開発手法としてアジャイル開発が選択されることが多いのである。SaaSは売り切り型のパッケージソフトウェアとは異なり、ユーザにサービスとして価値を提供することに重きを置いているため、よりアジリティを担保した開発を採用することになる。

小さく機能の追加や改変を行い、徐々に理想とするプロダクトに近づけ、サービスとしての提供価値向上を進めるSaaSの開発ではほとんどと言っていいほどアジャイル開発が採用される。一般的にスクラムによる開発プロセスを構築することが多いため、これを前提としてこの先の説明を進める。

6 開発プロセスの整備 [※8]

スクラムとはアジャイル開発の一種で、スプリント（1〜4週間程度）という開発単位を設定し、その中で開発すべきプロダクトバックログをプロダクトオーナーが明確化し、エンジニアが中心となって開発を進めていく開発プロセスのことを指す。なお、プロダクトオーナーとはスクラム運営を行う上でプロダクトバックログに対して責任を負うロールのことを言う。SaaSなどのプロダクト開発の現場ではプロダクトマネージャがこのロールを担うことが多い。

また、スクラムは日々の進捗確認や相談の場を設けて、エンジニアが開発を進める上で課題がないか確認し合い、解消しながら進めていくことに特徴がある。スプリントの最後にはレトロスペクティブと言われる振り返りを実施 [※9] することが多い。この振り返りでは、開発したもののデモや、実際開発する過程において良かった点や改善点を列挙し、開発チーム内で認識をすり合わせ、次のスプリントでどのように活かしていくか議論する。このような振り返り以外にも開発タスクや作業量をチケット管理し、全エンジニアでスプリントを通して消化できた作業量（以下ベロシティと表記する）をトラッキングすることで、スプリントごとのパフォーマンスを計測し共有することもある。ここまでのスクラム運営に関わるプロジェクト管理全体をスクラムマスターというロールを立てて、主導していくことになる。このロールはエンジニアリングマネージャが担うことが多い。

[※8] 参照 ユーザー価値と速さを両立せよ——不確実性を乗りこなす新規プロダクトの開発実践
URL https://productzine.jp/article/detail/125

[※9] 参照『アジャイルレトロスペクティブズ　強いチームを育てる「ふりかえり」の手引き』
(EstherDerby、Diana Larsen［著］、角 征典［訳］、オーム社、2007/9)

新規SaaSの立ち上げに限らず、スクラムではウォーターフォール開発と異なり、スプリントの導入により開発期間を細かく切って運用することで、開発のスケジュールや目処を立てやすい。これは、担当するエンジニアを継続的にアサインすることにより、開発工数の見積もりの精度が圧倒的に高くなることも寄与している。

また、プロダクトマネージャ目線でも、レトロスペクティブで暫定的なものかもしれないが、デモを通して開発の進捗やプロダクトを肌で感じられるのは大きなメリットと言える。視覚的にデモとしてプロダクトに触れる体験はSaaSの立ち上げに関係ないメンバーの関心を呼び込むので、広く共有し、効率的にフィードバックを集めやすいだろう。

さらに、プロダクトバックログの優先順位から開発を進めていくスクラムの運営についてはエンジニアに権限が委任されるため、自律的なチーム運営、問題検知、軌道修正を迅速に行うことができる。これもSaaSの立ち上げにおいてスクラムが採用される強い理由になっている。

アジャイル開発はトヨタ生産方式を元に、2000年代初頭に開発された手法であり、スクラムという開発手法は議論し尽くされているため[※10]、まずは『アジャイルな見積りと計画づくり ～価値あるソフトウェアを育てる概念と技法』(マイナビ出版)[※11]などにならって、教科書通り導入し、試行錯誤しながらその手法を浸透させることをお勧めしたい。スプリントの運営や、ベロシティの計測は継続して行うことに意味があり、地道にスクラムの運営プロセスを改善を続けることにより、強靭な開発プロセスの実現に結び付くだろう。

[※10] 参照『スクラム　仕事が4倍速くなる“世界標準”のチーム戦術』(ジェフ・サザーランド[著]、石垣 賀子[訳]、早川書房　2015/6)、p.23～p.37：「FBIを立て直す」

[※11]『アジャイルな見積りと計画づくり ～価値あるソフトウェアを育てる概念と技法』(Mike Cohn[著]、安井 力、角谷 信太郎[訳]、マイナビ出版、2009/1)

7 開発を進める上での環境整備

いきなり環境整備の話に取り掛かるのではなく、まずはSaaSを立ち上げる上で、ウェブの技術範囲で実現可能か否か確認することから取り掛かる。これを確認した上で開発言語の選定を行い、具体的に開発を進めるに当たって必要な環境を整えていくことになる。開発言語は多岐に亘るため、ここでは選定基準などを割愛し、一般的な環境面の言及だけを行う。

まず、アジャイル開発でスクラムの導入を前提とした時に、環境として最低限絶対必要なものとして、CI/CD環境、コード管理、プロダクトの確認環境の3つがある。

CI/CD環境

CI/CD環境は文字通り大きく2つの概念、継続的インテグレーション（Continuous Integrationを指し、以下CIと表記する）と継続的デリバリー（Continuous Deliveryを指し、以下CDと表記する）からなる。前者はソフトウェア開発におけるビルドやテストを自動化し、継続的に行うアプローチを意味する。後者はCIによってテストされたコードのマージや、本番環境向けのビルドの作成を自動的に行い、本番環境にデプロイが可能な状態を整えるプロセスを意味する。これらをまとめ、ビルド、テスト、デプロイを自動化し、継続的に行える環境をCI/CD環境と言う。

コード管理

リポジトリベースでコード管理ができて、エンジニア間でコードレビューが最低限できる状態を指す。

プロダクトの確認環境

開発途上の機能やプロダクトを操作し確認できる環境のことを指す。SaaSの立ち上げには様々なファンクションのメンバーが関わるため、広く共有できる環境が必要である。

SaaSを一から立ち上げるに当たって、このような開発に向けた準備が必要であることをプロダクトマネージャは最低限認識しておきたい。

8 兼務に対する考え方

開発を進めていく上で、その事前準備として、開発体制、アーキテクチャ、開発方針、開発手法、開発プロセスの確認をしてきた。実際の開発内容は企画検討を行ったSaaS自体によって多種多様である。そのため開発内容を直接説明するのではなく、実際開発を進めていく上で広く論点になる兼務について説明を進める。

基本的にスクラムによる開発の場合、専任メンバーがアサインされ、運営されるべきものであるが、時として1つのスクラムで複数プロダクトを担当したり、一部のメンバーが複数のスクラムに所属したりするケースがある。これらのケースは、SaaSの立ち上げという文脈においては最も避けるべき事象である。というのも、SaaSなど新たにプロダクトを立ち上げる際には、社内的に期待を背負って進めることが多く、タイトなスケジュールを引くことになりやすい。そのようなスケジュールの中、複数プロダクトを担当したり、スクラムを兼務したりしている人がエンジニアとしてSaaSの立ち上げの開発に当たると、新規SaaSの開発にとって不確定要素を増やすことになってしまうのである。

また、複数プロダクトやスクラムを掛け持つ場合に見落としがちなのは、スイッチングコストである。担当するプロダクトやスクラムに関する問い合わせ対応や開発を完全に自分でコントロールして進めることができるのであれば、あまり問題にならないかもしれない。しかし、そんな理想的な状況になることはなく、ミーティングの内容は交錯するし、問い合わせや声をかけられる内容も当然プロダクトやスクラムごとに行われるわけではない。そのため、常に双方の現状を頭の中に保持し続けながら、その場で求められた内容を適切に返していくことになる。何か1つのことに集中できている場合と比較して、兼務している場合は対応速度もアウトプットの品質も半減とまで行かないものの、7〜8割になってしまうケースもある。できうる限り専任を担保するため、スクラムを分割したり、一部のメンバーや特定の領域に兼務を絞ったりするなどの工夫をすべきだろう。

Chapter 4 非機能要件の開発や対応

本Chapterではユーザストーリーに直結した機能開発に関するものではなく、インフラを中心とした非機能要件の開発に関して紹介していきたい。具体的には、サイトリライアビリティエンジニア（Site Reliability Engineer、以下SREと表記する）が中心になって取り組む6つの要素（全体構成、可用性、セキュリティ、キャパシティプランニング、バックアップ、監視）について説明していく。他にも、環境構築やサインアップ、他プロダクトとの連携など、プロダクトマネージャとして把握しておくべき内容については軽く触れたい。

1 非機能要件に対するプロダクトマネージャの心構え

まず、インフラを中心とした非機能要件は、プロダクト立ち上げ初期に主要な論点となり、SREが担当することが多い。プロダクトマネージャは機能の要件を落とし込んでいくことを主たる業務としている。他方、非機能要件はユーザが直接手に触れることが少なく、SREが主導し開発要件に落としていくことが多い。そのため、プロダクトマネージャにとって、どうしても疎遠なテーマとなってしまい、断片的な知識に留まりがちである。

この傾向はクラウドコンピューティングの活用が前提となっている昨今において、より顕著になっているように思う。そのため、ここではSREが個別対応を行うことが多いシステム運用のミドルウェアに関する対応とプロダクトマネージャが最低限知っておくべき内容についてまとめておきたい。なお、情報システムの稼働に必要な仮想サーバを始めとした機器やネットワークなどのインフラについてはクラウドコンピューティングが対応してくれる範囲として言及しないこととする。

また、どのクラウドコンピューティングを活用すべきかという論点や、複数のクラウドコンピューティングを立てて、冗長構成を取っておくような取り組みも一部のプロダクトでは採用され始めている。しかし、ここまでプロダクトマネージャが把握する必要が出てくるのは、インフラによりパフォーマンスが低下し、プロダクトにも影響を及ぼすような特殊な場合に限定される。そのため、本書では一般的なクラウドコンピューティングを採用し、その上でシステム運用のミドルウェアにポイントを絞って説明していく。

上記の前提に立ち、SaaSを立ち上げる上でプロダクトマネージャが注視しなければならないポイントから確認していきたい。最も重要なポイントは新たに立ち上げていくSaaSを安定的に稼働させていく上で、どのようなサービスレベルを担保すべきか、さらにサービスレベルを表す指標として何を設定し改善を図っていくべきか、プロダクトサイドとSREで検討していくことになる。つまり、インフラを中心とした非機能要件は決してSREで閉じるべき論点ではなく、SRE、アプリケーションエンジニアとプロダクトマネージャが協働して設計していくのである。純粋なインフラなどの非機能要件に加えて、アプリケーションサイドの開発の目処が立って初めて着手できる要件についても言及していく。

なお、SaaSはBtoBでビジネス展開を行っていることから、CtoC、BtoCと比較すると、リリース直後爆発的に想定以上のユーザがアクセスすることは少ない。そのため、新規SaaSのインフラを中心とした非機能要件はエンジニアが開発を進める上で必要なものが中心となる。

2 インフラを中心とした非機能要件の設計

まず、設計の対象になるのは、以下6つの項目である。

1. 全体構成
2. 可用性
3. セキュリティ
4. キャパシティプランニング
5. バックアップ
6. 監視

では、1つずつ個別に確認していく。

1. 全体構成

これはインフラ全体の構成に関する検討を指す。具体的には開発を進めていくプロダクトの要件を元に、全体構成に続く5項目（可用性、セキュリティ、キャパシティプランニング、バックアップ、監視）で実現すべきことを洗い出す。そして、全体を概観した上でどのように実現するかを検討することになる。スタートアップなどインフラに関する資産がない状態から検討を始める場合は、全体構成を決めるに当たって、他の5つの項目すべてを同時に考慮して決定していく必要がある。一方で、社内で利用している共通のインフラ基盤があればそれを前提として進めることが多い。

また、サーバの再起動やログの取得など、定期的に実行される処理をミスなく行えるようにするジョブ運用も併せて検討されることが多い。特にプロダクトマネージャとして、着目すべきポイントはリリース後の可用性、セキュリティ要件、キャパシティプランニングを検討する上で想定するユーザ数、バックアップの設定である。

2. 可用性

可用性とは、有事の際にサーバを停止せずにプロダクトを運営し続けられるように、サーバを冗長化することを指す。サーバを冗長化しておくことで、自動で他のサーバへ切り替えが行われ、プロダクトの利用を担保できるようになるのである。

実際の作業としては、プロダクト開発が終盤に差しかかった時に、通常想定していない利用を行ったと仮定してサーバに負荷をかけ、それでもなお安定稼働できているかなどを確認することになる。

3. セキュリティ

セキュリティはプロダクトを使うべきユーザが利用できる状態になっているか、機密データを保存する際、データが安全に暗号化されているか、招かれざるアクセスをきちんと制御できているかなどの対応（アクセス/利用制限、データの秘匿性など）を指す（表4.4.1）。なお、プロダクトが成長していくと、コンピュータセキュリティインシデントに対応するための専門チームであるCSIRT（Computer Security Incident Response Team）を立ち上げ、企業として適切にセキュリティ課題に取り組んでいくことも必要となる。その他にもWAF、マルウェア、ネットワーク対策なども併せて対応することが多い。

なお、可用性と同様、設計して終わりではなく、リリースの目処が立ってきた時に脆弱性の確認を行うことになる。具体的には設計したセキュリティ対策が機能していて、悪意ある攻撃や情報漏えい事故などのリスクを未然に防ぐことができる状態になっているか確認していくことになる。Part4 Chapter5 Section5「QAの対象」で詳述を行うので、併せて参考にされたい。

カテゴリ	内容
アクセス/利用制限	● 認証されたユーザごとに使用できるリソースを制限することを指す ○ ID/PWによる認証が一般的で、最近では生体認証や顔認証などの技術を採用するケースもある ○ ID/PWによる認証の開発は初学者にも導入しやすいライブラリが準備されており、簡易であることが多い ● 特にSaaSだと、プラン設計によりユーザごとに使える機能が異なる場合があるので、どのような形で制御するのかが重要になる
データの秘匿性	● SaaSはユーザにより業務上利用され、秘匿性の高いデータを取り扱うことが多いため、データの秘匿性は重要論点の1つとなる ● SaaSの提供会社としては、重要なデータに対してアクセス制限を設ける必要が出る ● 具体的に、扱うデータの洗い出しとその重要度を整理し、サーバ間の通信するデータやデータベースサーバ上の重要なデータの一部を暗号化することを指す

表4.4.1：アクセス/利用制限、データの秘匿性に関する詳細

4. キャパシティプランニング

キャパシティプランニングとは、事業計画上で想定しているユーザ数やエンドユーザ数で問題なくプロダクトを活用できることを確認し、最初に用意しておくべきサーバなどの目安を決めておくことを指す。SaaSのようなBtoBプロダクトだと、マーケティングやセールスをしない限りユーザ数が伸びないものが多く、マーケティングやセールスなどのリソースによりユーザ数を読みやすいので、キャパシティプランニングが大きな問題になることは少ない。

5. バックアップ

バックアップとはデータ損失に備えてデータを複製しておくことを指す。バックアップの対応は、バックアップの対象となるデータの洗い出しと、バックアップの頻度を決定していくことになる。一般的にアプリケーションが動作するのに必要なデータは全部バックアップを取っていることが多い。実際、バックアップを開発するに当たり、バックアップ先の指定や、実際の成否確認をどう行うのかについても決めることになる。

6. 監視

最後の監視は、ハード、ソフト両面で正常に稼働しているか、適切に処理できているかについて注意を払うことを指す。監視の類型については、表4.4.2の表を参照されたい。

監視対象	内容
ノード監視	サーバやネットワーク関連の機器が稼働しているか監視することを指すが、昨今ではクラウドコンピューティングの活用が主流になっており、社内で対応することは少なくなってきている。 ただし、クラウドコンピューティングを使っていても、セキュリティ的にノード間の通信を監視する必要がある場合には、ノードをカスタマイズして監視を行うこともある。
プロセス監視	それぞれのアプリケーションはOS上でプロセスとして起動しており、この起動状態を監視することを指す。死活監視と呼ぶこともある。プロセスが何らかの原因で停止した場合に異常として検知する。 サーバは起動しているが、サービスが止まっているという状況に陥らないためのものである。
リソース監視	それぞれの機器のリソース使用状況を監視することを指す。サーバであればCPU、メモリ、ディスクなどのリソースの使用状況を監視し、設定した閾値を超えた場合を異常として検知する。 ディスクがいっぱいになるとそれ以上は書き込みができなかったり、メモリが枯渇しているとアプリケーションが起動できなかったり、動作が遅くなるといったことが発生する。これらの状況になる前に対処するためのものである。
パフォーマンス監視	ノードで動いているアプリケーションのパフォーマンスを監視することを指す。レスポンスタイムなど計測している。
ログ監視	OSのシステムログやミドルウェアのログを監視し、異常が出力された場合に検知する。実際には監視用のソフトウェアをインストールすることが多く、システム管理者が異常に気付ける仕組みを併せてフローの構築を行うことになる。
バグ監視	アプリケーションが想定していない入力などの操作が行われ、例外と認識されたものを通知する仕組みを指す。

表4.4.2：一般的な監視の対象

3 環境構築

上記で確認した設計を元に、SREや開発基盤に強いエンジニアが順次、環境構築を進めていくことになる。構築していく環境は1つだけではなく、一般的に表4.4.3に示す3つを構築することが多い。

環境	内容
開発環境	アプリケーションエンジニアが開発を行う環境。 JDK（Java Development Kit）といった開発ツールやCVS（Concurrent Versions System）といったバージョン管理ツールを導入することでアプリケーション開発に必要な環境を整える。
検証環境 （インテグレーション環境）	テスト環境とも呼ばれ、本番環境でアプリケーションを動かす前にテストや検証を行う環境。 本番環境よりコストを削った構成になることが多い。
本番環境 （プロダクション環境）	SaaSなどのプロダクトをユーザに提供する環境。 監視システムが稼働している場合には、作業不備によるアラートが上がると、昼夜を問わずシステム管理者に連絡が入る。

表4.4.3：環境構築

まず、すぐに開発を進められるように開発環境の構築から入り、順を追って検証環境、本番環境を構築していくケースが多い。本番環境についてはプロダクトをリリースする際に必要なものであるが、検証環境と本番環境の差分もあるため早めに対応し、アプリケーションを開発していく中で双方の環境で問題ないことを適宜確認できる状態を担保しておきたい。

SREや開発基盤のような開発チーム以外にも、部分的にアプリケーション開発側で対応すべきことや、ログイン、認証などの専門チームとして切り出されている部署が対応することも少なくない。そのため、開発を進める上でプロダクト間の依存関係だけでなく担当チームとの協働やプロジェクトマネジメントも重要な要素になることが多い。さらに担当するエンジニアだけでは、その全体像の把握が難しい領域なので、インフラに強いエンジニアが二重三重のレビューを行うべきだろう。

4 アプリケーションの開発を進めながら取り組む論点

アプリケーションの開発がある程度進んできたら対応すべき論点がいくつかあるので、併せて紹介したい。ここでは、ドメインの取得、OSSコードチェック、EV証明書の3点に絞って概要を説明しておく。

ドメインの取得

まず、プロダクトで利用するドメインを決める。これに伴いDNSの設置を行い、ドメインとIPアドレスをセットにして登録を行う。ユーザが新規SaaSにアクセスした際に、まずDNSにセットされたドメインを元にサーバのIPアドレスを取得し、それを元にSaaSにアクセスできるようになる。

OSSコードチェック

OSSライセンス違反が含まれていないかを確認することを指す。もちろん、ライブラリを利用する前にライセンスを確認していると思われるが、その数が多くなり確認漏れが出たり、ライセンスによってはプロダクトのコードを開放を求められる場合もあるため、リリース直前で再度ライセンスを総ざらいしたほうが良いだろう。

EV証明書

EV証明書は企業の責任で運営しているサーバを活用して、プロダクトの提供を行っていることを対外的に証明するものである。そのため、EV証明書を取得すると、一定の信頼性をユーザにアピールできる。外部にリリースするようなプロダクトの多くがEV証明書を取得しており、取得していないプロダクトの利用を禁じている企業もあるほどである。EV証明書を取得するには取得コストがかかり、取得までに1週間程度かかる。

5 サインアップ

ここでは開発観点におけるサインナップに関する論点ではなく、マーケティングやセールス観点でサインアップをどのように捉え、そのためにどのような開発が必要なるのかを明らかにしていきたい。

論点になるのは、サインアップ導線上でどこまでユーザ情報を取得するべきかである。ビジネス観点ではできる限りユーザに関する情報を最初に取っておきたいと思うのは当たり前だろう。これは取得した情報により担当者の割り当てや対応順序などの最適化ができるようになるからである。逆にユーザ視点からすると、早くプロダクトを使ってみたいと思っているのに、直感的に不必要な情報の登録を強要され、面倒に感じ、場合によってそもそも登録をやめてしまいかねない。開発の観点においても新たにユーザが登録する項目の定義や入力するフォームを開発することになるので、できるだけ少ないに越したことはない。

このようにビジネス観点とユーザ/開発観点で相反するため、比較衡量が必要なテーマになりやすい。まずはビジネス観点で絶対必要な項目を洗い出し、その上であると便利な項目を俎上に載せて、個別に検討していくと良い。具体的には事業所名/担当者氏名、連絡先（メールアドレス、電話など）、ユーザのデモグラフィック（業種や規模など）は担当者のアサインや提案機会を取得し、商談を進めていく上で不可欠な項目のため、取らないという選択肢はないだろう。その上で担当者の役職やどのような機能に興味があるかなど、事前に詳細を知ることで、導入に向けた具体的な提案を早く行うことができるようになる。そのため、プロダクトの平均単価やセールスにかかる工数やリードタイム、さらには開発工数などを見比べてどこまで対応するか決めていくべきだろう。

どこまで事前に調査していたとしても、実際販売し始めるまで全く想定していなかったユーザセグメントから発注を受けたり、予期していなかった軸で分類することでマーケティングやセールスの効率を大きく改善できたりすることもある。最初から設計しすぎず、ユーザ負荷を最小限に抑えた設計から、取得すべき項目を徐々に増やしていくことで、マーケティングやセールスの効率を改善していく流れに繋げていくべきだろう。

また、何となく開発が伴うので、プロダクトマネージャがその要件を決めてしまいがちだが、実質的に活用を行うマーケティングやセールスのメンバーからインプットを受けて最終的な要件を決めるべきである。しっかりと意見を聞いて、適切にデータを収集し、活用することでサインアップ時の離脱率を下げると同時にその後の提案活動の最適化に繋がっていくのである。

6 他プロダクトとの連携

他プロダクトとの連携には、新規SaaSから他プロダクトにデータ連携を行うケースと、逆に他プロダクトから今回立ち上げる新規SaaSにデータ連携を行うケースがある。

前者については、新規SaaSはリリース前段階のため、ユーザがついているわけではなく、また今後の展開によってはデータ連携の仕組みやデータ自体が変わりうるため、この時点で他プロダクトが前のめりで、新規SaaSからデータ連携を行うメリットはほぼないだろう。社内で他プロダクトを展開しており、戦略的にクロスセルを前提に展開するために何らかの連携をリリース当初から仕込むなどの要請がない限り、実現可能性は低い。

逆に後者のように、新規SaaSが周辺プロダクトからデータ連携を受けることは、リリース当初からインパクトを出す上で効果的である。新規SaaSがリリース段階で競合プロダクトに引けを取らない機能セットを用意することは難しく、競合に対して機能要件的に負けることが多い。そこで他プロダクトと連携することで、機能差分を補完できるのである。

以上のように、新規SaaSはまだユーザが付いておらず、新規SaaSから周辺プロダクトへのデータ連携の可能性は低い。しかし、逆に周辺プロダクトからデータ連携を受けることは機能不足を補完できる可能性があるので、積極的に検討されたい。

Chapter 5 QA

本Chapterでは、QAに関する方針を確認した上で、QAの担当者がいつ参画し、何に対して、どのようにQAを進めていくべきか詳述していく。また、QAを行い、不具合が出た時の共有方法や、テストの自動化に関するE2Eにも言及する。

1 QAの方針 [※12]

開発を進めていく上で避けて通れないのがQAである。QAを始めていく上でまずやることはQAを行う対象のプロダクトの特性の把握である。特に立ち上げようとしているSaaSが対象としているユーザの事業規模や特性、事業ドメイン、活用するデータ（個人情報の有無など）、課金や決済の有無などをベースにプロダクトの特性を炙り出していくことになる。プロダクトの特性を踏まえ、スピードを重視したQAで行くか、高い品質を担保する必要

[※12] 参照 CodeZine：『プロダクトの品質はテストだけでは測れない――新規プロダクト開発における品質管理の考え方』
URL https://codezine.jp/article/detail/13742

があるのかを判断していく。

プロダクトの特性によって担保すべき品質にはグラデーションがあるが、QAとしての方針はあまり変わらない。SaaSはユーザストーリーをベースに機能拡充をアジャイル開発で進め、プロダクトとしての提供価値を高めるため、QAも開発が終わったところから順に進めていくこと（以下アジャイルQAと表記する）が多い。また、すべて手動でQAを行うのではなく、エンド・トゥ・エンド（End to End、以下E2Eと表記する）と言われるQAテストの自動化を推進していくことも当たり前となりつつある。ただし、開発体制の大小に応じて、QAの担当者の中にE2E専任を立てるかどうかは議論の余地がある。また、手動でQAを行う場合にはアサインできる人数によって、E2Eとのバランスやどこまでのの担当者が担保していくかなどを決めていく必要がある。

2 QA担当の参画タイミング

実際に開発を進めていくタイミングでQA担当が参画することが多いが、アジャイル開発を前提とした時にベストな参画時期はいつなのだろうか。

ウォーターフォール開発では、QA担当がアサインされるのは開発内容が決まり要件定義書ができ、QA担当がテスト項目の書き出しやスケジュールを策定できるようになったタイミングでアサインされることが多い。というのもウォーターフォール開発は最終的なリリースを見据えて、そこに向けて最短経路で進める開発スタイルであり、開発が完了するまで操作できるプロダクトが手元に届かないこともあり、そもそもQA担当として検証できる状態になるのが遅いからである。

他方、アジャイル開発では、スプリントの開発に合わせてQAもアジャイルで進めていく。そのため、品質の担保ができたタイミングからリリースを行い、機能を提供していくことになる。QAをしたところから新機能のリリースを順次行うので、開発したものがすぐリリースされるようになり、QA担当だけでなくエンジニアのモチベーションの向上にも繋がる。プロダクト開発に関わる全ファンクションに当然言えることだが、企画、検討、開発、QAが滞ることなくスムーズにリリースされることはチームに勢いをもたらす。アジャイルQAが機能していく上で、最も重要な効果の1つである。つまり、QAを開発、ユーザエクスペリエンス、プロダクトマネージャなどプロダクトサイドから切り出された組織として認識するのではなく、プロダクトサイドの一ファンクションとして認識し、協働していくことが必要なのである。

プロダクトサイドにおけるQA担当のあるべき立ち位置を理解できれば、QA担当と協働すべきタイミングも自然と見えてくるだろう。エンジニアがユーザストーリーマッピングの作成から協働するのと同じタイミングで、QA担当も協働していくのが理想である。というのも機能面のQAはユーザストーリーが動作するかどうかが検証対象である。そのため、ユーザストーリーをエンジニアなどのプロダクトサイドのメンバーと同じ粒度で理解し、共通認識で議論できる必要がある。プロダクトサイドの中で最もユーザ目線で業務を行うポジションなので、誰よりも漏れなく正確にユーザストーリーの理解を求められることが多い。なお、ユーザストーリーマッピングの前提となった事前/深掘り調査やプロトタイピングフェーズではまだプロダクト要件すらないので、QA担当の参画タイミングとしては早すぎるだろう。ただ、事前/深掘り調査やプロトタイピングフェーズにおけるアウトプットはユーザストーリーマッピングを行う上で最も重要なインプットになるので、前提知識として共有することで、文脈のキャッチアップが進み、深い議論ができるようになるだろう。

SaaSのQAを進めていく上で、アジャイルQAを導入することは一種の当然の帰結なのだが、起業によるSaaSの立ち上げフェーズにおいては、内製でQA担当を抱えるというより、ある程度開発が進んだタイミングで外注することが多いのではないだろうか。

QA担当という職種は開発からは切り出されて、要件定義書ベースにテスト項目を書き出し、QAしていくことが長らく一般的だった。その風潮が今でも名残が残っているようにも思う。だが、SaaSの立ち上げというテーマについては、サービスとして提供される性質上、リリース後も継続的に機能拡充を続けることが多いため、ユーザストーリーレベルから情報連携を行い、開発できたところから順次QAに入るほうが、適合性が高いのである。

3 QAの進め方概要

ここでは、アジャイルQAの進め方を確認していく。大きな方針としては上述した通り、ユーザストーリーをベースに開発できたところから順次QAを行っていくことになる。

まず、スクラム開発の起点となるプランニングに同席し、次のスプリントで何が開発されるのかを確認する。スプリント期間中はエンジニアが開発に当たると同時にテスト設計を起こしていく。設計を行うに当たり、不明点が出てきた場合はエンジニアに確認を行ったり、設計のレビューを依頼することもある。

次に、開発が終わったら、設計したテスト項目に従ってQAを行う。もし不具合が見つかったら、JIRA[※13]などのチケット管理ツールに起票を行い、情報共有をするのが一般的である。スクラムの運営を行っていく上で毎日進捗確認を行っている場合は参加し、QAの進捗や結果などを即座に共有することになる。

最後に不具合が見つかった場合には、その重要度と優先度をエンジニアと議論し、対応方針を決めていくことになる。対応として追加開発を行う場合は再度プランニングの場で議論され、開発され次第QAを行うことになる。

[※13] URL https://www.atlassian.com/software/jira

なお、重要度と優先度の判断の詳細については次のSectionで言及する。

4 QAを行う上での不具合に対する評価方法

QAを行っていく上で不具合が見つかった場合、どのように対応していくのかを議論していく。この対応の内容に入る前に、その前提になる重要度と優先度について詳述していく。

まず、重要度はその不具合がユーザやプロダクトに与える影響度合いを指す。大きくユーザストーリーを具現化したユーザが直接触れる機能とセキュリティなどの非機能に分けて評価される。前者については、リリースに向けてプロダクトの根幹であるユーザストーリーマッピングに支障を与えるかどうかで判断することになる。後者はプロダクトとして成立することに支障をきたすものは当然重要度が高くなる。他にも通常想定されるユースケースで、パフォーマンスが足りず実運用に耐えられない場合、重要度が高いと評価される。

次に、優先度はいつ対応を進めるべきなのか評価することを指す。例えば、不具合を本スプリントで対応しなければならないのか、数週間から数ヶ月など対応までに一定の猶予があるのか評価することになる。具体的には、下記のように大きく3つの要素を加味して、優先度を判断していく。

優先度 = 重要度 × 頻度及び対象ユーザ数 × 回避方法の有無

まず、先程説明した重要度がある。次の頻度及び対象ユーザ数は当該不具合の発生頻度とそれが起こりうる、もしくは起こったユーザ数を指す。最後の回避方法の有無は現状の要件の中でそのような不具合が起きないようにする操作方法があるかどうかを意味する。

例えば、プロダクトの根幹をなすようなユーザストーリーに不具合が出ている場合、当然重要度は高い。しかし、必ずしも優先度が高くなるわけではない。例えば、その不具合が起こりうるユーザ数が1企業であれば、個別にコミュニケーションをしっかり取るなどの対応を行うことにより、相対的に優先度を低くすることも可能である。また重要度が高く、対象者が多い不具合だったとしても、ユーザ自身で別手段で操作し、対応できるものであれば、その内容を告知するなどの対応も取れるだろう。

つまり、優先度の判断は重要度、頻度及び対象ユーザ数、回避方法の有無を独立的に評価するのではなく、これらの指標を総合的に評価し判断するのである。不具合が出てくるたびに3つの評価軸を元にどのように評価すべきかをまとめ、プロダクトサイドのメンバー内で議論することで、徐々に認識をすり合わせていくべきものだろう。

最終的には、重要性と優先度という2つの指標を持って、不具合対応の優先順位付けを行う。その上で、リリースに向けてどこまで対応すべきか判断し、順次対応を行い、再度QAを行うことになるのである。

5 QAの対象

不具合の評価の仕方が決まれば、次はQAする対象の明確化である。大きくQAの対象には、機能面と非機能面がある。

機能面についてはユーザストーリーを元に要件に落とし、実装された機能がQAの対象となる。さらに、QAを行う対象を明確にすべく、GitHub[※14]などのコード管理ツールを活用し、開発が終わったものをまとめていき、順次QAを進めていくことになる。QA中に出た不具合については重要度と優先度の2軸で評価し、改修が終わったタイミングで、再度開発したものとしてQAを行うことになる。どうしても即時修正したい時はホットフィックス

[※14] URL https://github.com/

（不具合対応を迅速に行い、ユーザに提供すること）扱いとして、本スプリントか、翌スプリントに入れて改修を行い、その場でQAを進めることもある。

他方、非機能面の開発に対しては、性能テストや脆弱性テストなどを行う。性能テストとはユーザのユースケースに併せたシステムのデータ処理速度や一度に処理可能なデータ量を確認するテストを指す。事業計画等を元に利用ユーザ数を、ユースケースを元にユーザごとのID数や想定データ量を設定し、業務を行う上で問題なく利用できる範囲で処理できているか確認することになる。もう1つの脆弱性テストとは悪意ある攻撃や情報漏えい事故などのリスクを未然に防ぐことを目的に、ネットワーク/サーバ、Webアプリケーションのセキュリティの現状を確認することを指す。ユーザが利用するに当たって、安心、安全であることを確認する一種のセキュリティ対策という側面もある。そのためプロダクトを運営する企業や扱うテーマ、利用するユーザの属性などに応じて、どの水準で脆弱性テストを行うべきか決めていくことになる。

6 QA結果の共有方法

不具合の評価の仕方、QAを行う対象に次いで、QAした結果の共有方法を定義していく。何らかのチケット管理システムを導入し、不具合をチケットとして起票するフローから構築することになる。不具合のタイトルや詳細（説明、キャプチャ、再現方法など）を記載するのはもちろん、その不具合の重要度と優先度を併せて登録する必要がある。また、場合によって開発案件に組み入れられるため、エンジニアによる対応時間も追記できるようにしておくと良い。こうすることで、QAによる不具合の内容やその対応の現状を正確に認識できるようになり、重要度と優先度の評価の精度の向上も見込める。

なお、重要度と優先度に応じて対応方針が決まり、開発、改修が完了したら、またQAの対象となり、また不具合が出てきたら、再度重要度と優先度の評価を行っていくことになる。

7 E2Eとは

今まで、手動によるQAを前提に説明を行ってきたが、昨今QAの自動化テスト（以下E2Eと表記する）が普及しつつある。これは新たな機能拡充などに対して、QAを行う項目を洗い出し、それをプログラムで実現することを指す。メリットとしては機能拡充のたびに、手動でテストを行う必要がなくなることが挙げられる。

では、新規SaaSのリリース当初からE2Eを導入すべきだろうか。プロダクトリリースの初期段階だと、まだプロダクトの根幹や方向性を揺るがすことも起きうるため、全QAをE2Eにするような極端な動きはデメリットのほうが大きいだろう。というのも、機能拡充をするたびにE2Eのテストの確認及び必要に応じて改修が必要になるからである。とはいえ、リリース前だからと言ってすべて手動でQAを行っていると、リリース後テストの項目が徐々に増加していき、機能拡充のボトルネックになるリスクもある。そのため、機能拡充が予定されるコア機能周辺で同じテストを何度も行いそうな項目を中心に徐々にE2Eを導入していくと良い。

また、機能開発と併せて、エンジニアがE2Eのテストもメンテナンスしていく場合もあるため、エンジニアとQA担当でテスト項目のうち、どの程度E2Eでサポートしていくのか、大まかな割合などをすり合わせておくと良いだろう。

Chapter 6 まとめ

開発投資判断を受けて、まず行うべきはユーザストーリーマッピングである。SaaSが対象とする業務は複雑で、関係者も多いので、デザイン、開発、QAを進めていく上でユーザストーリーマッピングを起点に置くべきだからである。チームビルディングも兼ねて、開発に関係する全員で作成していくものだろう。

このユーザストーリーマッピングを受けて、デザイナーはオブジェクトマッピングを作成し、具体的なユーザインターフェース/ユーザエクスペリエンスに落とし込んでいくことになる。

SaaSは継続的にサービスとして提供するため、最初から完成を目指すのではなく、徐々に機能追加や改修を通して理想とするプロダクトに近づけていくことになる。そのため、ウォーターフォール開発ではなく、アジャイル開発を採用すべきだろう。QAも同じく開発に併せて、アジャイルをベースにし、開発が終わりQAを通して確認できた機能からリリースし、ユーザからのリアクションをタイムリーに受け取れるようにすべきである。

SaaSの立ち上げを行うに当たっては、機能開発だけではなく、インフラ等の非機能要件の開発も漏れなく付いてくる。この分野は開発経験がないプロダクトマネージャにとって疎遠なテーマになりやすい。しかし、プロダクトマネージャとして着目すべきポイントであるリリース後の可用性、セキュリティ要件、キャパシティプランニングのための流入見込みの想定、バックアップの設定ぐらいは押さえておきたい。

Part 5

ゴー・トゥ・マーケット戦略

Chapter 1 ゴー・トゥ・マーケット戦略の概要

本Chapterでは、ゴー・トゥ・マーケット戦略の導入として、その戦略の構成要素を3つに分解し、それぞれ概要を確認していく。構成要素であるプライシング、事業計画、販売戦略の関係性についても言及する。

1 ゴー・トゥ・マーケット戦略とは

SaaSを立ち上げるに当たって、プロダクトマネージャはエンジニアやデザイナーと協働し、リリース時のプロダクトの要件を決め、開発を進めていく過程を確認してきた。事前/深掘り調査やプロトタイピングを元にプロダクトの方向性や要件、ターゲットとなるユーザセグメントが決まった段階で、開発と並行して重要なタスクがある。それはゴー・トゥ・マーケット戦略の策定であり、開発を進めているプロダクトをターゲットのユーザセグメントに対して、いくらでどれだけ売り、さらにどう売っていくのかを決めていくことを指す。具体的なタスクとしてはプライシングと事業計画、販売戦略を策定することになる。この3点について、順に概要を確認していこうと思う。

なお、一般的にゴー・トゥ・マーケット戦略に入らないことが多いが、プロダクトをリリースしていく上で順次確認すべきリーガル対応と、リリースに向けて関係者が多くなるにつれて整理すべきコミュニケーションについても本Partで言及する。

プライシング [※1]

まず、プライシングはSaaSを活用することでユーザが抱える課題を解消し、ユーザが享受する価値の対価を指し示したものとなる。そのため、ユニットエコノミクスの一翼をなすLTVを算出する上で中核に位置付けられるインプットになり、SaaSを評価する上でも非常に重要なファクターであると言えよう。SaaS文化が日本よりも色濃く浸透している欧米では、すでにプライシングの策定を専門とするコンサルティングファームがあるほどで、プライシングの重要性を裏付けている。

事業計画

事業計画は企業のミッション/ビジョンや、プロダクトビジョンの下に、どのように事業成長させていきたいかについて、売上、費用、営業利益などを計画に落としたものを指す。もう少し具体的にタスクレベルでその内容を確認すると、プロダクトのターゲットであるユーザセグメントに対して、どの程度販売を進めていくのか、さらにプライシングをかけ合わせ、どの程度のMRR/ARRを累積していくのかを試算していくことになる。

さらに、リリース後プロダクトの進化が、ターゲットであるユーザセグメントの拡張、受注率の向上、LTVの向上、解約率の低減に対して、どの程度影響があるのか試算し、ボトムアップで事業計画に組み込んでいくことになる。

また、MRR/ARRや売上を向上させていくには、開発や販売管理などへの

[※1] 参照 PMF APAC 2019、Mastering Pricing in a Digital B2B World
URL https://apac.productmanagementfestival.com/conference/mastering-pricing-digital-b2b-world/

投資を行う必要が出てくる。そのため、事業計画にはマーケティングコストやセールス、開発の体制などコストサイドの計画を含むのである。

販売戦略

販売戦略は、事業計画を実現すべく、どのようにプロダクトを販売していくべきか、その目標設定、体制、及び売り方をまとめたものを指す。例えば、ブランディングやマーケティングを実施する際の訴求メッセージを確定し、最適な展示会への出展やセミナーの開催、オンライン・オフライン広告への出稿などの訴求方法を策定していく。直接販売以外に販売代理店との協業や他SaaSとの共同販促など、販売チャネルの設計も販売戦略として扱われることが多い。

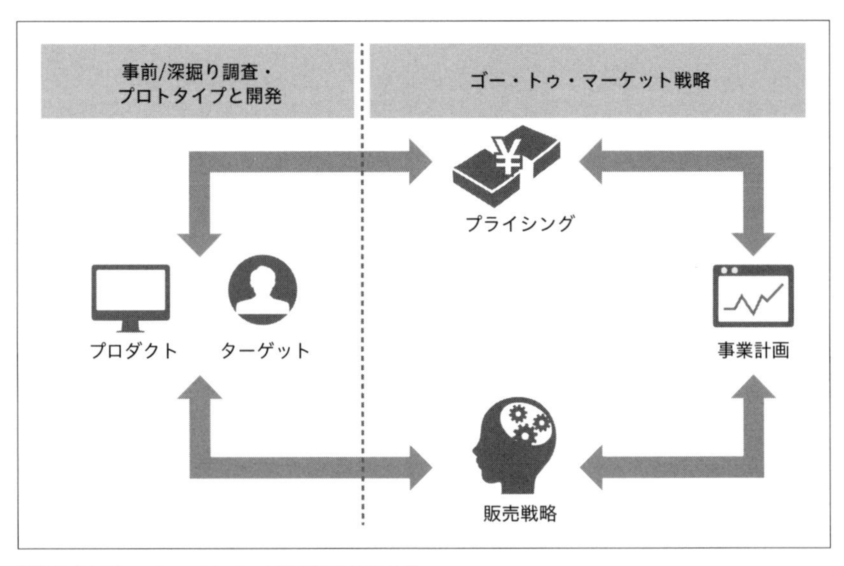

図5.1.1：ゴー・トゥ・マーケット戦略策定の全体像

プロダクトリリース時の要件とそのターゲットを決めた上で、ゴー・トゥ・マーケット戦略、つまりプライシング、事業計画、販売戦略を順番に決めていくように概説した。しかし、実態としてはプロダクト、ターゲット、プライシング、事業計画、販売戦略は相互に連関するものである（図5.1.1）。

例えば、プライシングを決めたものの、事業計画を策定している段階で想定していた事業規模に及ばなかった場合、プライシングを見直したり、さらにはプロダクトから見直しリリース時の要件を拡張することで、強気のプライシングを取れるようにしたりすることもある。また、事業計画実現に向けて販売戦略を検討していたら、プロダクトに対して追加機能や要望が出てくることもある。

このように、プロダクト、ターゲット、プライシング、事業計画、販売戦略はそれぞれ独立した概念ではなく、密接に連関するものである。プロダクト、ターゲットを元に順を追って議論していくことになるが、決して不可逆的なものではなく、場合によって行ったり来たりしたり、図5.1.1で示したサイクルを2〜3周回してその精度を高めることもある。

ゴー・トゥ・マーケット戦略はプロダクトとそのターゲットを元に検討され始める。ゴー・トゥ・マーケット戦略の検討を進めていくことで、逆にプロダクトとそのターゲットにフィードバックやインプットをもたらすこともある。そのため、プロダクトマネージャにとってゴー・トゥ・マーケット戦略の策定は傍論に収まるものではなく、リリース時の要件の決定と同列で扱うべき重要論点の1つだと認識すべきである。素晴らしいSaaSさえ開発できれば、自然とユーザが手に取ってくれて、価値を感じてくれるというものではなく、きちんとユーザに届くまでの流れを戦略的に構築し、スムーズに届けていく必要があるのである。

Chapter 2 プライシング

本Chapterでは、SaaSの対価を決める手法としてプライシングを紹介する。ようやくプライシングはSaaSの関係者に市民権を得始めてきたように思うが、まだ一般的な概念と言えないため、その重要性から確認していく。

その上で、誰が、どのような方針でどのようにプライシングを決めていくべきか詳述していく。特に定性、定量両面で実施すべき調査や、それらを踏まえプライシングを策定していく最終過程で調整や確認を行うポイントも紹介する。

1 プライシングの重要性 [※2]

SaaSは業務を円滑に進めるために活用するプロダクトという立ち位置を取ることが多く、売り切りのパッケージソフトウェアとは異なり、サービスとして提供されることを前提としている。そのため、ユーザが継続的に価値を享受することに本質があり、その対価もサブスクリプションモデルを採用することが多いのはすでに述べた通りである。では、一体いくらに設定すれば、

[※2] 参照 Saastr Annual 2018、VC Day: Mastering SaaS Pricing
Blake Bartlett - Partner / OpenView
Kyle Poyar - Sr. Director, Market Strategy / OpenView
URL https://www.slideshare.net/OpenViewVenturePartners/mastering-saas-pricing-saastr-annual-2018

ユーザが継続的に価値を享受してくれて、購入し続けてくれるのだろうか。

初めてプロダクトマネージャとしてプライシングに取り組む人にとって、プライシングはアートの要素が強いように感じられるかもしれない。これは、プライシングを決めていくに当たって、プロダクトがユーザに提供する価値や、競合プロダクトの機能やプライシング、さらに自社の他プロダクトのプライシングなど、複合的に絡み合う様々な要素を勘案する必要があり、論理的に最適なプライシングを決められないと感じてしまうからだろう。しかし、先述の通り欧米ではプライシングの策定を専門とするコンサルティングファームが存在し、また実業界だけでなく、学術としても研究が進んでいる分野であり、一定科学されているものと認識すべきである。

ただ、SaaSによる事業を成長させていく上で、プライシングが比較的関心の薄いテーマであるのも事実である。図5.2.1にあるようにSaaSに関するグロース関連記事を集計したところ、アクイジションと比較し、マネタイゼーション（プライシングはここに含まれる）は、その7分の1しか投稿されていないという調査[※3]もある。

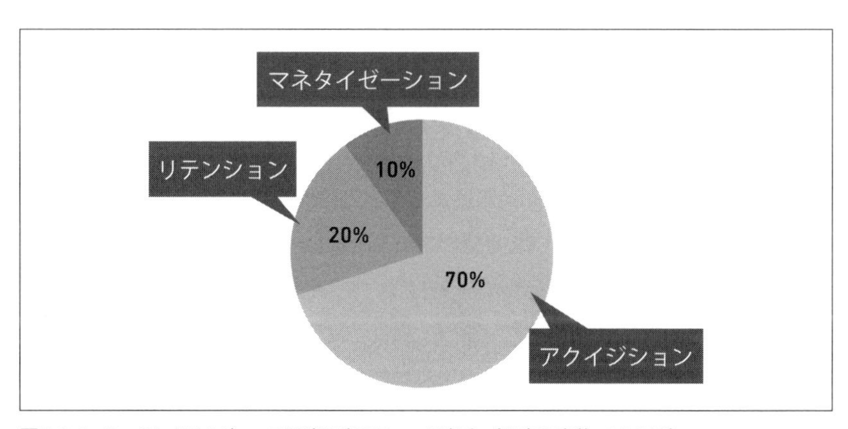

図5.2.1：SaaSにおけるグロース関連記事のテーマ別割合（調査記事数=10,342）

[※3] 参照 The Anatomy of SaaS PRICING STRATEGY
URL https://www.priceintelligently.com/hubfs/Price-Intelligently-SaaS-Pricing-Strategy.pdf

さらに本調査ではアクイジション、リテンション、マネタイゼーションがそれぞれ1%改善したことによる事業成長率を比較している（図5.2.2）。マネタイゼーションの主要な取り組みをプライシングと読み替えると、プライシングはアクイジションの4倍、リテンション2倍ほど、事業成長に対してインパクトを持つ要素であると述べられていた。

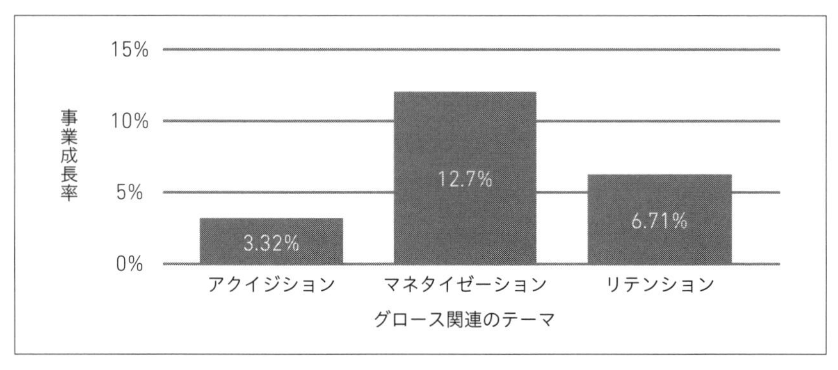

図5.2.2：グロース関連のテーマについて、それぞれ1%改善した時の事業成長率の比較

ここまでの流れをまとめると、プライシングは一部の専門家により科学されているものの、まだアクイジションに比してメジャーなテーマとまではなっていない。しかし、プライシングの改善によるビジネスインパクトは非常に大きいことがわかっている。この事実を踏まえた上でどのようにリソース配分を行い、アクイジション、リテンション、マネタイゼーションに取り組んでいくべきか検討すべきである。

また、プロダクトは一度プロダクトビジョンを決め、主要機能の要件を決めて、開発してしまうと、大きく変更することは難しくなる。しかし、プライシングはプロダクトほど不可逆的な要素は少なく、一度決めて広く公開しても改めて設定することが可能で、やり直しが許容される。そのため、既存ユーザへの影響を考慮した上で、プライシングは定期的に見直し、改変を繰り返すべきなのである。

2 プライシングの担当部門

プライシングは非常に多くの部門に影響を及ぼすため、SaaSを提供する会社の体制やその考え方によって、主たる担当部門が異なることが多い。大きく3つぐらいのパターンに分かれるので、順を追って見ていきたい。

まず、プライシングと事業計画との結び付きを重視し、経営企画や事業企画などの部門が策定するケースである。プライシングは1ユーザ当たりのMRR/ARRを大きく左右するため、事業計画との整合性を担保することに焦点が当てられている。そのため、事業計画に影響が出るような社内における主要プロダクトや一定の売上規模以上のプロダクトに対しては経営企画や事業企画が担当する傾向が強い。

次に、プライシングと販売戦略を連動させ、営業企画やプロダクトマーケティングマネージャが主体となって策定するケースである。プライシング次第で、売れるプロダクトも売れなくなってしまうことがある。そのため、実際の販売に対して近いファンクションの人が担当することで、プライシングだけが1人歩きせず、販売戦略との整合性を維持できるのである。

最後に、プライシングとプロダクトとの整合性に着目し、プロダクトマネージャが担うこともある。プライシングを行う際、どの機能をバンドルしてプランにするかという論点も出てくるため、要件と具体的なユースケースを把握していることが前提となる。そのため、この2点を熟知しているプロダクトマネージャが担当することで、効率的にプライシングを設定できるだろう。また、新規プロダクトを立ち上げる際は、少人数で企画検討、開発を進めていることが多く、その中にプライシングに関する専門性を持った人を別途アサインすることは少ないように思う。そのため、結果的にプロダクトマネージャがプライシングを担う傾向にある。

上記3パターンは、あくまで主たる担当部門についての整理であり、例えばプロダクトマーケティングマネージャが担う場合であっても、プロダクトマネージャが一切何もしなくて良いケースは稀である。実際プライシングを決めていく際、経営企画や事業企画、営業企画やプロダクトマーケティングマネージャ、プロダクトマネージャなどが協働して、各種調査等を進めていくことになる。

なお、本書では新規SaaSの立ち上げをテーマに据えていることから、限られたメンバーで推進している前提に立ち、プロダクトマネージャがプライシングのオーナーを担うことを想定するものとして、以下説明を進めていく。

3 プライシングの方針 [※4]

プライシングの重要性を確認できたところで、早速プライシングを策定する方法論に入っていきたい。プライシングの設定に向け、大きく3つの視点から検討していくことになる [※5]。

1. ユーザ視点
2. 提供者視点
3. 競合他社/市場視点

1つずつ順を追って、確認していきたい。

[※4] 参照 SaaStr 2017、Veeva: The Biggest Vertical SaaS Success Story of All Time
URL https://www.saastr.com/veeva-biggest-vertical-saas-success-story-time-video-transcript/

[※5] 参照『BCG 経営コンセプト 構造改革編』（菅野 寛［著］、ボストンコンサルティンググループ［企画/解説］、東洋経済新報社、2016/11）、p.37～p.40：「ケース1：外食チェーンA者の価格設定見直し」

1. ユーザ視点

そもそもユーザはSaaSを導入し、活用することで、コスト削減や売上の向上などの価値を実現しようとしている。そのため、ユーザ視点でプライシングを考えていく場合、SaaSを活用した時に享受できる価値に見合った価格を設定することになる。もう少し具体的に説明すると、何らかの業務を効率化するというコスト削減的なメリットや売上を伸ばすチャンスを掴むという逸失利益の獲得の程度を基準に置き、プライシングを検討していくのである。

2. 提供者視点

SaaSを提供する企業の視点からプライシングを捉えると、SaaSの提供価値やSaaSの提供までに費やしたコストを勘案してプライシングを設定することになる。

まず、SaaSの提供価値をベースにしたプライシングとは、SaaSを通して、ユーザの課題をどのように解決しうるのか、その時の価値をベースにプライシングを行うことを指す。

次に、SaaSを提供するまでにどのようなコストがかかるのだろうか。SaaSを提供する上で、コストは大きく2つある。まず1つ目はSaaSを立ち上げ、提供するまでにかかった開発費や、運営していく上でのSaaSの維持費などのコストである。他方、SaaSの販売時に目を向けると、ブランディング、マーケティング、セールス、導入支援など、潜在ユーザへのアプローチからSaaSの導入まで伴走している。これらにかかった販売管理に関するコストが2つ目として挙げられる。したがって、これらのコストを元に一定の利益が出るようにプライシングを設定していくことになる。

上記を踏まえると、前者の提供価値をベースにしたほうが高くなりやすく、コストをベースに利益を乗せるアプローチのほうが保守的なプライシングになる傾向にある。

3. 競合他社 / 市場視点

競合他社/市場視点からは、全くの未開のエリアでなければ、当然何らかの形で競合他社が存在しているので、ベンチマークとしてプロダクトはもちろんのこと、プライシングについても詳細に確認すべきだろう。

SaaSを始めとしたBtoBのプロダクトの場合、ランディングページ（Landing Page、以下LPと表記する）を確認してもプライシングが記載されていなかったり、実際は異なったりするため、きちんと調査をしなければならない。例えば、複数プロダクトのセット販売、契約期間を延ばすなどして実質的に値引きされていて、LP上のプライシングと大きく実態が乖離していることがあるので、注意が必要である。

このようにSaaSのプライシングを決めていくには様々な視点に立って複雑に絡み合う状況を1つずつ紐解きながら、取りうるオプションを洗い出し、比較衡量を経て、最終的に意思決定を行うことになる。

3つの視点の中でも、SaaSはサービスとして提供されるという特性を持つため、ユーザが享受する価値に準じた価格を設定するのが原理原則となる。つまり、プライシングを行う上でユーザ視点が起点になるのである。

次いで、競合他社/市場視点に注目することになる。というのも、新規SaaSを通してユーザが実現できるようになる価値を、競合他社のSaaSが同様に実現しており、その価値よりも安価にプライシングを設定していた場合、提供価値をベースにしたプライシングを採用することは難しいだろう。競合他社が何らかの経営努力により、安価でSaaSを提供できている場合、それに追随するには他の付加価値を付けるか、同額以下で提供するかしかない。何が言いたいかと言うと、ユーザに対する提供価値をベースにしつつも、競争環境によってプライシングを調整を行う必要が出てくるのである。

最後に、ユーザ視点や競合他社/市場視点を下にプライシングを設定しても、SaaSの運営を考えると、コスト割れしているケースも出てくる。ただ、ユーザ視点や競合他社/市場視点からのプライシングに対する要請は強固なものであり、何らかの経営努力を行い、事業として成立させる必要が出るだろう。具体的には、コストカットして利益が出るようにしたり、価格に見合うようにプロダクトを進化することを指している。もちろん時として改善できる度合いを超えているケースもある。この場合はプロダクトビジョンなどに立ち返って、再構築が必要かもしれない。また、マーケティングやセールスに関するコストに比べ、カスタマーサポートのコストは少額であることが多く、蔑ろにされやすい。ただ、SaaSを提供する上で必ずかかるコストは一般的に原価として計上されることが多く、気付いたら営業利益を圧迫していたという事態を引き起こしかねない。そのため、カスタマーサポートなどのコストもその大枠を把握しておくべきだろう。

ユーザ視点によるプライシングが原理原則だとした。しかしながらユーザによって享受できる質的な価値は同じだとしても量的な価値は当然変わってくる。マーケティングオートメーションのSaaSを例に取ると、広告予算やプロダクトの利用者数などによってSaaS導入の効果は大きく左右されるだろう。ではプライシングを決める上で、このような量的な価値の多寡をどう捉えるべきなのであろうか。この論点に対しては、事業や従業員規模が大きな潜在ユーザを見つけてそのユーザが享受できる価値をベースに高い価格を設定することが最も資本の効率性を高める。しかし、このような特殊な潜在ユーザをターゲットとして価格設定をしてしまうと、当然ながら同じレベルの提供価値を感じてもらえる潜在ユーザはごくごく少数になってしまう。プライシングとトータルアドレッサブルマーケット（Total Addressable Market、販売できうる市場規模を意味し、以下TAMと表記する）は反比例の関係にあることが多く、後述する価格弾力性の議論を踏まえることで提供価値とプライシングのバランスを取ることが重要なのである。

ここまでユーザが享受する価値を起点にして、プライシングを決めていく過程を順を追って紐解いてきたが、逆にプライシングが決まっている状態からSaaSの提供価値を見つめ直すと、面白いことに気付く。それはいくらで販売するかというプライシングが潜在ユーザに対する提供価値、ひいてはSaaSの品質を定義することになるからである。一定の合理性がなければ成立しないものとしてビジネスを捉えると、当然ユーザが享受する価値に合わせて、それを実現できるようにSaaSを進化させていくことになる。ユーザ視点をベースにプライシングすることにより、プライシングがプロダクトの品質を規定するとも言える。つまり、プロダクトを提供して得られる対価に応じて、かけられるコストが決まり、そのコストによってサービスレベルが決まってしまうのである。

4 課金モデルの類型

プライシングを構成する重要な要素として課金モデルがある。これはSaaSを含むプロダクトの利用に対していつ、どのように対価を試算するのか、そのロジックを指す。課金モデルについて詳細が記載されている良著『Monetizing Innovation: How Smart Companies Design the Product Around the Price』(Wiley)[※6]では、課金モデルの5分類が紹介されている。その1つであるSaaSと相性が良いサブスクリプションについてはすでに言及したが、他にも4種類の課金モデルがある。ここでは、サブスクリプションを含めた5つの課金モデルの定義と個々のメリットとデメリットを整理していきたい。

サブスクリプション

サブスクリプションとは月次や年次など定期的に料金が発生する課金モデルであり、自動更新であることが多い。テナントの利用料や携帯電話の月額基本料金などがサブスクリプションに当たる。当然のことだが、退会率を抑えることができれば、累積利用者数が増加の一途を辿ることになる。累積利用者による契約は自動更新される場合、翌月や翌年の売上を担保することが

[※6] 『Monetizing Innovation: How Smart Companies Design the Product Around the Price』(Madhavan Ramanujam、Georg Tacke［著］、Wiley、2016/5)

でき、事業運営上見通しを付けることが容易になる。また継続的に使ってくれるユーザの声を聞くことによりアップセルやクロスセルの機会も見つけやすい。SaaSのように定常的に活用すべきプロダクトや、ワンショットの買い切りで導入しようとすると初期投資が膨大になるプロダクトなどと相性が良い。

ダイナミックプライシング

ダイナミックプライシングは需要と供給などに応じて、プロダクト提供者が価格を変動させるものである。例えば、航空券やNFLなど非常に人気のあるスポーツの観戦チケットでも導入されている。このモデルは繁閑の差がある商材ほど、相性が良い。逆に潜在ユーザが繁閑などの条件による価格の差異を理解し、それでも買いたい/買う必要があることに納得できる商材でないと成立しにくい。

オークション

オークションは、インターネットが発達した現状において様々な形で実施されており、多くのものは市場環境、いわゆる需要と供給によって価格が決定されるようになる。特に絵画のような希少性の高い商材においてこのモデルがよく採用される。BtoBプロダクトでも、オンライン広告などではこのモデルが導入されている。

従量課金

従量課金とは、端的に使った分だけ請求されるモデルである。このモデルを採用することにより、ユーザは月次や年次ごとの利用料を一括で支払うことなく、利用した分だけ支払えば良いことになる。そのため、ユーザは本格導入を前提とすることなく、試しに利用しやすい仕組みと言える。ソーシャルゲームなどでこの形式を取られることが多い。

フリーミアムモデル

フリーミアムモデルとは期間や機能を制限した形だが、無料で使ってもらうことを想定しており、その上で前述のいずれかの課金モデルが採用されることが多い。もちろんゴー・トゥ・マーケット戦略上、フリーミアムモデルを採用したプロダクト単体では収益を見込まず、無料で使ってもらい、他プロダクトへのクロスセルを促すようなこともありうる。このモデルを採用しやすいのはコモディティ化した機能で、なおかつ運営費がそれほどかからないプロダクトである。無料のため一定の利用者を確保できる反面、有料版へのアップセルや他プロダクトへのクロスセルにはハードルがあり、頭を捻る必要があるのは言うまでもない。

上記のように課金モデルの特徴を踏まえると、改めてSaaSと相性が良いのはサービスとして提供している性格上、サブスクリプションである。サブスクリプションの契約を結び、継続的に利用料を支払う前段階として、ユーザが実現したい最小限の目的までは達成できる機能セットをフリーミアムモデルで提供することもありうる。そしてアップセルの流れを作るため、より高機能を必要とするユーザには課金を前提とした上位プランを準備することが多い。さらに上位プランに限りデータの利用などに応じて従量課金などの別課金モデルを採用するプライシングもありえる。課金モデルの組み合わせも含めて、どの課金モデルを採用するのかは、ユーザが享受する価値と、潜在ユーザに対してプロダクトを紹介した時のプライシングの納得感を元に考えられたい。

5 課金モデルを選択する上での注意点［※7］［※8］

課金モデルを決めていく上で避けるべきポイントが2つあるので、紹介したい。

まず、1点目はプライシングを複雑にしすぎてしまい、潜在ユーザが直感的に理解できない状態に陥ってしまうことである。SaaSを発注する時のことを想定してほしい。もちろん多額の予算権限を持っている役員陣であれば、現状の課題と導入後の効果を元にその場で判断できる。この場合はあまり問題にならない。しかし従業員の場合、業務上の課題を上げて解消できそうなプロダクトを列挙して提案を聞き、大まかな費用の見積もりと得られるメリットをまとめて稟議を上げて検討を進めていくことになるだろう。例えば、APIコール数などにより従量課金を行う場合、プロダクトの提供者として様々な形でユーザがコールを柔軟に行える設計にする。しかし、柔軟に利用できるようになっているがゆえ、導入検討時にユーザがAPIコールごとの単価を元に毎月の請求額をイメージすることは難しい。LPなどの情報を元にユーザが請求額を試算できないプライシングを採用してしまうと、社内でユースケースを洗い出して実際どれだけ使われるか、シミュレーションを行い、見積もりを依頼することになる。この流れを踏んでいると、プロダクトの導入までのスピード感を大きく損なうことになってしまう。したがって、プライシングは簡潔で潜在ユーザが請求額をイメージしやすいものであることが望ましいのである。

2つ目の避けるべきポイントは、課金モデルがユーザの事業推進を抑制し

［※7］ 参照 SaaStr annual 2020、How to Price When Users Aren't an Option with Zuora
URL https://www.youtube.com/watch?v=OyAVo7Ik4LA&list=PLGlmLTbngJa-wAW2xP0DK9WBN4v-ltohL&index=32

［※8］ 参照『Data-Driven Sales: Learn how sales leaders at HubSpot, Salesloft, and other top B2B companies use data to grow faster』（Clearbit［著］、Matt Sornson［編集］、Independently published、2018/7）、p.6〜17：Chapter1「The Key to SaaS Pricing」

たり、ネガティブインパクトを起こしたりするようなバイアスを持たせることである。例えば、請求書の発行を行うSaaSをイメージした時に、請求書数による従量課金を行うと、請求を毎月に分けて行うのではなく四半期にまとめて請求したり、場合によっては年間に集約し、SaaSの利用頻度を減らしたりすることで利用料を削減するような動きを取るバイアスが生じてしまう。これはユーザが事業を運営していく上で、キャッシュフローを悪化させる可能性がある。また何よりも請求書に関する業務を効率化することを想定したSaaSにも関わらず、その業務自体を無理やり削減してしまう働きは事業上のネガティブインパクトを生むことになりかねない。当然SaaSの利用回数も減るので、その価値の訴求機会も減少する。このように採用する課金モデルによってユーザの事業推進を抑制したり、ネガティブインパクトを起こしたりする可能性があるので、十分注意して課金モデルの採用を決めるべきである。

6 サブスクリプションの構成要素

5つの課金モデルの類型について確認したが、課金モデルの組み合わせで利用することはあれど、SaaSでは基本的にサブスクリプションを採用するため、この類型に絞って議論を進める。具体的には、以下の3点をベースにどのようにサブスクライブするか決めていくことになる。

1. 課金する対象
2. 提供する機能
3. 価格

1. 課金する対象

何に対してサブスクライブするのかという点に関しては、利用企業ごとにライセンスフィーとして課されるベース課金と、利用するID数などに応じたID課金の2つに大きく分かれる。もちろん双方を組み合わせて課金体系を組むこともある。

2. 提供する機能 [※9]

SaaSを展開する際、ベーシックプラン、プレミアムプランなど、段階的に複数プランを設定し、提供することをイメージしてほしい。この場合、それぞれのプランを利用する際、どこまでSaaSの機能を使いこなすことができるのかを定義していく必要がある。この作業をバンドルと言う。ちなみに、機能の多寡によるバンドル以外にも、ターゲットとなるユーザセグメントごとに設定することもある。

ただし、新規SaaSではリリース当初から複数プランを展開することは少ないかもしれない。というのも、新規SaaSはリリース段階では、ユーザに提供できる価値を絞り込み、最低限の機能でリリースを迎えることが多いからである。このため、全機能が利用可能なプライシングを1つだけ設定して展開する傾向にある。一方で、リリース後に機能拡充が進んだことで利用できる機能をバンドルし、多層的なプライシングを設計することがある。多機能なSaaSになればなるほど、解決できるユーザ課題が増えていくため、それを解決する機能群ごとにプライシングを設定することができる。しかしながらこのようなプライシングは複雑怪奇になりやすいため、必要最低限の機能群と高度な機能を含む全機能群など、段階的に機能群をまとめて提供することが多い。

[※9] 参照 THE ULTIMATE SAAS PRICING GUIDE FOR EXPANSION STAGE COMPANIES
URL https://cdn2.hubspot.net/hubfs/366266/Downloadable%20Assets%20-%20Migrate/ultimate-saas-pricing-guide.pdf

3. 価格

最後の価格はSaaSの活用に応じた請求金額の多寡を指している。例えば全機能使える場合のベース料金や、IDごとの単価である。

上記のように、サブスクリプションの対象や機能、さらに価格を整理し、プライシングを設定していくことになる。

7 プライシングにおける制約条件

課金モデルとサブスクリプションの構成要素を元にプライシングの議論を進めていく上で、前提として確認すべき制約条件がある。そこで、プライシングの具体的な決め方に入っていく前に、制約条件にどのようなものがあるのか、確認していきたい。

まず、SaaSの要件が決まっていても、それをどのように送り届けるかは別論点である。提供価値に応じたプライシングを設定し、売上を立てるスタンスを取るのか、それともできるだけ多くの人に使ってもらいたい、その一心で無料で提供し、その後他プロダクトへのクロスセルなどで売上を担保していくのか。提供するSaaSに対する企業のスタンスにより、プライシングも大きくその様相を変える。しかも、この論点については細かなインプットを元に方針をかたどるわけではなく、経営陣などの意思決定権者に一声かけて、SaaS立ち上げの狙いを確認するだけで良いことも多い。考え始める前に一度立ち止まって、なぜSaaSを立ち上げるのか振り返ると、ヒントになることがある。

次に、他にも大きな制約条件として、SaaSなど異なるプロダクトを展開している場合、既存プロダクトのプライシングとの整合性を担保する必要があるか否かが挙げられる。ターゲットとする市場や既存プロダクトのフェーズなどの差異を元に、既存プロダクトのプライシングを意識すべきかどうか確認したい。もし意識すべきであれば、既存プロダクトのプライシングの背景や課金モデル、サブスクリプションの構成要素をどのように捉え、どのようなサブスクリプションを設定しているのかを詳細に知ることから始めるべきである。新たにプライシングを行う上で、既存プロダクトのプライシングを参考にすれば、検討をショートカットできうるだろう。

このように社内におけるプロダクトの位置付けや、すでに展開している既存プロダクトとの整合性など、制約条件になりうる要素が多岐に亘っており、1つずつ丁寧に確認していくべきである。これら1つ1つを確認せずに具体的なプライシングに関する調査を進めてしまうと、後々前提が大きく覆り、方針転換が求めれる可能性が高い。プロダクトのプライシングを行う前に、そもそも決まっていることも多いため、事前にしっかり確認した上で必要な調査設計を行い、プライシングの決定に向けて最短経路を歩みたい。

8 プライシングにおける定性調査の目的と方法

ところで、ウィリングネストゥペイ（Willingness to pay、以下WTPと表記する）という言葉を聞いたことはあるだろうか。直訳すると「支払う意思」である。WTPとはSaaSなどのサービスを利用する上で、ユーザがいくらまでなら支払っても良いと思っているかを意味する。プライシングを決める際に定性調査を実施する目的は、このWTPを明らかにすることと言っても過言ではない。

もう少し行間を読み取ってWTPを意訳すると、「潜在ユーザにSaaSの価値を感じてもらい、ビジネスパートナーとして選んでもらえる価格」を指す。このWTPを明らかにしていくには、リリースを控えたSaaSを潜在ユーザに見てもらったり、活用してもらうことで、ユーザが実現する価値の確認を行い、それに対し適切な対価を浮き彫りにしていくことになる。誠心誠意潜在ユーザと向き合い、プロダクトを通してどれだけ価値を感じてもらえるのか、それをプライシングに置き換えて、ビジネスパートナーになれるのかについて、お互いシビアな目で検証していく。この潜在ユーザへのインタビューはサブスクリプションの構成要素を決めていく上で、最も重要なインプットの1つになるので、丁寧に進めたい。

また、このインタビューで互いに良い議論ができたと感じた場合、単なる潜在ユーザではなく、中長期的にプロダクトを事業にしていく上で欠くことができないロイヤルカスタマーになる可能性を秘めている。そのため、単なる定性調査と思わず、実際の商談以上の気持ちで望むべきだろう。

上記WTPの位置付けを踏まえた上で、具体的なWTPに関する定性調査の方法論をまとめていきたい。同じ定性調査であり、事前/深掘り調査の中で確認したPart3 Chapter3 Section3「深掘り調査の方法」と重複するところが多いので、少し戻って比較しながら読み進めると、その理解が深まるかもしれない。

まず、再確認になるが、プライシングにおける定性調査のゴールはSaaSを利用する潜在ユーザにいくらまでなら購入してもらえるかというWTPを確認することに尽きる。すでに実施した業務内容やその市場、課題の抽出が目的だった事前/深掘り調査のインタビューに対して、その理解を踏まえSaaSを設計し、その要件が潜在ユーザにとっていくらの価値を生み、いくらまでなら支払ってもらえるのかを確認することになる。

次に、定性調査の対象であるが、これはリリース時の要件に価値を感じてもらえる潜在ユーザを洗い出すことになる。このタイミングでは明らかに価値を感じてもらえる潜在ユーザだけに限定せず、少しでも価値を感じてもらえる可能性のある潜在ユーザまで広げて抽出することが重要である。この洗い出しを踏まえ、事業規模や業種などでセグメンテーションを行い、それぞれのセグメントに対して数件ずつ潜在ユーザをリクルーティングし、インタビューを実施していくことになる。

対象が決まったら次はインタビューする内容である。これは事前/深掘り調査で実施したインタビュー項目にもあるように、まず業務内容を確認するところから始まる。そして、利用意向や価格受容度を確認していくことになる。具体的には以下の3点[※10]をヒアリングしていく。

- いまどのようにその業務をしているのか？
- 今回のプロダクトの提案を行い、利用する意向はがありそうか？
- 利用する上で、いくらまでなら検討に乗るか？

上記の問いに回答してもらえたからと言って、そこでインタビューは終わりではない。その回答に対して理由や詳細をひたすら深掘りし、潜在ユーザがなぜ利用したいのか、どのように利用しようとしているのか、できる限り具体的にイメージできるところまでしっかり聞くことが重要である。特に3つの目の質問で直接WTPを確認しているが、これも同様にできる限りその理由や意思決定に至った思考プロセスを1つ1つ確認しながら、言語化していってほしい。この深掘りこそがプロダクトを通して潜在ユーザと対話することであり、これによって初めて潜在ユーザが感じる価値の言語化とその金銭的価値への置き換えが可能になるのである。

さらに、WTPを聞いた後、その理由の深掘りを行うと、何にWTPが左右されているのか、その対象が浮き彫りになる。具体的には、現状活用しているSaaSや利用している目的は違うが機能の多寡などから同じレベル感にあるSaaSなどの大まかな価格観だったり、新たにSaaSを活用することで削減できる人件費などを想定して、回答されることが多い。つまり、実際の商談に近い形で、新規SaaSを提案することで、潜在ユーザが自身の事業規模、業種、活用している競合プロダクト、そして独自手法にかかるコストなどに立ち返って、今回の新規SaaSの価値を再認識していることに気付く。この潜在ユーザが感じた価値に関する理解を蓄積し、数十件程度インタビューを実施

[※10] 参照 『ジョブ理論　イノベーションを予測可能にする消費のメカニズム』（クレイトン・M・クリステンセン、タディ・ホール、カレン・ディロン、デイビッド・S・ダンカン［著］、依田 光江［訳］、ハーパーコリンズ・ジャパン、2017/8）、p.50〜p.85：第二章「プロダクトではなくプログレス」

したタイミングで、その傾向を抽出し、潜在ユーザ群のようなユーザセグメントを見出していくことになる。なるべく安易な抽象化を行うのではなく、個々のユーザの具体性の中にある共通項を丁寧に見出し、他の潜在ユーザにも当てはまりうるのか想像し、ユーザセグメントとしてまとめても一般性があるものか確認しながら整理を進めたい。

一通りWTPの確認に向けた定性調査のプロセスが整理できたので、実際進める上で陥りやすい注意点を3つほど紹介しておく。

まず、SaaSに対する評価は機能面だけの話に閉じるものではない。そのSaaSを導入したことにより業務に対するモチベーションが上がったり、そのSaaSを通してアウトプットすることで部署間の関係性が好転するなど、感情や組織的な効用もありうる。時として機能面による効用よりも大きな意味を持ちうることすらあるので、これらの点も留意しながらインタビューを進めたい[※11]。

次に事業規模、業種や、活用している競合プロダクトなどによりWTPとその理由を整理していくことを説明したが、当然立ち上げるSaaSが対象とする業務によって整理を進める上での軸が変わる。インタビューを進めていく中で、仮説に変更が出てきて、新たに軸を設定することもありうる。直接聞いた潜在ユーザからの声を率直に受け止め、様々な観点で仮説検証を繰り返してユーザセグメントを導出してほしい。

最後に、定量調査などを行い、全体像を踏まえた上でいきなりユーザセグメントを見出していく演繹的な手法もありえる。しかし、よほどSaaSが対象とする業務に精通していない限り、実際の業務やWTPに関する捉え方は多種多様で、いきなり仮説構築ができるほど甘くはない。対象業務の実務経験があったり、帰納的にWTPの把握を行ったりして十二分に業界理解がある

[※11]　参照『ジョブ理論　イノベーションを予測可能にする消費のメカニズム』（クレイトン・M・クリステンセン、タディ・ホール、カレン・ディロン、デイビッド・S・ダンカン［著］、依田 光江［訳］、ハーパーコリンズ・ジャパン、2017/8）、p.138～p.146：「感情面の配慮」

場合を除き、ゼロベースで潜在ユーザとの対話を楽しみながら、自信を持ってプライシングを進めてほしい。

9 プライシングにおける定性調査の誤謬

綿密にプライシングの定性調査を進めていくと、WTPがアンカリングしているものなどをベースにユーザセグメントを導出でき、それを元にプライシングを決めていくことになる。何気ないこのプロセスに実は大きな誤謬が発生している可能性がある。それは、インタビューした潜在ユーザについて振り返ると、その原因が見えてくる。WTPに関するインタビューを行った潜在ユーザはあくまで潜在ユーザであって、今すぐ導入検討をしたいユーザばかりではない。そのため当然検討対象となる業務を自分がどう進めているかはわかるが、SaaSを用いて業務の効率化を検討したわけではなく、そもそも効率化の手段についてあまり詳しくないことも多い。このようなインタビューと実際の商談では周辺知識に対してギャップがあり、インタビューを受けている瞬間は正しいと思ってインタビュイーは意見してくれていることだが、実際の商談という場においては一歩差し引いて評価すべき場合もありえる。具体的にはインタビュイーが新規SaaSの詳細を聞いて、その革新性に感銘を受けて、非常に高いプライシングでも購入意欲があるような発言をすることがある。しかし、実際の商談時には競合プロダクトの要件やプライシングを踏まえて、シビアに比較されることが多いのである。

このようなギャップに対処するには2つの手段がある。1つ目はできるだけ商談を行う対象に近い潜在ユーザをリクルーティングし、集中的にインタビューしていくことである。とは言っても、話す前に適切な潜在ユーザを特定し、集中的にインタビューすることは困難を極めるだろう[※12]。とすると、もはやできるだけ多くの潜在ユーザにインタビューを行い、実際の商談に近い状況で意見をもらえる回数を担保するしかない。もう1つの回避策は、検証方法の精度を上げる方向性とは逆に、インタビューをできるだけ実際の商談に近づけることである。すなわち新規SaaSの定価をある程度決めてしまい、ベータ版として販売してみるのである。こうすることで実際の商談を行うことができ、導入を前提としたユーザフィードバックを受けて、最終的なプライシングへのインプットとすることができる。当然前者についてはインタビューの数によりプライシングの精度を高めることになるので、相当時間をかけることになるだろうし、後者についてはある程度広くベータ版として公開することで認知してもらう必要があり、今後SaaSを展開していく上で柔軟性を欠くリスクが出てくる。このようにどちらの選択肢でもメリットとデメリットを勘案の上、最適なものを選んで定性調査を進めていきたい。

10 プライシングの定量調査

定性調査を踏まえ、事業規模、業種、競合プロダクト、新規SaaSの導入により削減できるコストなどを軸にユーザセグメントを見出し、ユーザセグメントごとにWTPを確認していくことになる。このWTPがある程度見えた段階で、定量調査に進み、さらなる検証を行うことになる。

この定量調査の目的は定性調査により導出したユーザセグメントごとにどの程度市場があり、TAMとして認識できそうか把握することである。その他にも、すでに使っているSaaSや潜在ユーザが抱えている課題感などについ

[※12] 参照 『ジョブ理論 イノベーションを予測可能にする消費のメカニズム』(クレイトン・M・クリステンセン、タディ・ホール、カレン・ディロン、デイビッド・S・ダンカン [著]、依田 光江 [訳]、ハーパーコリンズ・ジャパン、2017/8)、p.169〜p.184:「衝動買いの裏に」

て定量化を行い、ユーザセグメントごとの攻略方法の検討や事業計画の策定に活用していくことになる。

11 プライシングの策定

プライシングに向けた定性、定量調査の結果を確認しながら、以下の3点について議論を行い、プライシングを策定していくことになる。

1. 価格弾力性
2. 競合他社によるリアクション
3. 市場環境の変化

1. 価格弾力性

まず、価格弾力性とはプロダクトの価格変化に対して、需要がどの程度の割合で増減するかを示す指標であり、下記の数式で表現されるものである。

$$\text{価格弾力性} = \frac{\text{売上の変化率}}{\text{プライシングの変化率}}$$

例えば、プライシングを10%高くすると、売上が20%下がる場合、価格弾力性は2となる。価格弾力性が1以上であれば、潜在ユーザは価格に対して敏感であり、逆に1以下であれば高価格への受容性が高いことになる。

この価格弾力性の原理を元に、WTPに関するプライシングインタビューや定量調査の結果を確認しながら、プライシングを上下させることで、MRR/ARRがどのように変化するのかを確認する。この作業により、プライシングをいくらに設定するとMRR/ARRが最大化されるのかを見定めることができる。もちろん小刻みに想定プライシングを1%上げたら、MRR/

ARRがどうなるか綿密に考えていく手法もありえる。しかし、私の経験則だが、プライシングを倍にしたら、ユーザ数は半分以下になりMRR/ARRは下がるのか、逆にプライシングを半値にしたらユーザ数は倍になりMRR/ARRは上がるのかなど、極端な議論から実施したほうがプライシングの収束ポイントに早く辿り着けることが多い。

2. 競合他社によるリアクション

次に、新規SaaSを出した時の競合他社によるリアクションもプライシングを進めていく上で、重要なポイントの1つである。少し極端な例だが、新規SaaSのリリース後に競合他社が戦略的にプライシングを一定水準以下に設定し、低価格路線を打ち出してきたら、新規SaaSは戦い抜けず、どこかのタイミングで撤退する可能性も出てくるだろう。このような場合に採りうる選択肢を整理しておくなど、事前に想定される競合他社の挙動はできる限りイメージを膨らませ、必要に応じて対策を検討しておくべきである。

3. 市場環境の変化

プライシングに関して、各種調査による仮説検証に基づいて意思決定を行う手法を提示してきた。しかし、一度プライシングを策定しても、その直後にリリースするわけではなく、開発の規模にもよるが、リリースまでに一定期間があることが多い。そうすると、その間に市場環境が大きく変化することがある。例えば、私がプロダクトマネージャを担当したfreeeプロジェクト管理はリリース直前にコロナ禍に見舞われた。幸いにしてクラウドを通したプロダクトであり、工数管理機能を主軸の1つに据えていたため、リモートワーク下における勤務実態の把握に一役買うことになった。私の事例は市場環境の変化によって好転した事例かもしれないが、もちろん逆に振れる可能性もある。プライシングに関する調査から状況が一変することもあるので、その場合は進めている開発を止めてでも、もう一度、プロダクトの要件の確認を行い、再度プライシング関連の調査を行うのも手だろう。

12 プライシングで陥りやすい罠

新規SaaSのプライシングを決めていくべく各種調査を進める中で、陥りやすい罠がある。これらは『Monetizing Innovation: How Smart Companies Design the Product Around the Price』（Wiley）[※13]の中で丁寧にまとめられているので、参考にしながら、3点ほど簡易に付記していく。

フィーチャーショック

まず、フィーチャーショック（Feature shock）は、生真面目なプロダクトマネージャやエンジニアに多く見られるものかもしれない。できるだけ多くの潜在ユーザに価値を感じてもらおうと、様々な機能を盛り込んだSaaSができ上がってしまうことであり、ふと潜在ユーザ視点に立ち戻った時に誰のためのものなのか不明な上に、機能過多で高額でしか売れなくなっていることを指す。このような場合には今一度潜在ユーザのユースケースに立ち戻り、潜在ユーザが感じる価値に応じたプライシングに設定し直すのが良いだろう。

もちろん、リリース当初におけるSaaSの失注要因の上位には必ず機能不足が上げられる。そのため調べれば調べるほど、プロトタイプがリッチになり、リリース日が順延されていく。その結果、いざプライシングをするとなると、高額なプランを設定せざるを得なくなってしまっている。このような罠に陥りそうという懸念を抱いた時は、今一度各種調査の結果に立ち戻ってほしい。ターゲットとなる潜在ユーザはどんな課題を持っており、今回立ち上げるSaaSによって、どんな価値を感じてもらえるのか、そのためにいくら支払えるだろうか。

[※13]　『Monetizing Innovation: How Smart Companies Design the Product Around the Price』（Madhavan Ramanujam、Georg Tacke［著］、Wiley、2016/5）

ミニベーション

ミニベーション（Minivation）とは、本当に売れるのか不安が高まり、保守的にプライシングしすぎたゆえに逸失利益を生んでしまうリスクを指す。正直、リリース時点における機能セットは潜在ユーザが価値を感じる最低限に留められているため割高と感じる潜在ユーザが多く、定価から割り引いて販売するようなことも多い。さらに、予め低く設定するような心配性な人が多いのも事実である。ただ様々なメンバーに支えられここまでSaaSを企画検討、開発をしてきたことも事実であり、今一度客観的な視点に立ち戻って、設定しようとしているプライシングを見直してほしい。

ミニベーションを回避するには、ユーザが享受する価値をベースにしたプライシングに立ち返るべきである。そして、ユーザが享受する価値とSaaSが提供する価値が、プライシングと一致するように様々な視点で確認を行う必要がある。

隠れた価値

隠れた価値（Hidden gem）は、すでに技術的にプロダクトとして成立しているにもかかわらず、社内政治やその他の理由によりリリースできないような状況に陥るリスクを指す。スタートアップや新規事業を推進する小さな組織においてはあまり見受けられないことかもしれない。しかし、大企業や政治色が強い組織においては様々な理由で事業上インパクトが予見できたとしても、変化を避けて機会を逸失してしまうことがありえるのである。

これは、プライシング以前の問題であるが、BtoC向けのプロダクトに比べて、SaaSはプロダクトマネージャ、デザイナー、エンジニアに留まらず、マーケティングからセールス、導入コンサルと関係するメンバーが多い。そのため、全メンバーを巻き込んでプロダクトの設計を推進できるプロダクトマネージャは少なく、意見を汲み取り切れず、アイデアが埋没しやすい状況にあると言える。このリスクについてはできるだけオープンな文化を維持し、ボトムアップで意見しやすい環境を維持することが非常に重要である。

13 プライシングに関する他部署連携

プライシングの決定にはプロダクトサイドだけではなく、様々なファンクションのメンバーとの協業が不可欠であることは説明した通りである。ここで忘れてはならないファンクションとして、カスタマーサポートと管理部門がある。プライシングはLPや営業を通して潜在ユーザが直接目にするものであり、この文脈でカスタマーサポートと連携が必要になる。また、課金、請求などのオペレーションを行う部門や、ユーザが新規プロダクトを利用し始めることにより売上が立つため、経理、内部統制の部門など、幅広い管理部門と連携することになる。

カスタマーサポート

潜在ユーザがプロダクトの利用を検討する上で、プラン選定やプランによる機能制限に関する問い合わせは多い。そのため、プロダクトサイドはカスタマーサポートに新規プロダクトの要件を連携すると共に、各プランで利用可能な機能セットを説明することになる。有償で利用しているユーザをサポートするのは当然である。しかし、フリーミアムプランやフリートライアルなどを展開している場合、その利用ユーザに対して、どこまでサポートするのかをサービスレベルアグリーメント（Service Level Agreement、以下SLAと表記する）として事前に確認し、LPや契約書に明記しておくべきある。

管理部門

プライシングによる管理部門への影響を説明する前に、課金、請求などのオペレーションに関して確認をしていきたい。サブスクリプションモデルを採用し、リカーリングレベニューが発生する場合、Zuora [※14] などの販売管理システムを活用することで、サービスメニューや製品マスタを登録し、受

[※14] URL https://www.zuora.com/

注したタイミングで有効化を行い、プロダクトの利用と併せて請求を行えるようにするのが一般的である。そのため、販売管理の維持、メンテナンスを担当している管理部門と連携することになる。新しい課金モデルやプランを導入する際は、その方式から開発及び業務フローの構築が必要になるため、相当事前に連携し検討し始めなければならない。また、この手の部署が存在しない場合はSaaSの立ち上げ要件に、課金、請求フローの開発、運用プロセス構築が入るので、注意してほしい。SaaSの提供企業として売上を請求し受け取る重要な機能にも関わらず、実際にユーザが価値を感じる機能ばかりに焦点を当ててしまい、結果的に対応が漏れがちで後回しにしてしまうことが多い。しかしせっかくユーザが導入を決めて使ってくれているにも関わらず、請求漏れが起こると利用料を受け取ることができなくなり、企業の信頼にも影響をきたす恐れすら出てくる。利用料を受領するまでがプロダクトであるという意識を持って、リリースを迎えたい。

次に、新規プロダクトの売上計上に関して、経理などの管理部門と連携することになる。単純にリカーリングレベニューが発生するだけであれば、特段問題になることは少ない。しかし、売上の立て方がユーザから利用料を支払ってもらう以外に、アライアンスしている企業とのレベニューシェアなど特殊な座組の場合、経理上どのように売上を認識していくべきかを確認しておく必要が出てくる。また、計上するまでの流れの中で、内部統制として論点がないか担当者に事前に確認しておくと良いだろう。

このようにプライシングに関係する部門は非常に多岐に亘るため、少しでも関係があると思ったら、プロダクトマネージャ自ら今回のプライシングを決めるに当たり、関係者を巻き込み、問題点や課題がないか確認を心がけたい。

Chapter 3 事業計画

改めて事業計画の定義を確認すると、企業のミッション・ビジョンや、プロダクトビジョンの下に、どのように事業成長させていきたいか、もしくは事業成長していくかについて売上、費用、営業利益などの見通しをシミュレーションしたものを指す。事業計画はビジネスケースや収支計画などとも呼ばれることがあるが、ここでは事業計画と呼ぶことにする。

本Chapterでは、SaaSにおける事業計画の要素を洗い出し、その策定方法を確認していく。

1 事業計画の目的とSaaSにおける事業計画の特徴

まず、事業計画の目的は、新規事業への投資の意思決定やリリース後に新規SaaSを担当するビジネスサイドの目標設定に活用されるものである。そのため、厳密な財務三表を作成することを意図しておらず、事業ごとに売上、費用、営業利益までの収益に関するシミュレーションを行うことを意図している。

事業計画に類するものとして、財務計画がある。これはプライベート・エクイティやベンチャーキャピタルなどが買収や投資を行う上で、ファイナンスや会計の知識を元に行うもので、綿密な財務モデリングを通して行われる。本書で取り扱う事業計画は事業ごとに売上、費用、営業利益に関する概算を押さえて、投資やリソース配分に関する意思決定を行うためのライトなもので、財務計画とは異なるので、注意されたい。

では、SaaSによる事業を対象にした事業計画にはどのような特徴があるのだろうか。ここでは、ビジネスモデルとしてサブスクリプションを採用していることを前提として議論を進める。

1. MRRを起点とした事業計画の策定
2. 事業展開のリードタイムの勘案

1. MRRを起点とした事業計画の策定

まず、最大の特徴として、サブスクリプションであることにより、リカーリングレベニューが発生する。そのため、MRR/ARRを活用にしたほうが事業を捉えやすい。また、MRRを12倍することで、簡易的にARRに概算することも可能であるため、ここではMRRを起点に事業計画の策定を進めていく。MRRのほうがARRよりもリカーリングを想定している期間が短く、売上と近似になるためシミュレーションをしやすいというメリットもある。

ちなみに、厳密には月中での新規ユーザの獲得や解約により売上とMRRは異なる。しかし、本書では議論を平易にするため、MRR＝売上として解説を進めていく。なお、今回売上をMRRと捉え、サブスクリプション以外の売上がないと仮定を置いているが、例えば導入支援時のサポートを有償にしており、単発の売上が立ち、かつ事業全体にインパクトがある場合は別途試算すべきである。

2. 事業展開のリードタイムの勘案

事業計画を立てる際、期間は3〜5年程度で策定することが多く、本書でも3〜5年を前提とする。特にSaaSの立ち上げの場合、急速に事業化していくことは少なく、BtoBの特徴でもあるが、一般的に徐々にユーザ獲得が進み、ユーザが累積されることで事業成長していく。例えば、プロダクトをリリースしてから、プロダクトマーケットフィットを勝ち取るまで少なくとも1〜2年かかることが多いのである。そのため、1〜2年程度の事業計画ではリリースして、少数のユーザ獲得ができた段階に留まり、事業としての評価に耐えない。そのため、3〜5年分事業計画を作成することで、テストマーケティングから最終的にグロースし、マネタイゼーションしていくまでの流れを表現していくのが一般的と言える。

2 事業計画におけるMRRと費用の分解

事業計画を作成するに当たって、MRRと費用の見通しを立てていくのだが、直接MRRと費用自体の見通しを行うのは困難である。そのため、MRRと費用を構成要素に分解していくことにより、その見通しを試算しやすくしていくことになる。具体的には、各構成要素についてファクトを収集し、試算を進めていくのである。

MRR

よく売上を分解する時に使われる軸であるが、MRRも同様に単価とユーザ数に分解できる。リリース初期ということもあり、ユーザによって単価は変わらないという前提を置き、ここでは、ユーザ数に着目する。ユーザの業界、業種、規模等による分解、ユーザの課金チャネルによる分解などの考え方があり、これらを詳述していく。

1点目として、新規獲得と解約による分解からユーザ数を捉えていく。新規受注を獲得すれば、ユーザ数は増加するし、ユーザが解約すると、ユーザ数は減少する。この原理を元にユーザ数を分解し、リリース後1年、3年などのマイルストーンを置いて、達成すべきMRRを策定することで、どの程度新規ユーザの獲得をすべきか、またどの程度の解約に抑えるべきかをシミュレーションすることができる。

昨今、新規獲得と解約を考える上で、Committed MRRという概念も出てきている。これは、毎月解約できる契約でなく、1年など長期を想定した契約であり、長期に渡ってMRRが認識できるケースを指す。全ユーザにおけるCommitted MRRの比率、つまり長期契約の比率が上がれば、当然解約率も下がる。このインパクトを定量的に把握する上で、単月契約と長期契約を分解することもある。

2点目は販売ファネルによる分解である。これは潜在ユーザをリードとして認識してから発注に至るまでの過程を意味している。SaaSの販売において、このファネルは細かく定義されている。まず、マーケティング活動によりメールアドレスを取得するなどして、何らかの形で潜在ユーザにアクセスできる状態になったものをマーケティング・クオリファイド・リード（Marketing Qualified Leadを指し、以下MQLと表記する）と呼ぶ。MQLに対して商談機会を取りつけられたものをセールス・アクセプティッド・リード（Sales Accepted Leadを指し、以下SALと表記する）と呼ぶ。さらに、SALに対して次の提案を行い、商談を進めていくことになったものをセールス・クオリファイド・リード（Sales Qualified Leadを指し、以下SQLと表記する）と呼ぶ。そして、最終的に受注に至り、その後は導入支援やカスタマーサクセスのフェーズに移行していくことになる。このように、MQL、SAL、SQL、受注に至るファネルに分解することで、想定しているMRRを達成する上で、どの程度MQL、SAL、SQLが必要か、また現実的に獲得できる水準を元に、どの程度ユーザ数を積み上げていけそうかなどを試算することになる。

3点目として、ユーザの業界、業種、規模等による分解を確認していく。これは非常にわかりやすく、ターゲットに据えた潜在ユーザをユーザセグメントごとに分解することを意味している。ユーザセグメントに応じたTAMの確認や新規の受注率などを試算でき、ユーザ数の精度が上がることになる。

最後に、特に低単価なプロダクトやコンシューマプロダクトとしても活用されるSaaSの場合、ユーザ自身が課金し、利用し始める自然流入をある程度見込まないとそもそも求められる成長カーブが実現しない場合がある。この場合、課金導線の最適化などのテックタッチの強化に比重を置き、開発を進めることもあるので、チャネル別に新規ユーザの獲得を分解しておくことが有用なケースもある。

これらの分解を組み合わせ、最終的にMRRを試算していくことになる。そして、冒頭でも述べたように必要に応じてARRの概算を行うこともある。また、MRRはある月におけるリカーリングレベニューの累積額になるため、この定義を利用して、翌月の売上を概算することもある。

なお、今回詳述はしなかったが、リリース初期であったとしても利用ID数などによる課金を行う場合、ユーザの従業員数などによって単価は大きく変わる可能性がある。このようなケースでは潜在ユーザをユーザセグメントに分解する際、従業員規模による分解を入れることで、ユーザセグメントごとの単価を概算でき、最終的にMRRの試算に至ることができる。

費用

費用はMRRほど複雑ではなく、平易である。大きく売上原価と販売管理費に分けることができる（表5.3.1）。

まず、売上原価はソフトウェア開発費やクラウドコンピューティングなどの費用やサポート費用を指す。

次いで、販売管理費はセールスとマーケティングを進める上で必要になる。また、開発やサポート、ビジネスサイドの体制を作ることになるので、人件費も合わせて確認していきたい。

なお、プロダクトサイド、ビジネスサイド共に体制を整える上で予算を積んでおき、事業計画に反映させておくことは当然だが、忘れずに採用計画とも同期させておきたい。というのも、プロダクトサイド、ビジネスサイドに関わらず、SaaSの立ち上げ経験がある人を採用することは難しく、早めに動き出さなければ、予算だけが手元に残るという事態に陥りかねない。また、社内で異動して体制を構築するにしても、異動者の元のポジションを埋める採用が必要になる。予算を組んだからと言って、体制だけは確実に構築できるものではないので、できるだけ早めに動き出したい。

				リリース後の経過月数											
				1年目				2年目				3年目			
				1	2	…	12	1	2	…	12	1	2	…	12
MRR															
	業種A	累積MRR													
		単価													
		累積ユーザ数													
		新規ユーザ数	受注数												
			SQL												
			SAL												
			MQL												
		解約ユーザ数													
	業種B	累積MRR													
		単価													
		累積ユーザ数													
		新規ユーザ数	受注数												
			SQL												
			SAL												
			MQL												
		解約ユーザ数													
	合計	累積MRR													
費用															
	業種A	売上原価	開発費												
			サポート費												
		販売管理費	マーケティング												
			セールス												
		小計													
	業種B	売上原価	開発費												
			サポート費												
		販売管理費	マーケティング												
			セールス												
		小計													
	合計														
利益															
	業種A														
	業種B														
	合計														

表5.3.1：SaaSビジネスの事業計画のテンプレート

MRRと費用について、それぞれ分解してみたが、当然それらに関係性もある。例えば、リリース初期においてユーザ獲得に向けた開発を進めたり、マーケティングやセールスも新規ユーザ獲得に集中するケースが多く、ソフトウェア開発費や販売管理費の多寡によって、新規ユーザの獲得数は変化するだろう。また、ユーザ数に応じて問い合わせ数やクラウドコンピューティングなどの費用が変化することになる。このように、構成要素間の関係性を確認しながら、MRRと費用の分解を行っていくと良い。

では、どこまで細かく分解し、精度を追求すれば良いのだろうか。この手の分解はやろうと思えば、無限にできてしまう。

そもそも新規事業を立ち上げる機会はそれほど多くなく、事業計画を策定しなければならない場面も限られている。また一定規模の事業になると、事業計画の策定は、より専門性の高い業務になり、事業企画や経営企画などの部署に所属している元戦略コンサルや元バンカーが担うことも多い。そのため、新規事業を立ち上げる際、初めて事業計画の策定を担う人も珍しくないだろう。このような状況下において、適切な粒度にMRRと費用を分解し、求められる精度でスケジュールを意識して進めることは簡単ではない。

そこで、まずは一般的な事業計画を元に今回対象となるSaaSの特性に合わせて、MRRと費用の分解を事業計画のテンプレート（表5.3.1）を活用し、フォーマットを作成し、関係者間ですり合わせを行うと良い。このように本格的に作業に入る前に、MRRと費用について分解の方針と分解の粒度がある程度決まることで、後はどうシミュレーションを組んでいくのか、また組む上で、どのように精度を上げていくことになるかに焦点が当てられることになる。

3 事業計画策定における2つのアプローチ

事業計画のシミュレーションを組んでいく上で、大きくトップダウンとボトムアップの2つのアプローチがある（図5.3.1）。前者はMRRを起点に分解していく形で、シミュレーションを組んでいくことになる。後者はマーティングやセールスの予算や体制から獲得しうるMQLや対応できるSAL数などを元に新規ユーザ数を試算し、翌月以降の継続率や解約率を活用し、ユーザ数を集計していき、最終的にMRRを算出していく。

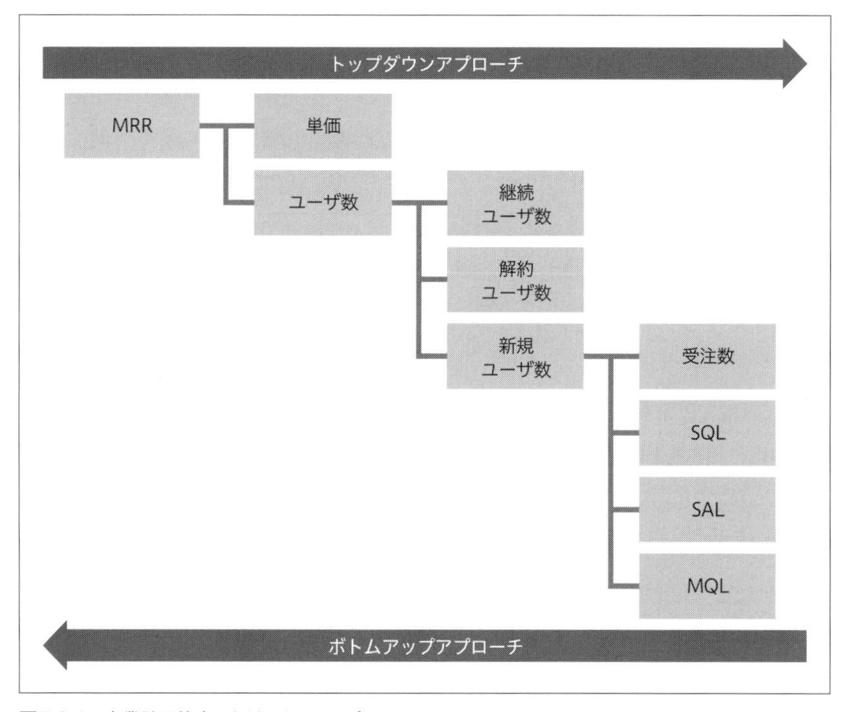

図5.3.1：事業計画策定における2つのアプローチ

この2つのアプローチはどちらが正しいというわけではなく、事業計画を策定していく上で目的に応じて使い分けられる。

例えば、トップダウンアプローチを活用し、目標とすべきMRR（単価とユーザ数）を置き、継続/解約率を一定とすると、毎月必要な新規ユーザ数、ひいてはMQL、SAL、SQLを把握できる。さらに、MQL、SAL、SQLを獲得し、受注に繋げていく上で必要なマーケティング、セールス予算や体制を検討することができる。目標となるMRRが必達であり、投資を厭わないスタンスであれば、トップダウンアプローチのほうが適していると言える。

逆に、ボトムアップアプローチを採用すれば、確保できるマーケティング、セールス予算や体制を元に、獲得できるMQL、SAL、SQLを試算し、新規ユーザ数を算出し、単価や継続/解約率を一定にすることで、実現しうるMRRの目安を確認できるようになる。現状の予算や体制の元にどこまでMRRを積み上げていくかを確認した上で、必要な投資を行っていきたい場合には、このボトムアップアプローチが適している。

また、最初はボトムアップアプローチで事業計画を作成しつつ、目標となるMRRを固めてから、逆にそのMRRを元にトップダウンアプローチを活用し、必要なマーケティング、セールス予算や体制を精査することもある。

4 事業計画の精度向上に向けたインプット

図5.3.1の通り、MRRを分解していくと、単価とユーザ数や、最終的にはMQL、SAL、SQLなど細かく構成要素を分解できる。継続ユーザ数、解約ユーザ数、受注数、MQL、SAL、SQLなど、それ以上細かく分解していない構成要素は何らかの調査結果などのインプットを採用することで、客観性を高め、事業計画の精度を向上していくことになる。

そのインプットとしてよく活用されるものを4点ほど列挙し、紹介しておきたい。

1. 民間、公的機関が実施した既存の調査結果
2. 定性/定量調査
3. 競合調査
4. 社内の既存プロダクトの状況

1. 民間、公的機関が実施した既存の調査結果

Part3 Chapter2 Section2「初期調査の進め方」で紹介した通り、民間、公的機関が様々な観点で調査レポートを発行している。対象となる業種や業務に特化したレポートがあれば、市場規模やターゲットとなりうる潜在ユーザ数を把握できることがある。これによりTAMを把握し、目標となるMRRをどの程度に設定するのか議論を進めていくことになる。

2. 定性/定量調査

新規SaaSを立ち上げる上で、事業計画を策定するまでに事前/深掘り調査やプライシング時の調査を実施することになる。特にプライシングの定性調査ではターゲットに据えている潜在ユーザに現状の業務内容と新規SaaSのリリース時に購入可能性があるかなどを確認する場である。SALからの受注率を勘案する上で有用だろう。また、定量調査に至っては購入可能性がある潜在ユーザを定量的に把握するため、TAMからSALなどへの転換率の把握に役立つと思われる。

プライシング調査に先んじて、事業計画の作成に取り掛かることもある。この場合、まずは仮説をベースに売上と費用の分解を行い、事業計画のフォーマットの策定から進めていく。そして、分解された構成要素に値や数式を入れる上で必要に応じて各種調査を進めることが多い[※15]。そのため、

[※15] 参照『リーン・スタートアップ　ムダのない起業プロセスでイノベーションを生みだす』（エリック・リース［著］、井口 耕二［訳］、伊藤 穰一［解説］、日経BP、2012/4）、p.112～p.119：「戦略は仮説について基づいている」

事前の調査がなく、事業計画策定の初動に苦労するかもしれないが、プライシングを意識せず、事業計画のために調査ができる点でゼロベースで最短距離で事業計画の策定ができるのである。

3. 競合調査

競合他社が上場企業であれば、競合プロダクトの導入者数や四半期ごとの新規ユーザ数などを把握することができる。また体制面についても単一プロダクトを運営している企業であれば、従業員数とプロダクトサイドとビジネスサイドの比率さえ把握できれば、どの程度の開発体制か、マーケティング、セールス体制を組んでいるか想像できる。運良く体制と新規ユーザ数などが把握できれば、ボトムアップアプローチで事業計画を組んでいく際、非常に有用なベンチマークになるだろう。

また、競合他社のHPにはよく導入事例としてユーザのインタビュー記事などが掲載されていることがある。これと競合プロダクトに関する調査を合わせて見返すことで、どの程度機能セットを兼ね備えていれば、どのようなユーザから発注してもらえるかという肌感覚を掴むことができる。また、競合プロダクトと新規SaaSとの機能の差分を踏まえ、潜在ユーザが抱えている課題を解決しうるのか、そして発注してもらえそうなのかを把握する上で有用だろう。

競合他社の情報は外からアクセスするには制限があるので、業界や業種における有識者インタビューなども併せて活用していきたい。

4. 社内の既存プロダクトの状況

新規SaaSを立ち上げる前にすでに社内で他プロダクトを運営している場合、プロダクトこそ異なるが、MQLの獲得効率や、SAL/MQL、受注/SALの割合など、ビジネスサイドにおける主要な変数をベンチマークとして参考にできる。

また、1ユーザ当たりの問い合わせ数やSaaSを運営していく上でのクラウドコンピューティングなどの費用についても、他プロダクトの値を参考として活用すると良いだろう。

上記のような4つのインプットを元に事業計画の項目を埋めたり、数式を入れたりすることにより、シミュレーションを行う。事業計画の目的でも触れた通り、事業計画は体制や予算の意思決定に活用され、ビジネスサイドのOKRなどに使われることが多いため、できる限りこれらのインプットを活用し、客観性を強めたものにすべきだろう。

とはいえ、あくまで見通しであるため、前もって完全なものを作り上げることはできない。また、できたとしても、相応の時間がかかることになるだろう。事業計画は精度を上げようと思うと、やれることが無限に出てきてしまう。そのため、事業計画のフォーマットをすり合わせた後も、シミュレーションを作成し終わってから関係者を集めすり合わせを行うのではなく、参考にするインプットの洗い出しと活用の仕方なども共有し、共通認識を持ちながら、最終的な策定に駒を進めていくべきである。

5 事業計画作成後の確認ポイント

ここまで事業計画を策定していく上で、MRRと費用の分解を行い、事業計画のフォーマットに落とし込み、個々の構成要素を試算していく手順を示してきた。これらの業務やアウトプットは関係者間でも解釈や認識の差を生みやすいものなので、適宜共有の場を設けながら作業を進めていくことになる。そのため、定期的に確認することになるのだが、改めて事業計画の最終化を行う上でのチェックポイントを3点ほど上げておきたい。

1. シミュレーションにおける集計ミスの有無確認
2. MRRと費用の妥当性
3. プライシング、販売戦略との整合性

1. シミュレーションにおける集計ミスの有無確認

時としてシミュレーションを作成していると、大きな集計ミスを看過することがある。あまり注意せずに数式を複製することに起因することが多い。ありきたりだが、そのようなミスを防ぐためにMRRや費用などを業種単位で合計したり、月ごとに集計しているものを年次でまとめてみたりすると、異常な集計結果を発見しやすい。また、数値で確認するのではなく、チャートに起こして可視化すると異常値を検知しやすくなるので、ぜひ活用してほしい。

2. MRRと費用の妥当性

事業計画上、最も重要な項目はMRRと費用である。シミュレーションを行う上で毎回確認を行う項目だと思うが、改めて確認してほしい。意思決定者は少ない費用で多くのMRRを積み上げたいという思いがあり、一方で担当者は潤沢に予算を積んでおき、現実的なMRRを設定したいと思う傾向にある。つまり、シミュレーションの過程で、MRRと費用は様々な関係者の視点から紆余曲折することが多い項目となる。事業計画を最終化する前にMRRと費用、そしてこれらの関係が妥当なものか確認すべきである。

プロダクトの特性上、MQLの獲得が困難でマーケティング費用や、一定の専門性がなければ問い合わせ対応ができずサポート費用がかさんだりすることがある。このような特殊要因を事前に確認し切れず、リリース後に発覚してしまうと、改めて他プロダクトと比較され、費用が悪目立ちしてしまい、予算が配分されにくくなってしまう危険性も出てくる。そのため、プロダクトの特性が加味されたMRRと費用になっているかも確認ポイントである。

3. プライシング、販売戦略との整合性

Part5 Chapter1 Section1「ゴー・トゥ・マーケット戦略とは」でも確認した通り、事業計画は独立したものではなく、プライシングや販売戦略との整合性が担保されていなければならない。プライシングを元に事業計画上の単価が設定されており、逆に事業計画のシミュレーション過程を確認しなが

ら、ユーザ数を伸ばすべく、プライシングを下げたり、上げたりして調整を図ることもある。

また、同様に販売戦略上、妥当なものになっているかなどについて確認すべきである。例えば、新規ユーザ獲得が毎月向上していくように設定されているが、マーケティングやセールスの予算や体制が強化されていないと急激には向上しない。なぜならば、予算が一定だったとしてもMQLやSAL、SQL、受注などの獲得効率の改善は、大幅に新規ユーザ獲得を向上させるものではないことが多いからである。このような視点で、販売戦略と事業計画が論理的に破綻していないか確認してほしい。プライシングと販売戦略の整合性については、販売戦略を説明した後、再度詳述を行う。

上記3点の確認ができ、事業計画の最終化ができたら、直接的な関係者以外にも共有することがありえるため、事業計画やその策定に向けインプットとして活用した各種調査の資料などはまとめて閲覧できるようにしておくと良い。

Chapter 4 販売戦略

ゴー・トゥ・マーケット戦略の最後の論点である販売戦略について言及していきたい。ある程度事業計画ができると、販売戦略の策定も並行させて進めていくことになる。ここでは、SaaSの立ち上げ時に主要な役割を担うプロダクトマーケティングマネージャを紹介し、販売戦略策定の概要を示す。

1 プロダクトマーケティングマネージャとは

［※16］［※17］［※18］［※19］

販売戦略の内容に入る前に、販売戦略の中心的な役割を担うプロダクトマーケティングマネージャを紹介することから進めていく。

［※16］ 参照 ProductZine『プロダクトの価値を届けるPMMの役割とは？ 事例に学ぶ、仕事の進め方』
URL https://productzine.jp/article/detail/194

［※17］ 参照 『Product Marketing Debunked: The Essential Go-to-market Guide』（Yasmeen Turayhi、Cali Schmidt［著］、Createspace Independent Pub、2018/8）

［※18］ 参照 『INSPIRED 熱狂させる製品を生み出すプロダクトマネジメント』（マーティ・ケーガン［著］、佐藤 真治、関 満徳［監訳］、神月 謙一［訳］、日本能率協会マネジメントセンター、2019/11）、p.82～p.84：「プロダクトマーケティングマネージャ」

［※19］ 参照 State of Product Marketing 2019/2020
URL https://productmarketingalliance.com/state-of-product-marketing/
https://productmarketingalliance.com/state-of-product-marketing-2020/

まず、プロダクトマーケティングマネージャの究極のゴールは、プロダクトを正しいタイミングでターゲット顧客に届け、確実に継続利用してもらえるようにすることである。具体的にはプロダクトが想定する潜在ユーザがどのような課題を持っているのか、なぜ持っているのかをしっかり深掘りしていくことになる。これだけ聞くと、すでに紹介したPart3 Chapter3「深掘り調査」やPart5 Chapter2 Section8「プライシングにおける定性調査の目的と方法」と似ている。そのため、理想はプロダクトマネージャを中心としたプロダクトチームと協働し、あらゆる調査を共有しておくべきである。しかし、組織的にプロダクトマネージャよりもプロダクトマーケティングマネージャを構成する組織のほうが小規模であることが多く、新規SaaSの企画検討時期からアサインされることは少ない。現実的にはプライシングに関するインタビューを始めるあたりで参画し、ユーザストーリーマッピングを起点にキャッチアップを進めることになる。直近で確認したプライシングの策定と販売戦略は表裏一体であり、双方を行き来しながら詳細を決めていくことになるので、このタイミングまでには参画してもらい、協働していきたい。

ついでに、役割が近いプロダクトマネージャとの違いを明確化するために極端な説明をすると、プロダクトマネージャが新規SaaSの要件を策定していくのに対して、プロダクトマーケティングマネージャはプライシングや販売戦略など、新規SaaSを市場に対してどう届けていくのかに焦点を当てることが多い。わざと極端な説明と断ったのは、既存事業で一定規模に達している場合、上記のように明確にプロダクトマネージャとプロダクトマーケティングマネージャの役割を分岐させる傾向が強いからだ。逆に新規SaaSの立ち上げのようなタイミングだと、リリースまではプロダクトマネージャが1人でやりきるような場合も見受けられる。また、起業して新規SaaSを立ち上げるような場合においてもプロダクトマーケティングマネージャを専任で採用するようなケースは稀だろう。

しかしながら、新規SaaSの立ち上げ時にプロダクトマーケティングマネージャが欠くことのできない理由は2つある。

まず、SaaSを立ち上げるには、多くのビジネスサイドのメンバーとの協働が不可欠である。この協働を機能させていくにはプロダクトマネージャ、デザイナー、エンジニアリングマネージャなどプロダクトチームの中心をなすメンバーと同じ目線に立ち、同じインプットを受ける必要がある。そして、リリースまで持っていく上でプロダクトサイドとビジネスサイドのハブとしてプロダクトマーケティングマネージャが機能していくことが不可欠なのである。

もう1点は、アサインされているプロダクトマネージャによってはビジネスサイドの業務に疎く、そもそもビジネスサイドと協業しながら新規SaaSの立ち上げを推進するスキルが不足しているケースがある。私自身プロダクトマネージャとしてSaaSに関わった最初のプロジェクトが新規プロダクトの立ち上げだった。当然SaaSにおけるビジネスサイドの目的や構成などすべてが初見でわからないことだらけであり、プロダクトマーケティングマネージャと役割分担することでなんとかリリースまでこぎつけることができた。このようにプロダクトマーケティングマネージャはプロダクトマネージャと対になり新規SaaSのリリースを推進していくことが役割の1つなので、ぜひアサインの検討をされたい。

2 販売戦略策定の概要 [※20]

上述したプロダクトマーケティングマネージャのゴールを実現するために、各種調査をプロダクトマネージャと協働し、販売戦略の具体化を進める。

まず、各種調査を協働すると言ったが、プロダクトマネージャとは役割が異なるため、その視点に違いが出てくる。プロダクトマネージャは要件を決

[※20] 参照 『Product Marketing Debunked: The Essential Go-to-market Guide』(Yasmeen Turayhi、Cali Schmidt [著]、Createspace Independent Pub、2018/8)

めていくことに力点が置かれるので、潜在ユーザへのインタビューによる課題の明確化や、競合プロダクトをしっかり分析し、その要件や差別化ポイントの理解が重要である。他方、プロダクトマーケティングマネージャは販売戦略の策定に力点を置く。そのため、実際の商談にできるだけ近い販売検証や競合他社による販売戦略を調査していくことになる。

販売戦略として、新規SaaSのリリース前に決めるべきことは3つある。

1. ポジショニング
2. メッセージング
3. チャネル

1. ポジショニング

ポジショニングとは、ターゲットであるユーザセグメントに対して新規プロダクトがどのように魅力的かを定義することを指す。ポジショニングを検討する上で、以下の3点が大きなインプットになるので、入念に振り返ることから始めていきたい。

- 競合他社の販売戦略や競合プロダクト自体に関する調査
- リリース時点における新規プロダクトの提供価値とリリース後の開発の方向性
- 事前/深掘り調査やプライシング策定時に実施したユーザインタビューやアンケート

その上で、競合プロダクトを洗い出し、相互の違いとなりうる観点を整理するところから始める。この違いを元に競合プロダクトのポジショニングを理解していくことになる。その上で開発を進めている新規プロダクトの提供価値や潜在ユーザからの評価を元に、どのように参入すべきか見定めていく。

また、ポジショニング策定時のタイミングで、中長期、例えば2〜3年かけて徐々にポジショニングを変えていくのか、最初に取ったポジショニングを維持するのかなど決めてしまうのは難しいかもしれないが、メンバーで雑談ベースで議論しておくと後々重宝することが多い。

2. メッセージング

メッセージングとはリリース後に販売を開始する際、LPなど潜在ユーザへ価値訴求を行うメッセージを言語化することを指す。継続的にメッセージが成立するよう、ポジショニング検討時のインプットである3点を再度確認し、総合的に練り上げていくことになる。理想としては、イノベーターやアーリーアダプターなど熱狂的なユーザが周囲の友人や同僚、同業種や同職種の人に話す時の台本となるようなフレーズをキーメッセージに織り込んでいきたい [※21]。

メッセージの具体的な設定方法は、競合プロダクトのLPを入念に読み込んで、SaaSの打ち出し方や潜在ユーザの導入事例を入念に確認することから始めると良い。特に競合プロダクトの中でも海外プロダクトはかなり強烈でわかりやすいメッセージを打つことが多いので、極端な事例として最初に拾っておくと、後から突飛なアイデアが出てきて、議論が振り出しに戻ってしまう可能性を少しは低減できるかもしれない。その上で、改めて自分達の新規プロダクトの提供価値を振り返り、具体的なメッセージに落とし込んでいくことになる。ユーザインタビューの際にプロダクトを操作して潜在ユーザがくれたフィードバックしてくれたコメントやフレーズも有力なアイデアになる。

また、昨今プロダクトの訴求方法は多様化しており、テキストだけではなく、デモ動画やプロダクトの紹介動画などを活用していることも多い。そのため、テキストによるメッセージングだけでなく、場合によって映像を活用したメッセージングも導入を検討されたい。

[※21] 参照 『「紫の牛」を売れ!』(セス・ゴーディン [著]、門田 美鈴 [訳]、ダイヤモンド社、2004/2)、p.112〜p.113：「もはやキャッチフレーズはいらない！」

3. チャネル

チャネルとは購買チャネルのことを指し、ここでは、LP以外のユーザ接点、例えばプレスリリース、セミナー、さらに販売代理店との連携や広告出稿の動向なども含む。潜在ユーザが、いつ、どのタイミングで課題を強く感じるのかを把握し、その前後にアプローチできる有効なチャネルを確認し、潜在ユーザへの最適なアプローチ手段を選択していくことになる。

各論として販売代理店をメインチャネルに据えると、自社のセールスよりも販売プロセスの構築に時間がかかることが多い。というのも、代理店主体で簡単に販売できない限り、積極的に販売してもらえず、結局販売に関する全プロセスを代理店が担当するのではなく、自社のセールスが介在することになるからである。リリース初期の代理店販売は少なくとも自社のセールスと協働して販売できることが見えてなければ、代理店からSALすら上がってこなくなってしまうので、注意が必要である。

ポジショニング、メッセージング、チャネルを個々に説明したが、1つずつ順を追って決めていくものではなく、3つの論点を循環しながら議論を進め、徐々に具体化していくようなイメージで、最終的に決めていくことになるだろう。

私が社内のプロダクトマーケティングマネージャと議論していた時に、「要は何が達成されたら新規SaaSの販売戦略として成功したと言えるのか？」と質問したところ、ズバッと、「自分達以上にプロダクトを好きになってくれる潜在ユーザがいるかどうか」だと説明してくれた。ファンになってくれた初期の潜在ユーザは業務を進める上で欠けている機能を想像で補完し、創意工夫により充足してくれる。そして、ファン自身が自分で見つけ出した新規SaaSの使い方は他の潜在ユーザにも勧めたくなる傾向が強い。これがバイラルの起点となり、潜在ユーザに広がっていくことも多いのである。飲食店といったサービス業でも開店当初からの常連がお店の方向性を作ったというストーリーを見聞きすることが多いのも、同じことかもしれない。

3 SaaSを取り巻くビジネスサイドの重要性 [※22]

一般的にSaaSの運営企業はビジネスサイドをファンクション別に分解し、組織化することで、販売業務を推進している。そのため、すでにセールス組織について著した書籍やブログは多数あるので、『THE MODEL マーケティング・インサイドセールス・営業・カスタマーサクセスの共業プロセス』(翔泳社) [※23] などにその説明を譲り、ここではSaaSの比較対象として、BtoCのプロダクトや戦略コンサルなどのプロフェッショナルサービスを挙げ、ビジネスサイドの重要性を確認していく。

まず、フリーミアムモデルを採用することが多いBtoCプロダクトでは、ユーザアクイジションを行う場合、いわゆるマスマーケティングでポジショニングを築いて、オンラインマーケティングで刈り取っていくスタイル採用するケースが多い。特に、オンラインマーケティングは1ユーザ当たりのLTVを予測するモデルを策定し、その範囲でCACを積んで、主要オンライン広告のソフトウェア開発キット（Software Development Kitのことで、SDKと略され、特定プラットフォーム上でアプリケーションを作成するために主にエンジニアが使用する開発ツールのセットを意味する）などを活用し、自動出稿を行う傾向が強い。

戦略コンサルや渉外弁護士事務所など、1件当たり1億円を超えるようなサービスを提供する企業では、いわゆるパートナーレベルの人が案件の模索、獲得に従事している。これは非常に高額なサービスになるため、そのサービス内容や提供価値を熟知し、商談の場でサービス内容のカスタマイズなどを含む柔軟な提案が求められるからである。

[※22] 参照 『ゼロ・トゥ・ワン　君はゼロから何を生み出せるか』（ピーター・ティール、ブレイク・マスターズ［著］、関 美和［訳］、瀧本 哲史［序文］、NHK出版、2014/9）、p.170～p.186

[※23] 『THE MODEL マーケティング・インサイドセールス・営業・カスタマーサクセスの共業プロセス』（福田 康隆［著］、翔泳社、2019/1）

SaaSの多くはこれらの中間となる数十万から数百万/月ぐらいのサービスを展開する。そのためBtoCほどマスマーケティングではサービス内容を訴求し切れない場合も多い。また、社内の役員クラスの人を動員して個別にセールスしても、ROIとLTVのバランスが合わなくなってしまう。そこで、SaaSの場合はマーケティング、セールス、カスタマーサクセスなど様々なファンクションが一丸となって協業し、潜在ユーザの認知を勝ち取り、受注し、最終的にSaaSの提供価値を実感してもらうことが何よりも重要なのである。

特殊な事例かもしれないが、Atlassian[※24]のように全くセールスはいないが、世界中で広く活用されているSaaSもある。これはドキュメント文化の強いエンジニアに向けたプロダクトであり、ユーザとバイヤーが一致した特殊な事例である。いくら提供価値が高いSaaSを構築できたからと言って、勝手に売れるようになることは稀有であり、販売戦略の策定とビジネスサイドを通した価値提供は避けて通れない論点なのである。

4 SaaSを取り巻くビジネスサイドの全体像

SaaSの立ち上げに必要なビジネスサイドの体制を確認していきたい。とはいえ、立ち上げ時には必要性が薄いファンクションもあり、SaaSにおけるビジネスサイドの全体像は確認しづらい。そのため、現在SaaSを運営している企業がユーザに価値を届ける上で置いているビジネスサイドの全体像を確認することから始めていく。

[※24] URL https://www.atlassian.com/ja

まず、SaaS企業で導入されている一般的なビジネスサイドの流れを確認したい。ユーザがSaaSを通して価値を感じるまでの過程を並べてみると、プロダクトマーケティング、ブランディング、マーケティング、インサイドセールス、フィールドセールス、導入支援、カスタマーサクセス、カスタマーサポートと続く。では、ビジネスサイドの各ファンクションの具体的な役割について確認していきたい[※25]。

ビジネスサイドのファンクション	内容
プロダクトマーケティング	プロダクトを潜在ユーザに届けることに責任を持ち、プロダクトマネージャと深く連携し、プロダクトのリリースに向け、販売戦略を中心にしたゴー・トゥ・マーケット戦略の策定とその実現に向けたプロジェクトマネジメントを指す
ブランディング	新規プロダクトのリリースやリニューアルについて広く発信していくことに責任を持ち、プレスイベントやプレスリリースの企画運営や、各種メディアを通してコンテンツの拡充を行う
マーケティング	MQLの獲得に責任を持ち、社外に向けてオンライン/オフラインマーケティングを活用し、プロダクトの認知を広げる
インサイドセールス	SALの獲得に責任を持ち、MQLにコンタクトを取り、商談機会を得る（簡易なプロダクトの場合、責任範囲をSQLの創出や、MRR/ARRまで広げるケースもある）
フィールドセールス	受注数に責任を持ち、プロダクトの説明機会をもらったSALに対し、一次提案を行い、最終的な受注、申込みの受付まで推進する
導入支援	受注後に導入支援を行い、ユーザに価値を感じてもらえるようにサポートを行う
カスタマーサクセス	導入支援後以降にユーザが価値を感じ続けられるように能動的にサポートを行う
カスタマーサポート	電話、メール、チャット等を通してユーザからの問い合わせなどのユーザ対応とヘルプページの作成・更新などを行う

表5.4.1：ビジネスサイドのファンクションとその内容

[※25]　参照『THE MODEL マーケティング・インサイドセールス・営業・カスタマーサクセスの共業プロセス』（福田 康隆［著］、翔泳社、2019/1）、p.79〜p.195：第3部「プロセス」

参考までにBtoCのプロダクトを比較対象に上げると、プロダクトマネージャはプロダクトをリリースし、オンラインを中心に一定のマーケティングの実施により、初期潜在ユーザの確保は比較的簡単である。だが、SaaSなどのBtoBプロダクトの場合、単純にプロダクトをリリースしても効率的にリーチできるiOSやAndroidのようなアプリプラットフォームがあるわけではなく、個別に潜在ユーザにアプローチして提案を行い、受注し、使ってもらう必要がある。これは上述の通り、プロダクトマーケティングからカスタマーサポートに続くまで様々な過程を経ることによって実現される。そのため、潜在ユーザにSaaSを通じて価値を届けるという思いの下、各過程に特化した体制を組み、協働していくことが不可欠なのである。

最終的には、表5.4.1のように全ファンクションに対してビジネスサイドの体制を組んでいくことになるが、SaaSの立ち上げ当初からすべての体制を組まないといけないわけではない。リリース後の経過年月やMQL、SALや導入企業数などの伸びなどによって、分業体制の深度が定義されていくことになるだろう。例えば、起業後最初のSaaSをリリースする場合は非常に限られた人数で上記役割をこなすしかなく、各ファンクションに専任を置くどころか、場合によって1人で全部推進するような極端な状態からスタートすることすらありえる。そもそもビジネスサイドという定義すらされず、プロダクトサイドも合わせた総力戦でやり抜くような状況も想定される。

すでに既存SaaSを展開しており、新規事業として新たなにSaaSを立ち上げる場合、既存SaaS向けに一定の分業体制を組まれていることが想定される。そのため新規SaaSのリリースに合わせて、各役割を担うメンバーをアサインしていくことになるだろう。もちろん、新規SaaSが対象とする市場やターゲットとするユーザセグメント、SaaSの特性などによりビジネスサイドに求められることが異なるケースもある。この場合は別途採用を行うなどの対応が必要になってくるだろう。

5 事業計画とキーリザルト実現に向けた体制構築

ビジネスサイドの全体像を踏まえた上で、ここからは「事業計画」の構成を振り返り、どのような体制を組む必要があるのか議論を進めていきたい。

まず、Part5 Chapter4 Section4「SaaSを取り巻くビジネスサイドの全体像」で確認したビジネスサイドのファンクションとその内容（表5.4.1）と事業計画を併せて確認することで、各ファンクションで必要な工数をシミュレーションし、必要なヘッドカウントを算定していく。すでに事業計画で体制をシミュレーションしている場合、具体的な販売戦略に関する検討を進めていく上で、体制に関して事業計画と現場で大きな乖離が生じることがある。この場合、可能な限り検証し、リリース前に関係者の認識をすり合わせておくべきだろう。

次に、リリース後事業計画を達成していく上で、どのタイミングに、どの程度の体制を構築すべきかイメージを固めていくことになる。というのも、リリース前からいきなり全ファンクション、同じ重み付けでのアサインが必要になるわけではない。まずはリリース準備に必要なファンクションに集まってもらい、プロジェクト的にチームを組成して、リリースを乗り切ることになるだろう。この時期は、プロダクトマーケティングマネージャが中心となって、ブランディング、マーケティング、セールスを巻き込み、リリース準備に当たることになるだろう。リリースすると、最初の2〜3ヶ月は特にマーケティング、セールスの重要度が高いと言える。というのも、リード創出と受注まで持っていくところにほとんどの時間を割くことになるので、リリース初期は間違いなくこの2つのファンクションがメインになるからである。ある程度ユーザが集まってきたら、導入コンサルの出番が来る。そして初期導入が終わり、次の展開をこちらから能動的に取りに行くタイミングになって初めて、カスタマーサクセスのアサインメントが重要になる。このように初期に流入したユーザのファネルが進むたびに次のファンクションの立ち上げが必要になってくるのである。

また、リリース時点で全ファンクションが立ち上がっている必要があるわけではなく、徐々に必要に応じて立ち上げていくことになる。費用対効果という観点では各ファンクションによる分業体制のほうがメリットが大きいが、他にも経験範囲が広く複数ファンクションをこなすことができる人が参画することで、小回り効く体制で一気にプロダクトマーケットフィットの獲得を目論むという考え方もある。

ビジネスサイドの体制は事業計画から引いた必要なリソースと、それが必要になる時期、ベータ版展開の有無、チームの情報共有のしやすさなどを基準に設計を行うことになるだろう。分業制を敷くとチームが大きくなり、その一体感は薄れていくので、各ファンクションができる限り専任で小回りの利く期間は意外と限られている。そのため、ベータ版を経て、正式版展開もできるだけ少人数で乗り切り、プロダクトマーケットフィットを勝ち取るまで維持したい。その先、一度分業制をとったチームは、プロダクトの大規模リニューアルを少数精鋭に絞って断行するなど、相当強い意思を持たない限り、少人数で小回りが効く状態に戻れない。専任、かつ強い人材で構成された少人数のチームを組める時間をできるだけ長く取り、プロダクトマーケットフィットの確証ができるまでは我慢を続けるべきだと思う。分業してからは、各ファンクションの作業を省力化していくことにインセンティブが発生し、この方向にしか最適化されないので、省人化（少ない人数で同じ目的を達成する）を維持することをプロダクトマーケットフィットまではこだわり続けたい[※26]。

[※26] 参照『トヨタ生産方式――脱規模の経営をめざして』（大野 耐一［著］、ダイヤモンド社、1978/5）、p.120～p.123：「0.1人も1人である」

6 ビジネスサイドにおける理想の専任担当

すでに確認した通り、ビジネスサイドには様々なファンクションがあるが、専任、かつ強い人材で構成された少人数のチームを組める時間をできるだけ長く取ることがプロダクトマーケットフィット達成の近道であると述べた。では、どのような人を1人目のビジネスサイドとして迎えるべきなのだろうか。端的に言うと、いきなりチームに参画したとしても、ユーザストーリーマッピングを起点にプロダクトの詳細をすぐにキャッチアップし、隅々まで理解して、売りに行って受注までこぎつけることができ、かつ初期導入までできる人が理想だろう。また、高速で試行錯誤を繰り返し、商談や導入支援をブラッシュアップできることはもちろん、さらに上流工程のマーケティングのメッセージの構築や、ユーザフィードバックから示唆を抽出し、プロダクトサイドに共有まで行える人材が限りなく理想に近いだろう。プロダクトマネージャがよくミニCEOと言われることが多いが、逆に新規SaaSの立ち上げ時の最初のビジネス担当は、ミニCRO（Chief Revenue Officerとは、MRR/ARRの最大化に責任を持ち、分業されることが多いマーケティングから導入支援までを俯瞰して、販売戦略と組織編成を指揮していく役職）というイメージが近いかもしれない。

マーケティングから導入支援まで、何でもできるスーパーマンをイメージしてしまうかもしれないが、逆に最低限抑えるべきことを言及しておくと、チームに参画後、プロダクトを理解し、提案ストーリーを構築して、受注までこぎつけられることが最低要件かもしれない。新規SaaSは販売され、ユーザに使い始めてもらわないことには、身の入ったフィードバックを得られず、プロダクトの改善や進化を進めることができないからである。少し抽象的な表現だが、スキルとして定義すると、プロダクトと向き合い、提案ストーリーに落とし込んでユーザに伝えつつ、逆にユーザからの個別具体的なフィードバックを元に丁寧に抽象化を行い、プロダクトの進化に示唆を与えられる双方向のコミュニケーションができることが必要だろう。

さらに、少し目線を変えて、バイヤーとのコミュニケーションの場面を想定してみたい。ここまでのスキル要件は、直接経験がなくても、プロダクトの理解や提案ストーリーの構築はできうるし、そこで得たユーザフィードバックを元にプロダクトへの示唆を言語化できる新卒1年目のような人は実際にいる。

しかし、仮に対象となるSaaSのバイヤーが上場企業の経営層などの場合、スキルだけでなく一定の経験や年次が求められるケースがある。業界や業種に特化すると、商談を行うに当たり、スキル以外の特殊要件が求められることがあるので、注意されたい。

7 新規ビジネスと既存ビジネスを比較した上で取るべき対応

構築すべきビジネスサイドの体制について議論を進めてきたが、ビジネスサイドは明確にMRR/ARRなどの責任を負っており、新規プロダクトに割く工数を事前に積んでくれていることはほぼないだろう。万一、最初から確保できることがあれば、リリース日に合わせて必要なリソースに関する要望を上げて、アサインを明確化すれば本Sectionは論点にならない。もしそのような恵まれた状況にある場合は、この項目を読み飛ばしてほしい。

そうでない場合にリソースを確保する方法は2つしかない。その必要性を訴え、新たに採用するか、すでにそのファンクションを担っている人をアサインしてもらうかである。まず、必要性の訴求について説明していく。これはすでに述べたように、事業計画から論理的な帰結として必要な体制を可視化することである。これによりMRR/ARRに対してどこまでビジネスサイドの投資が必要かを確認することができる。リソースが必要になる時期、ベータ版展開の有無、チームの情報共有のしやすさなどを基準に、さらに具体化を行うことができる。

次いで、具体化されたポジションをどう埋めるのかという論点を検討していくことになる。新たに体制を構築しても良いのであれば、採用ほどわかりやすいものはないが、会社全体の予算や体制を組んで事業を運営している以上、採用枠が急に湧いて出てくることはないので、社内的な調整は不可欠だろう。また、仮に採用を開始したとしても、新規SaaSを立ち上げる上でファンクションの責任者を担える人に明日から来てもらえることは、日本屈指の採用力がある企業でもほぼないだろう。異動でもそうだが、一定のリードタイムは絶対に発生するので、2〜3ヶ月前には方針が決まっていないとタイムリーなアサインはできない。そのため、地道な事前調整を行い、採用を進めていくことが肝要である。

他方、既存プロダクトを運営しており、各ファンクションが成立している場合、その中から専任を当ててもらえれば、即座に体制構築ができる。採用するよりは容易であるように思える。ただ、新規SaaSの立ち上げに向け、専任担当のアサインを依頼すれば、適切な人がアサインされるだろうか。この状況下だと、まだ1件もMQLがない状態からMQLを創出し、そして、まだ誰も販売したことがないものを販売し、さらに、ユーザが導入した実績のないプロダクトを導入支援し、自ら市場を切り開いていく必要がある。すでにSaaSを運営している企業であれば自明だろうが、これらのことを実現できる人の希少性は高く、もし専任で出すことになると既存事業側の目標達成が危ぶまれることは間違いないだろう。ここでリソースのカニバリが生じるのである[※27]。しかし、企業全体の事業成長を掲げているのは既存事業でも新規事業でも同じはずである。では、なぜカニバリのように見えるのだろうか。それは目標のマイルストーンによるものである。既存事業では四半期ごとのOKRの達成に重きを置くが、新規事業の場合プロダクトマーケットフィットを勝ち取り、その後グロース期を迎え、最終的にマネタイゼーションを行

[※27]　参照『THE MODEL マーケティング・インサイドセールス・営業・カスタマーサクセスの共業プロセス』（福田 康隆［著］、翔泳社、2019/1）、p.228〜p.229：「戦略的投資とトレードオフ」

うことになる。SaaSの特性にもよるだろうが、収益性に取り組むのはリリース後グロースまでこぎつけた後になるのである。そのため、リリース直後の四半期内でいきなり収益性が確保されることもあまりないだろう。ただその後マネタイゼーションの期間を迎えることができれば、収穫期に入る可能性がある。この時を想定すると中長期の累積売上という観点で既存事業よりも、新規事業に投資したほうがMRR/ARRを最大化できる可能性があるのである。既存事業ばかりを売っていても、どこかで事業成長が止まる瞬間が来る。そのため、非線形の成長を掴み取るには、事業成長が止まる前に次の成長エンジンを立ち上げ、プロダクトマーケットフィットを勝ち取っておく必要があるのである。つまり既存事業と新規事業のポートフォリオをどう組むのか、経営上の意思決定として重要な論点となる。無邪気に既存事業と新規事業を横並びにし、ROIやビジネスインパクトの期待値を比較し、割に合わないからと言って、その新規SaaSを進めるべきではないという考え方はある種合理的である。ただ、立ち止まって考えてみてほしい。その時、本当に必要なのは、合理的な判断ではなく、新規事業の中長期の成長シナリオと、最小限の仮説検証というオプションの検討であることに気付くはずである。

既存事業と新規事業の割合を決めれば良いようにも見えるが、新規事業はそもそも検討で終了することもあり、リリースしてもあえなくサービス終了になることも普通にありうる。もっと恐ろしい状況は、売上は伸びにくいにも関わらず、一定の収益を出せており、ぎりぎり生きながらえて、運営リソースだけ持っていかれる状態（以下リヴィングデッド（Living dead）と表記する）に陥ることである。誰もリヴィングデッドになろうと思って始めるわけではないのだが、結果的にこのような状態に陥ってしまうこともあるので、新規への投資割合を決めるのは至難の業である。

企業が持続的に成長を行う上で新規事業はコアとなるが、既存事業との重み付けは簡単なように見えて、非常に困難を極める意思決定になる。ここまで確認した通り、企画検討、開発を進めるプロダクトサイドのアサインをしても、リリースタイミングにビジネスサイドのアサインを決めなければならない。そんな中1つの道標になるのは、事業計画から引いた必要なリソースと、それが必要になる時期、ベータ版展開の有無、チームの情報共有のしやすさなどだろう。すでにプロダクトサイドをアサインして開発を進めているのだから、ここでアサインを絞りにいくのではなく、当初掲げた新規事業への意気込みと事業計画を丁寧に見返し、実現可能性のある体制を構築してほしい。

8 ビジネスサイドの体制構築に向けてプロダクトマネージャがすべきこと

ビジネスサイドは一般的に売上やMRR/ARRなどの結果指標に対して最終責任を負うため、どのプロダクトを、いつからどのぐらい売らないといけないのか、どうやれば売れそうか、検討し尽くしている組織である。そのため、ビジネスサイドと協業していく上で、プロダクトマネージャはプロダクトマーケティングマネージャと共に、以下の7点をまとめていくことになる。

- いつリリースするのか
- どういうプロダクトなのか
- 具体的にどんな価値があるのか
- 誰に売れそうなのか
- バイヤーはどの職種、役職の人なのか
- どういうメッセージが刺さりそうか
- 売っていくに当たって懸念事項はあるのか

上記インプットを受けて、ビジネスサイドが持ち帰って体制を検討することになる。ちょうど体制検討の時期であったり、新規事業を推進する組織があったりする場合はその文脈や体制の中で議論し、具体化が進められていくことになるだろう。しかし両者とも当てはまらない場合はプロダクトマネージャはプロダクトマーケティングマネージャと共に、もう一歩踏み込んで体制検討のオーナーシップを取ることになるだろう。これは、プライシングや事業計画の策定に対するプロダクトマネージャの立ち位置と似ているかもしれない。プロダクトマネージャは、ビジネスサイドの体制ができ上がり切るまでは明確な担当者がいないファンクションを横断するような業務を拾って、片っ端から推進していくことになるだろう。

とはいえ、他部署の話にはなるため、あくまでサポートに徹するべきだろう。前述の7点を踏まえて、ビジネスサイドと協業し、どのような体制であるべきかをドラフトに落とし、いつまでに何を決める必要があるのかを明確した上で、体制構築を進めていく。最終的に、いつ誰をアサインするのかを決めるところまで推進していくことになるだろう。

こういう役回りが来るたびにプロダクトサイドとは関係ないと言っていると、新規SaaSを生み出すことは、ほぼ不可能になってしまう。そのため、私は潜在ユーザが新規SaaSに触れて、価値を感じてもらえるところまでがSaaSのプロダクト開発であるという認識を持つようにしている。さらにビジネスサイドは売上やMRR/ARRなどのKPIに対して結果責任を持つ組織なので、MQL、SAL、SQL、受注など、重要指標に対して個人目標が課せられることも多い。そのため、1人増えるのか減るのかで相当議論になることは言うまでもないだろう。このような目標の運用やどのようなスキルを持った人が多いかなども踏まえた上で議論を進めていけると良いだろう。

9 ビジネスサイドとプロダクトサイドの連携

最終的な売上責任を持つビジネスサイドと、中長期的なSaaSの方向性を考え、開発を進めていくプロダクトサイドでは、気を抜くとすぐすれ違いが生じてしまう。そうならないために潜在ユーザに新規SaaSを手に取ってもらい、価値を感じてもらうことに主眼を置き、共にユーザを中心に据えて考えるべきである。これを実現させるべく、ビジネスサイドとプロダクトサイドの垣根を取っ払い、できる限りチーム一丸となることが最も重要なのである[※28]。共通の目的目標を共有し、コミュニケーションの質×量をカバーしていきたい。

まずはリリースするためにプロダクト自体の開発と、販売に向けた各種準備が必要であり、当然お互いのタスクが相互に依存しているものもあるため、リリースまでに何をいつまでに実施するのかを連携し合う必要がある。ビジネスサイドと連携するタイミングになると、かなり関わるメンバーも多くなり、こなすべきことも膨大になるため、プロダクトマネージャは全体のプロジェクトマネジメントを入念に行うべきである。これこそスケジュール通りにリリースする上で最も力を入れて取り組むべきこととなる。

コミュニケーションの質という観点では、視点を上げるという意味でリリースに向けた取り組みの中での課題を経営陣と率直に議論すると良いだろう。ビジネス全体やプロダクト全体の視点で意見をもらうことで、足元に目線が行きすぎていないか確認でき、あるべき論を再精査する契機にもなりえる。メンバー内でも定期的に合宿などを行い、腰を据えた議論を行うのも良いだろう。また新規SaaSの立ち上げを推進するクロスファンクションチームの目標ではなく、プロジェクトメンバーの個人目標などをお互い共有することで、理解が深まることがある。

他方、量という観点ではビジネスサイドとプロダクトサイド、それぞれで行われた各種ミーティングの議事録やリリースに向けたタスクをこなす中での気付きをできる限りタイムリーに連携することも有用である。少しでも連携したほうが良いと思ったら、すかさず共有していきたい。

新規SaaSの立ち上げには多種多様なファンクションのメンバーでチーム

[※28]　参照『サブスクリプション――「顧客の成功」が収益を生む新時代のビジネスモデル』（ティエン・ツォ、ゲイブ・ワイザート［著］、桑野 順一郎［監訳］、御立 英史［訳］、ダイヤモンド社、2018/10）、p.197～p.198：「組織の壁を取っ払え！」

を構成して進めることになるので、情報共有や信頼構築という意味で時間を使いすぎるということは絶対ない。とにかく目的目標のすり合わせと、コミュニケーションの質・量共に担保し、チーム一丸で取り組むべきである。そして、自分のファンクションだけに閉じたり、壁を作ってしまうと、その瞬間から部分最適になってしまう[※29]ので、チーム全体で掲げる目的目標に立ち返って、プロダクトマネージャ自身が動くことは当然で、ここのファンクションとして協働しているメンバーが同じ目線を持ち続けるようにすることが最重要な要素の1つであることは言うまでもない。

10 販売戦略を踏まえたプロダクトやターゲットと事業計画

すでに説明した通り、プロダクトの要件やターゲット、事業計画については各種調査や検討を踏まえて設定しているだろう。しかし、販売戦略を策定していくことで、もう一度それらを考え直す可能性が出てきうる。ここでは、その可能性と対応方法について詳述していく。

販売戦略からプロダクトやターゲットへのフィードバック

プロダクトやターゲットを前提にプライシング、事業計画を策定し、それを実現する方法として販売戦略を具体化していく方法を紹介してきた。ここでは、販売戦略で策定したポジショニングやメッセージングを実現できのか、改めてプロダクトとターゲットを見直していく。

まず、よく起こる問題として、当初想定していたプロダクトの要件やター

[※29] 参照『サブスクリプション・マーケティング――モノが売れない時代の顧客との関わり方』(アン・H・ジャンザー［著］、小巻 靖子［訳］、英治出版、2017/11)、p.13～p.17:「組織内に境界線を引くと顧客の経験価値を損なう」

ゲットと策定した販売戦略管理に齟齬が生じることが挙げられる。開発を進めていく中で、リリースを意識して要件を絞りすぎてしまい、当初想定したターゲットに対して広く価値提供することが難しくなってしまっているのである。これを是正するためには、想定ターゲットに対し、価値訴求できるように必要な機能を追加開発してからリリースすることになる。しかし、すでにリリースを意識する時期に来ているにも関わらず、リリースまでのリードタイムを伸ばすことになり、多大な調整コストを払うことになるので、あまりお勧めできない。

齟齬の理由をプロダクトではなく、ターゲットにあると捉えることで、リリース時の要件では価値提供できるユーザが限定的であるという解釈できる。この場合、リリース段階では広くユーザに訴求することを止め、ベータ版などを通して、価値訴求できそうなユーザセグメントに絞って展開し、徐々に広げていくことになる。例えば、新規プロダクトがサポートする業務を実施していて、競合プロダクトを導入し、一定の管理体制を敷いている潜在ユーザにリプレイスしてもらうのは一般的に難しい。そのため、これから新規プロダクトがサポートする業務を新たに始めたり、まだ業務プロセスが確立していない潜在ユーザに限定することで、現状のプロダクトでも価値提供できるのである。

このように、販売戦略を具体化していくようなリリースを意識した段階で、プロダクトやターゲットと販売戦略に齟齬が見つかっても、取れる手は少ない。できるだけリリースに向けて動き出している流れを止めず、大きな方向転換やリリース時期を調整するよりも、ベータ版などをうまく活用してリリースを進める方が良いだろう。

販売戦略から事業計画へのフィードバック

Part5 Chapter3「事業計画」で確認した通り、事業計画はMRRと費用に分け、それぞれを起点にするトップダウンアプローチとボトムアップアプローチを使い分けながら、策定を進めるものである。実際にプロダクトを販売していくことを想定し、再度事業計画との整合性を確認することになる。

販売戦略を実現していくに当たって、十分なメンバーと、予算やリードタイムが事業計画上で担保されているのかが議論の焦点になる。そのため、販売戦略実現に向けた体制と、予算及びリードタイムに分けて詳述していく。

まず、体制から取り上げると、販売戦略実現のため新たに体制が組まれることはよくある。この体制を社内の異動などにより構築することを前提としていた場合、それほど問題にならない。しかし、採用によって体制構築する場合、問題になる傾向が強い。なぜならば、新規プロダクトのビジネスサイドのファンクションを立ち上げられる人は少なく、新規メンバーの参画が遅れてしまうからである。そのため、採用プロセスのリードタイムをある程度長めに取って置くべきだろう。さらに、採用チームの体制が十分でない場合、そもそも採用すら後回しにされてしまうこともある。この場合、採用チーム自体の採用計画が、おおよそどのようなスケジュールで進められているのか確認したほうがいいだろう。Part5 Chapter4 Section7「新規ビジネスと既存ビジネスを比較した上で取るべき対応」で述べた通り、ビジネスサイドの新規プロダクトへの関心は相対的に低く、後回しにされがちであるからである。

次に、予算やリードタイムについて解説を進める。新規プロダクトのリリース直後、販売戦略の実現に向け最初に取り掛かるのはプロダクトマーケットフィットである。これはターゲットに据えたユーザセグメントが新規プロダクトに価値を感じ、導入し、使い続けてもらうことを指す。具体的には、実際のマーケティング活動や商談をこなすことで、プロダクトマーケットフィットの検証を進めていくことになる。

限られたメンバーでこの検証を進めるため、思うようにMQLを獲得できず、そもそも商談機会すら持てないこともあり、意外と時間がかかる。時には予算をかけて、半ば強引にMQLを取りに行かない限り、検証すら進まないケースもある。リリース後、販売戦略実現に向け、どれだけ予算があり、リードタイムが確保されているのか改めて確認し、その範囲でどこまで検証を進め、プロダクトマーケットフィットを手繰り寄せられるか検討することになる。そして、事業計画上、グロース期に入るまでに、プロダクトマーケットフィットを勝ち取れそうにないのであれば、このタイミングで相談し、事業計画の見直しをすべきだろう。

なお、この段階で必要なのは事業計画に対する建設的なフィードバックであり、野心的な目標に対して達成できないという論理的な回答ではないことは言うまでもないだろう。すでに、企画検討段階を経て、開発に着手する意思決定をくぐり抜けている。そのため、その時には全く想定できなかったことが起きていたり、意思決定を変える合理性がある場合を除き、事業として成立させるために必要なことに頭を使うべきだろう。

Chapter 5 販売戦略実現に向けた準備

プロダクトサイドが事前/深掘り調査、プロトタイプを経て、SaaSを開発していく手法は、パッケージソフトウェアのような売り切りモデルの場合と大きく異なっていた。これと同様に、ビジネスサイドでもSaaSを販売し、ユーザが導入し、その価値を感じていくまでの一連の流れを、SaaSに合った形に再構築していく必要がある。本Chapterでは、販売戦略実現に向けビジネスサイドが中心になり、リリースまでに取り組むことについて、どのように進めていくべきか、その内容を詳述していく。

1 ブランディング、マーケティングを通して実現したいこと

新規SaaSのリリースに向け、まずブランディングやマーケティングとして進めるべきことは、リリース時にどういう状況を醸成したいのかをしっかり考え、表現することである。新規SaaSのイノベーターやアーリーアダプターになるのは、新規SaaSがテーマに掲げる業界、業種で悪戦苦闘し、課題感を強く持っているユーザである。このような層に対して、新規SaaSをどのように打ち出し、手に取って価値を感じてもらい、さらに周りの人に勧めてもらえるような状況を作っていくか検討し、打ち出していくことが重要であ

る。具体例として、会社設立の手続きを最小限で進めることができるfreee会社設立[※30]というプロダクトをfreeeがリリースした時は、まず何よりも会社設立が大変なことであることを説明しなければならなかったが、単に説明してもなかなか伝わりにくい。そのためイノベーターやアーリーアダプターになってくれそうな人に声をかけ、プレスイベントでfreee会社設立を使って起業してもらったのだ。このような話題性を創出したことにより、リリース当初からfreee会社設立を目にする人が増え、順調な滑り出しに繋がったのである。

直接関心が高い人へのメッセージはもちろん、SaaSの導入に権限を持っていない人（関心度が低い人）でも、何かしら興味を持ってもらえるようにメッセージングを練り上げることにより、もう一歩先の展開を仕込むことができる。例えば、自分には関係ない/権限がないが、関心が高そうな友人や同僚に伝えておこうと思ってもらえることをイメージすると良いかもしれない。このような仕込みを行うことにより、イノベーターやアーリーアダプターだけでなく、その周辺にいる人にもアプローチでき、成功確度を高めることができるように思う。

プロダクトマーケティングマネージャや広報が具体的なメッセージを練り込んでいる時に迷うのが、リリース時点でどこまで明言していいのかである。リリース時点だと、新規SaaSは主たるユーザストーリーを実現できる最低限の要件に限定されており、胸を張って訴求するには自信が持てないことも多いだろう。しかし、新規SaaSとして自信がなくても、明確なミッション・ビジョンを掲げ、期待を持ってもらえるようにしていくことが重要なのである。社内的にはスモールスタートで着実に間口を広げていくとアナウンスしていても良いが、社外向けに伝えていく際は野心的に今後の発展性を語る必要がある。スタートアップのファウンダーがシードラウンドの投資を受けるためにベンチャーキャピタルに対して行うピッチを参考にすると良いかもしれない。

［※30］ URL https://www.freee.co.jp/launch/

上記のように、リリース時点におけるブランディングやマーケティングで達成したいことを言語化してから、具体的な打ち出し方（メッセージング）や、名称、ロゴの策定、プレスリリース/イベント、個別のマーケティング施策の検討を進めていくことになる。マーケティング施策と一口に言っても、LPの制作に紐付いてデモ動画の作成や導入事例の収集、LP以外の社外認知方法/チャネル（各種SNS、オフラインイベント、広告出稿など）の検討、開拓などがある。リリースという貴重なタイミングは1度しか来ないので、最大限活用し、露出するべきである。ただもちろん、他プロダクトの各種ブランディングやマーケティング施策とリソース観点で制約があるため、どこまで実施するのかをしっかり見極め、決めたことを精度高く推進していきたい。そのためにも事前準備期間を確保するべく、リリースの2〜3ヶ月前には実施が決まった施策を推進する上で誰が主導するのか、誰を巻き込むのかを明確にすることが不可欠である。

さらにリリース後はプロダクトマーケットフィットを目指して、ビジネスサイド全体として導入社数やMRR/ARR、新規SaaSのコア機能利用率、継続課金率などを追いかけることになるが、この時点でビジネスサイドとプロダクトサイドがすり合わせたOKR設定ができていると、なお良いだろう。ただ、リリース前後はブランディング、マーケティングメンバーも多忙を極める。そのため、相当事前に少しずつ頭出しして、議論を進めなければならないことを念頭に置いておきたい。

まとめると、プロダクトマーケティングマネージャを起点に、プロダクトマネージャと広報とマーケターを巻き込み、リリースタイミングでブランディング、マーケティングを通して実現したいことを発信していくことになる。非常に広範囲に議論が及ぶため、ハブとなるプロダクトマーケティングマネージャは経験の幅がある人が担当することをお勧めしたい。推進する施策にもよるが、リリースの2〜3ヶ月前にはメンバーを集め、着実に進めていくことが重要である。機能拡充は何度でもできるが、新規SaaSのリリースは1度しかない。この機会を最大限活用し、インパクトの最大化を狙っていきたい。

2 名称とロゴ

新規SaaSをリリースするに当たり、プロダクトの名称を決めて、ロゴの作成が必要になる。名称とロゴの検討は非常に自由度の高いものであり、ここでは名称とロゴを決めていくオーナーを確認し、その作成タイミングと最低限の要件を説明していく。

まず、名称やロゴはプロダクト上に表示され、広報やマーケティング施策で活用されるため、プロダクト観点としてはデザイナーやプロダクトマネージャ、ビジネス観点としてプロダクトマーケティングマネージャが中心となって議論を進めていくことが多い。この中で誰がオーナーになるかは名称やロゴの活用の比重などを元に決めることになるだろう。

名称やロゴはプロダクト上やマーケティングで表示されるため、少なくともリリースの3〜6ヶ月前に議論し、決めておく必要がある。リリース時にプロダクトを活用したデモを使ったプレスイベントやセミナーを開催することが多いので、3ヶ月前までに決めておくことは必達と捉えておくべきだろう。

最後に、名称やロゴに関する要件には大きく2つの要素がある。名称やロゴによりユーザがプロダクトや活用する目的や価値を想起できることと社内のプロダクト命名規則に準じていることが求められる。

前者については、ユーザが名称やロゴからそのプロダクトが何を実現するものなのかをイメージできることが重要である[※31]。検討を開始するリリースの3〜6ヶ月前であれば、対象業務やターゲットが決まっており、何が強みかは議論されているため、名称となりそうな候補を洗い出していくことができるだろう。また、Part4 Chapter2 Section5「オブジェクト指向ユーザインターフェースデザイン」で取り上げたオブジェクトマッピングを見返すことで、名称の候補となるキーワードを抽出することができる。というのも、オ

[※31] 参照 SaaStr 2017、When a Product Everyone Loves is Worth $450 Million
URL https://www.saastr.com/michael-pryor-co-founder-trello-when-a-product-everyone-loves-is-worth-450m-video-transcript/

ブジェクトマッピングをひと目見れば、核となるオブジェクトは一目瞭然で、プロダクトが何をコアに据えているのか確認できるからである。オブジェクトマッピングはユーザインターフェース/ユーザエクスペリエンスの設計だけでなく、名称やロゴの策定にも有用なインプットになることを覚えておいてほしい[※32]。

後者については、すでに既存SaaSを展開しており、それらのプロダクトとの整合性や命名規則に準じる必要が出てくることがある。広報やマーケティングのメンバーに名称やロゴについてルールの有無を確認して、前者から出てきた候補を元にメリットとデメリットを整理すると良いだろう。

プロダクトマネージャとしてはプロダクトビジョンやプロダクトを利用する時のイメージなどをユーザに表現できるものになっているか、プロダクト上で表示した時に問題なく表示できるかなど、主に前者の視点を中心に確認していくことになる。最終的には、名称となりそうなものの候補ごとに様々な観点から意見を集約し、意思決定することになる。

なお、提供者側の意見だけでなく、必要に応じて潜在ユーザに候補となる名称やロゴに関する印象をインタビューしたり、アンケートを行ったりして、定量的に優劣を決めても良いかもしれない。

3 プレスリリース

プレスリリースは新規プロダクトのブランディングを進める上で最も重要なものの1つである。ここもプロダクトマネージャとしての関わり方は名称、ロゴと変わらないかもしれない。新規プロダクトが記者や媒体に取り上

[※32] 参照『WEB+DB PRESS Vol.121』(技術評論社、2021/2)、p.102〜p.109:「オブジェクト指向UIデザイン」

げられて潜在ユーザに伝わっていくため、コンセプトや機能、それにより実現できる世界観を読み手がイメージできるように伝えることになる。広報が最終的にプレスリリースに落とし込む上で必要なインプットを行い、プレスリリースを出す前に確認を行うことになるだろう。また、プロダクトマネージャがプレスリリースのドラフトを書いてみるというのもリリース前にプロダクトを再定義する上で非常に貴重な機会となる。所属する企業が大きければ大きいほど、広報をしていく上で様々なルールがあるかもしれない。図5.5.1のフォーマットや自社の他プレスリリースを確認することで何を伝えるものかを把握し、ぜひチャレンジしてみてほしい。

タイトル

- サマリーの部分で最も引きが強い観点を強調して新規SaaSのリリースを推す

サマリー

- 誰に、何をどういう形でいつリリースするのか、それはなぜなのかを簡潔にまとめる

詳細

- 内容
  - サービス提供に至った背景など：これまでどんな課題があったか
  - ターゲット：誰に向けたサービスか
  - ソリューション：どんなことが実現できるか
  - 新規性、差別化要素：市場環境や、理由を踏まえた上で、どんな新規性があるか
  - リリース時期：いつサービス提供開始か
  - リリース時期の理由：なぜ今なのか
- ポイント
  - 課題や背景については関連する定量調査で、ターゲットの広さと課題のインパクトを補足できると良い
  - ソリューションはキャプチャや動画を埋め込むなどして、実際使っているイメージを持ってもらえるように工夫したい
  - 新規性、差別化要素を出せる理由をエピソードベースで語るなどすると、使う理由を浮き彫りにできるかもしれない

図5.5.1：プレスリリースのテンプレートとポイント

プレスリリースによりブランディングを最大化していく上で、記者を呼んで記者会見やプレスイベントを実施し、プレスリリースで書き切れなかった詳細を第三者目線で書き起こしてもらい、さらに市場に向けて発信を強めていくこともよく行われる。

4 LP

非常に広範囲に亘るマーケティングの業務の中で、ここではSaaSの立ち上げ時に必要最低限に絞り、LPについてのみ詳述しておく。ここまで記載してきたようにプロダクトマネージャが中心になってリリース時の要件の策定と開発の推進を行い、プライシングを分岐点にプロダクトマーケティングマネージャが、ゴー・トゥ・マーケット戦略への落とし込みを行う。さらに、LPの設計など、具体的なマーケティング施策はマーケターと協働しながら推進していく。マーケティングの起点になるのはLPであり、プロダクトマーケティングマネージャとマーケターはリリースに向けて心血を注ぐことになる。なお、既存プロダクトからのクロスセル中心のプロダクトの場合、LPよりも既存プロダクトの既存ユーザ向けのメールマーケティングのほうが重要になることもある。

早速、LPの設計について説明を進めていく。先程確認した通り、LP制作を主導していくのはプロダクトマーケティングマネージャとマーケターであり、プロダクトマネージャは名称とロゴや、プレスリリースと同様に新規SaaSに関するプロダクト面のインプットを丁寧に行っていくことになる。

LPの制作に関する大まかなポイントは以下3点であり、順に説明していく。

1. LPの目的の確認
2. LPの目的に合わせたコンテンツ設計
3. LPの制作

1. LPの目的の確認

LPの制作を進めていく上で、まず取り掛かるのはLPを通して実現したいことを議論し、言語化していくことである。潜在ユーザがプレスリリースを見て、サービスに興味を持って問い合わせを行うまでの予備知識を得てもらうためなのか、問い合わせを実際に促すものなのか、無料お試し期間を活用して、実際にプロダクトを触ってもらうものなのかというゴールを決める必要がある。このように、LPで潜在ユーザに何を訴求し、何をしてほしいのかによって、この後の設計が大きく変わる。

2. LPの目的に合わせたコンテンツ設計

まず、潜在ユーザがプレスリリースを見て、サービスに興味を持って問い合わせを行うまでの予備知識を得てもらうには、テキストによる説明や、デモ動画などを通した機能説明を中心に据えることになる。またプライシングが低価格路線なのであれば、気軽に使えると思ってもらえるように価格を表示することも考えられる。この場合、価格も問い合わせに繋がる予備知識と捉えられるだろう。

さらに、予備知識を得て問い合わせに進んでもらうには、ユーザへの提供価値を疑似体験してもらうことが効果的である。例えば、導入事例の紹介や導入をサポートするセミナーが挙げられる。他のユーザが導入した背景や、導入後の変化やメリットなどを事例に落とすことで、自分が導入する時の参考にしやすくなる。またセミナーの場合、自分と同じ境遇の人に囲まれて、目の前でデモなどを通して、プロダクトを説明されることで実際プロダクトを使うイメージに繋がるだろう。このようなセミナーを企画し、LPで訴求し、参加を促したり、セミナーの録画をLPにアーカイブとして掲載したりすることで、ユーザにとっては提供される価値を疑似体験する機会になるだろう。

最後に疑似体験に留まらず、実際の導入のイメージを強固に持ってもらうために、無料お試し期間の訴求や導入支援のコンテンツなどに誘導することもある。事例はあくまで事例であり、ユーザが自分で直接プロダクトを利用すると、より導入した時のイメージを強く持つことに繋がる。また、導入支援などサポート内容を事前に確認することで不安点を解消し、実際に導入した時の状況を体感できるだろう。

3. LPの制作

LPの目的やコンテンツの整理からもわかるように、LPを単に潜在ユーザ向けのプロダクト紹介を行う場として捉えるのではなく、潜在ユーザとの最初の接点と捉え、もはやプロダクトの一部として考えたほうが自然だろう。LPの制作を担うのはプロダクトマーケティングマネージャやマーケターだが、LPをプロダクトの一部として捉えるとなると、プロダクトマネージャやデザイナーも議論に入り、潜在ユーザとの最初の接点におけるユーザエクスペリエンスの設計から手を付けるべきである。さらに、実際商談を進めるセールスや導入支援を行う導入コンサルの観点からのインプットを受けることにより、LPを起点にマーケティングからセールス、導入支援などの連携も円滑になることが多い。

このように、LPを潜在ユーザとの最初の接点と捉え、できるだけ多角的な視点から確認し、構築していくべきである。

5 LP制作の注意点

LPをプロダクトとして捉え、潜在ユーザとの最初の接点として設計していくには、多くの関係者を集め、LPの目的、コンテンツ設計、そして制作を進めていくことになる。どれだけコンテンツを用意するかにもよるのだが、最低限の設計でも用意すべきコンテンツは多岐に亘ると同時に、制作タスクも膨大になりやすい。

例えば、プロダクトの機能紹介と価格の表示だけであれば、プロダクトマネージャが画面キャプチャと機能の説明を提供することになる。導入事例を作るには、ベータ版等をすでに活用してくれているユーザのカスタマーサクセス担当と連携して許諾を取りに行き、取材を行う必要がある。さらに業種ごとの活用事例をまとめていくためには、同業種のユーザへのインタビューを行うことになるが、そもそもまとめることを前提にベータ版のユーザをその前に獲得しておかなければならない。また、無料お試し期間を設定する場合には、その要件を決め、リリースに合わせて開発を推進することになる。セミナーの企画や動画の作成まで行うとなると、会場や制作費に関する予算の確保も別途論点として浮上する。

このように真面目に取り組むと芋づる式にタスクが増えていってしまう。そのため当初すり合わせたLPが掲げる目的に合わせて、必要なコンテンツに絞り、制作していくべきである。少なくともリリースの2〜3ヶ月前にはLPの目的と必要なコンテンツの洗い出しを終え、役割分担を行い、各自コンテンツ制作を進めていくべきだろう。リリースが近くになるにつれてプレッシャーが高まっていく中で、コンテンツが急に追加されると期限へのプレッシャーが増大していくことになる。そのため、LPの目的とその実現に必要なコンテンツの洗い出しの精度が肝となる。

LPの目的、コンテンツ設計、そして制作を経て、LPをリリースすることは、非常に困難を伴う業務である。しかし、これができていないと、潜在ユーザがLPを見てからプロダクトを活用するまでの流れで、どこかで行き詰まってしまったり、離脱してしまうことになる。プロダクトマーケティングマネージャやマーケターを中心にメンバーで議論し尽くして、プロダクト同様、自信を持って出せる状態にすべきだろう。

6 セールスの大きな流れ

新規プロダクトのリリースを経て、各種ブランディング、マーケティングが始まると、LPを経由して問い合わせがあった潜在ユーザに提案していくことになる。そのため、事前にセールスの流れを確認しておきたい。具体的には、①提案機会の取得、②初回提案、③2回目以降の提案、④受注と4段階に分かれ、進めていくことになる。

まずは、①潜在ユーザの問い合わせに対して初回提案を行う日時を確認するためにメールや電話等でスケジュールの調整を行うことになる。プロダクトマネージャもよくインタビューの日程調整を行うと思うが、それを定常的に行うことを想像してほしい。入ってきている問い合わせの数次第かもしれないが、正確に素早く、そして忘れずにこなしていくことが最も重要な業務であることを認識しておくべきだろう。もし提案の日程が調整できたら、最初は丁寧に潜在ユーザの現状や課題感など、商談前に必要な情報をインタビューしておいてもいいかもしれない。

次いで、②初回提案に移る。問い合わせの意図や現状を早めに確認し、新規SaaSの説明に移っていくことになる。実際受注しないとユーザフィードバックを受けることができないので、リリース初期はとにかく受注し、使ってもらうことに焦点を当てることになる。他方、潜在ユーザの問い合わせ理由や現状の業務の状況なども、受注・失注理由を考えていく上で材料になる。そのため、しっかりと確認しておきたい。単に売れればいいと思わず、今後の展開を考える上で最も重要なアセットの1つになるので、最初の商談から蓄積していきたい。

さらに、③2回目以降の提案でも、1回目と同様にアセットにすべくインタビューしつつ、受注を目標に営業を進めていくことになる。初回に話せなかった部分のプロダクト紹介や一歩踏み込んで現在の業務フローを振り返り、導入後の運用のイメージを持ってもらうサポートを行うことになるだろう。本質的には、潜在ユーザが導入するに当たって、不明点や不安を解消することに全力を注いでいきたい。

最終的に、④受注に向けたクロージング段階では、価格の最終調整や受注後の導入スケジュールの確認や導入時の体制の確認を行うことになる。

起業などに伴う新規SaaSの立ち上げであれば、必要に応じて採用をかけて最小限のセールス組織を立ち上げていくことになるので、関係者が少なく、役割分担が問題になるケースは少ないだろう。しかし、ある程度の規模がある企業で新たに事業を立ち上げる場合、セールス組織がプロダクト以外の軸で細分化されていると、新規SaaSの商談を誰が行うのかが論点になってしまう。新規SaaSの商談担当者が曖昧になりやすいので、事前に役割分担や担当を確認し、販売目標の有無や目標値も併せて確認しておくと良いだろう。

7 提案資料の作成

もちろん提案資料は、リリースに向けて一から作り始めるのが良いが、最も近しいものとして流用できるのはプライシング策定時のインタビュー資料である。提案を見越して作成し、実際いくらなら買うかとインタビューするためのものであったため、用途としても似ている。ただ当然ながら実際に販売する場面では追記修正が必要になるため、事前に対応しておきたい。

すでにPart5 Chapter2 Section9「プライシングにおける定性調査の誤謬」でも記載した通り、ユーザにとって導入の機運が高ければ高いほど競合プロダクトの要件や価格感について詳しいだろうし、プロダクトを導入して、現状の業務プロセスが改善するのか、綿密に確認するだろう。また、競合プロダクトと比較すると、新規SaaSの現状の機能では対応できない業務も多いので、今後の方向性などを明言することで補完していく必要も出てくる。

逆に言うと、まず競合プロダクトとの機能差分や価格感、新規SaaSによる現状の業務フローの代替可能性を勘案し、競合プロダクトとの差別化要因を明確化しておく必要がある。その上で、業務プロセス上ネックになるところを機能として解消できるのか、運用に落とす場合どのような工夫ができるのかを考え、回答できるようにしていくことになる。さらにリリース直後ということもあり、プロダクトの世界観や今後の展開を伝えることで、共感や期待感を得ることも重要になる。

もちろんセールスやプロダクトマーケティングマネージャの業務領域となるのだが、プロダクトマネージャ目線ではより詳細な競合調査の結果や、それを踏まえたプライシングの理由や狙いを事前にできるだけ共有していくことが求められる。なお、最後のSaaSの世界観や今後の展開はリリース当初に明言することは非常に難しい。だが実際売っていく上で商談の場面では常に聞かれることになるので、プロダクトサイドはリリース準備をしながら、次の方向性を定期的に議論していく必要がある。また事前に準備したSaaSのロードマップはどうしても提供者目線になるので、リリース後の商談を踏まえて、ユーザ目線でロードマップを再検討することが重要である。

つまるところ、まずはプライシングの定量調査を元に初版の提案資料を作成すべきである。ただ実際販売するに当たって、競合プロダクトとの比較や、実際の業務への導入可能性、プロダクトの今後の展開などに対する温度感が高まっている潜在ユーザも多いので、常に精査をし続けることになるだろう。

8 導入支援

新規SaaSが売れ始めると、ユーザが利用できるように導入コンサルが導入支援を行っていくことになる。

導入支援とはセールスが新規SaaSの販売を行い、晴れて導入が決まったら、導入コンサルがセールスから引き継ぎ、ユーザが利用できるようにサポートを行うことを指す。SaaSの内容や料金設定などに依存するが、導入支援は無料から有料のものまで存在する。ここでは、イメージしやすいように対面で3回程度のサポートを想定して説明する。

まず、1回目のユーザへの導入支援を行うべく、その事前準備としてセールスから導入コンサルに、これまでの商談内容、ユーザ内におけるバイヤーや、導入の背景などを共有してもらうところから始まる。ただの共有に留まらず、どのように導入支援を進めると良さそうか議論し、今後の方針策定までできていると良いだろう。1点だけ注意点として、受注した時点から1回目のサポートを行うまでミーティングの設定など1〜2週間は何らかの形でリードタイムが発生する。そのため、ユーザの温度感はやや低減することが多く、セールスから引き継いだ情報と、実際のユーザの声に認識のずれが生じるケースもあるだろう。このような状況を避けるためにもできるだけ早くセールスから引き継ぎを行い、初回のサポートを実施したい。

次に、1回目のサポートではセールスにも同席してもらい、セールスから共有を受けたことをユーザと確認しながら、今後の進め方を決めていくことになる。いわゆるキックオフ的な位置付けに当たるので、SaaSの導入を進めていく上でユーザサイドの体制、新規SaaSの利用方法の概要説明、導入支援のゴール設定、そこに至るタスクとスケジュールの説明を行い、次回までの対応事項をお互いに確認することになる。また忘れてならないのは、SaaSの導入が初めてのユーザも多いため、SaaSはクラウドをベースに提供しているサービスなのでインターネット環境に依存することや、基本的にカスタマイズできないため業務をSaaSに合わせていく柔軟性も重要であることなどを注意点として提示しておきたい。

2回目の内容になると、実際SaaSを活用していく上での準備、例えば各種マスタの登録を含む既存SaaSや業務からのデータ移行などに対応していくことになる。ユーザ自身でマニュアルやヘルプページを参照しながら、初期設定や導入していく上で作業に詰まったポイントのみをサポートするケースから、必要なデータの準備だけしてもらい、実際に数件の登録を一緒にやってみるケースまで多種多様である。

3回目には本格稼働していく上で、不明点の確認を行っていくことになる。別のプロダクトを活用している場合はいつその運用を止め、完全に新規SaaSに移行するのかなども確認事項となるだろう。最後に導入支援終了後のカスタマーサポートの紹介やプラン変更やID追加などの連絡窓口を改めて確認して終了となる。

上記の通り導入支援を進めていく上で、特に1〜2回目の内容はある程度資料などで型に落とし込んでおき、基本的にそれに沿って進めていくことになる。ただ新規SaaSの場合、最初から導入支援資料としてまとめることは難しいので、初期ユーザ向けには伴走しながら、細かい業務プロセスの確認を行いつつ、どのように実現していくのが良いのかを一緒に考えていくと良いだろう。

その中で、ユーザが使用に詰まってしまうポイントを収集し、最終的に導入時に確認する資料を作り上げていくことになる。現状の要件では実現できないポイントも収集していきたい。プロダクトマネージャ目線ではこの2点が今後のプロダクトのロードマップを検討していく上で、非常に有用なインプットになるのである。例えば、導入支援の最終回などの時間を使って、導入支援全体の振り返りをユーザと行うような機会があれば、少なくとも何度か参加すべきだろう。また、そのような場がなくても、受注後にユーザが導入していく肌感覚を掴む上でも、導入支援に何度か顔を出しておくことは非常に有益である。

導入支援は販売されないことには始まらないことなので、リリースに向け事前にフルセットを準備していることはあまりないかもしれない。しかしプロダクトマネージャにとって導入支援の場はユーザが利用につまずくポイントや足りない機能を把握する絶好の機会である。リリース後に向けて、このことだけは事前に心に留めておきたい。

導入支援の場に参加する際、プロダクトマネージャが心がけるポイントが3点ほどあるので簡単に説明しておく。

まず、導入支援の場に参加すると、ユーザや導入コンサルから矢継ぎ早に多種多様な要望をもらうことがある。中には不具合も入り混じっていることもあるので、分類すべきだろう。その上で、要望の中にはユーザ固有のものも含まれるので、真摯に確認することを前提に、すべて真に受けてバックログにそのまま追加するのではなく、もらった要望が一般的なもので他のユーザからも上がってきそうなものなのか確認されたい。

次に、ユーザからの要望の中には、すでにロードマップに組み込んでおり、今後対応が明確なものもある。新規SaaSは機能的に充足し切っている状態であることはありえないので、スケジュールを守れる範囲で今後の開発方針や開発項目などを正確に伝えていきたい。

最後に、リリース初期はプロダクトマネージャが各種調査を推進してきたので、深い業務理解を持っていることが多い。しかし導入支援の機会が増えるに従って、当然導入コンサルに業務に関する知見が累積されていき、業務理解に関してはプロダクトマネージャを超えることになる。導入コンサルなどユーザの業務に常に触れているビジネスサイドから、プロダクトマネージャが業務を把握していないと思われてしまうと両者の間に距離感が生じ、溝ができてしまう。このような事態を避けるためにも、プロダクトマネージャが導入支援の場に定期的に参加するなどして業務理解をアップデートしていきたい。

9 ヘルプページ

導入支援の他にユーザが実際に使い始める時に参照できるものがある。それがヘルプページである。特に操作手順などが詳細に記載されていることが多い。ユーザが迷子にならないためにも、リリースまでに一通りのヘルプページを準備しておく必要があり、実際受注してユーザが使い始めていく過程やユーザからのフィードバックを元に追記、修正を行うことになる。

具体的な書き方としては、ユーザ目線で迷いそうなポイントをしっかり拾って、画面キャプチャなどを活用してわかりやすく記載するのがポイントである。ここでもリリース時の要件を決めた時のユーザストーリーマッピングが活躍する。なぜならばユーザ目線でなぜ何をどのように実現できるのか記載されており、それを実現していく上での手順を明記しているからである。ユーザストーリーマッピングを元に個々のユーザストーリーごとにプロダクトを操作しながら、キャプチャ画像を取得して1つ1つの手順を記載していくと良い。個別のユーザストーリーを横並びで一覧化すると場合によって相当な分量になるケースがあるので、ユーザストーリーをユーザの目的ごとにカテゴライズするなど、ユーザが確認したいポイントに辿り着きやすくなる工夫をする必要がある。最終的にできたものをサイトにまとめ、プロダクト内部にリンクを設けたりなどして、必要な時に参照しやすいように設置すべきである。

プロダクト開発においてヘルプページ作成を、やらなければならない単なる作業としか見ていない状況に遭遇することがある。しかしながら、上述の進め方でヘルプページを作成することで、ユーザストーリーをリリース終盤で再確認する絶好の機会である。プロダクトマネージャやエンジニアリングマネージャが現状のデモを実施し、リリース前に新たにアサインされたビジネスサイドのメンバーを巻き込んで、ヘルプページを分担して書き上げることで、要件の理解をしつつ、チームビルディングもできる一石二鳥の取り組みとなる可能性もある。単純作業として割り切って進めるのではなく、チームが歩んできた道を噛みしめ、新たにビジネスサイドと協働していく上での基盤にしていけると良いだろう。

10 カスタマーサポートの立ち上げとプロダクトマネージャとの接点

ヘルプページの作成が進むと、次に待ち構えているのはカスタマーサポートの立ち上げである。その際、カスタマーサポートのメンバーから受ける質問はどんなプロダクトがリリースされて、どんなレベル感の問い合わせが何件ぐらい来そうなのか、である。これに対して事業計画などを確認し、どの程度の受注を見込んでいるのかを改めて把握し、想定の問い合わせ率などを仮置きし、問い合わせ数の見込みを算出していくことになる。

次に、カスタマーサポートをする際のSLAを検討することになる。メール、チャット、電話など様々な対応手段がある中で、どこまで対応するのか、そしていつまでに対応するのかを検討した上で、SLAに落とし込んでいくことになる。またいきなり深いコミュニケーション、例えば電話などを通してサポートすることは、ユーザの声をしっかり聞くという点では非常に良いことである。しかし、リリース初期から電話等を対応手段に入れてしまうと、ユーザからの問い合わせを受けすぎてしまい、今後の展開に支障が出るケースもありえる。そのため、まずはメール対応に留め、必要に応じて詳細に関するインタビューを行うことで、ユーザフィードバックを蓄積していくのが良いだろう。一度プロダクトの内容、問い合わせ対応の手段について、カスタマーサポートのメニューを広げてしまうと、今後何らかの理由があっても縮小しにくくなるので、サポートの展開は徐々に必要に応じて行うことにするのが一般的である。少し保守的な説明を行ったが、新規SaaSの立ち上げにおいて、セールス介在で販売することが多く、セールスのキャパシティがユーザ数を規定することになるため、リリース初期から爆発的にグロースすることはない。そのためリリース初期からSLAを守り切れない状況に陥ることはあまりないだろう。

上記のようにカスタマーサポートを立ち上げていくには、プロダクトマネージャとして、まずプロダクトの要件を正確に伝える場を設け、事業計画を共有し、カスタマーサポートの体制案の検討に入ってもらえるようにサポートすることになる。導入社数やID数、プロダクトの要件を鑑み、利用が難しく問い合わせが来そうなポイントを事前に共有できると、さらにスムーズに立ち上がるだろう。もちろん、専門とするカスタマーサポートが運用は受け持っていくことになるが、ユーザフィードバックを得るという観点では、カスタマーサポートとプロダクトマネージャなどが手を取り合ってしっかり把握、蓄積することで、次の開発項目の検討へのインプットになっていくのである。

なお、プロダクトが扱うテーマが高度な業務理解を必要としたり、高度な技術や複雑な要件になっていたりする場合、リリース初期からカスタマーサポートを立ち上げるのではなく、プロダクトマネージャとエンジニアが対応することもある。この場合リリース後一定期間はユーザ数が増加していき、これまで確認したことがない内容の問い合わせが押し寄せるため、業務理解や要件を熟知しているメンバーで問い合わせ対応を行うことを意図している。一定期間経つと、問い合わせ内容が類型化でき、徐々にカスタマーサポートを立ち上げ、移行していくことになる。

11 カスタマーリライアビリティエンジニアリング

Part4 Chapter4 Section2「インフラを中心とした非機能要件の設計」で説明してきた非機能要件はSREが担当することが多いが、昨今カスタマーリライアビリティエンジニアリング（Customer Reliability Engineering、以下CREと表記する）が脚光を浴び始めている。これは、ユーザが安心してSaaSなどのプロダクトを活用できる状態を担保するための開発チームを指す。GoogleがGCPを運用していく中で、導入し始めた概念である[※33][※34]。

[※33] 参照 「GCPは新たなステージへ：エンドユーザーが10億人を突破し、機能やサポートは一段と拡充」
URL https://cloudplatform-jp.googleblog.com/2016/09/Google-Cloud-Platform-sets-a-course-for-new-horizons.html

[※34] 参照 「Pokémon GOの爆発的ヒットを支えるGoogle Cloud」
URL https://cloudplatform-jp.googleblog.com/2016/10/pokemon-go-google-cloud.html

この概念はSaaSと非常に相性がいいように思う。というのも、SaaSはサービスとして提供しているので、サポートも含めてプロダクトであると理解すべきである。昨今、ユーザ接点においても問い合わせフォームやヘルプページなどだけではなく、チャットボットによる質問対応など、高度化してきている。またユーザ接点だけでなく、問い合わせ数やカスタマーサクセスの動き方に合わせて、必要な開発案件を洗い出し、対応することもある。

新規SaaSの立ち上げという観点では、まずは最低限の問い合わせフォームとヘルプページの開発を進めたい。その他は問い合わせ内容によって、必要となるユーザ接点が変わったりすることも考えられるので、リリース後、カスタマーサポートを一定期間実施し、CREが中心となって、ユーザ接点の拡充を行っていくべきだろう。

Chapter 6 リーガル対応

新規SaaSのリリースに伴い、利用規約/プライバシーポリシー、特許、商標など対応すべき法務関連の論点は多く、何度かリーガル対応を推進した経験がないと、考慮漏れが発生しやすいテーマである。これらを順序立てて、スケジュール通り、必要に応じてこなしている新規SaaSは実は少ないのではないだろうか。というのも、これらの論点は基本的にプロダクトマネージャがあまり深慮せずに方針を決めてしまうのではなく、法務担当者に相談し、方針策定や対応項目を明確化していくべきであり、なかなかその全体像を事前に把握できていることは少ないからである。

本Chapterでは、リーガル関連の事項に関する相談先とそのタイミングを確認するところから始める。具体的な相談内容として利用規約とプライバシーポリシー、特許、商標について整理していく。

1 リーガル対応の全体像

まず、相談先として法務担当者を挙げたが、社内にすでに法務担当者がいれば法務と議論を始めることになる。ただし創業当初の場合だと、法務担当者を雇用していないことも多い。それゆえ事業を立ち上げることに集中しすぎてしまい、法務関連のリスクに気付かずに新規SaaSの企画検討を推し進めてしまうことも多い。法務を立てていない場合は、ITに強い弁護士に相談したり、創業者仲間やプロダクトマネージャの横の繋がりを活用し、他社の依頼先である弁護士を紹介してもらうのが良いだろう。

相談先に次いで、いつ法務担当者への相談をすべきか、そのタイミングを整理したい。理想的には以下の2段階に分けて、それぞれで相談が必要だろう。

1. プロダクトの大枠が決まった段階
2. プロダクトの詳細を詰めていく段階

1. プロダクトの大枠が決まった段階

プロダクトの大枠を前提に、致命的なハードルはないか（業法上実現不可能なプロダクト、他社の知的財産権を真正面から侵害しているプロダクト等）を確認し、プロジェクトを進めていく上で事後的に重大な問題が出てくることを防ぐことを意図している。このタイミングで確認することにより、詳細まで確認していないものの、大枠法務観点で問題がないという安心感を持って今後のプロジェクトを進められるようになる。

2. プロダクトの詳細を詰めていく段階

実際のローンチに向けて詳細な法的手当て（利用規約等の作成、知的財産の権利化、等）を進めていくための相談を意図している。こちらについては個別に詳述していく。特に新規SaaSのリリースに伴い、利用規約/プライバシーポリシー、特許、商標など対応すべき法務関連の論点について具体的な説明に入っていきたい。

2 利用規約とプライバシーポリシー

ユーザによる新規プロダクトの利用に先立ち、最低限必要なものとして利用規約とプライバシーポリシーがある。これはユーザがSaaSを利用するに当たってのルールや個人情報の取り扱いルールを定めたものを指す。企業によっては複数SaaSを展開しているため、汎用的なものを準備し、プロダクト個別の論点については特記事項などによりユーザに確認のステップを踏む場合もある。どちらもプロダクトを守り、ユーザに安全に利用してもらうためのものであるので、法務担当者と議論して、サインアップまでの遷移上で訴求するなど、的確な場所への設置をしていきたい。

利用規約/プライバシーポリシーを作成する上で、注意点が2点ある。1点目はプロダクトローンチ後に利用規約/プライバシーポリシーの修正は困難を伴う。これは改訂によりユーザが離脱してしまったり、再度ユーザに同意の手続きが必要となったりするなどの理由が挙げられる。そのため、リリース時点の機能のみを前提とするのではなく、その後の機能拡充やその可能性も合わせて、法務に連携した上で作成したい。2点目はプロダクトマネージャ目線に立つと、競合プロダクトがどのように利用規約/プライバシーポリシーを記載しているのか確認することをお勧めしたい。上述の通り、利用規約/プライバシーポリシーは現状の機能だけでなく、今後の機能拡充なども想定して記載されている。そのため、場合によっては今後の事業展開を示唆する文言が入っていることもありえるのである。リリースするまでに一度読んでおくと、参考になるポイントがあるかもしれない。

実際、法務・弁護士のほうで新規SaaSが対象とする業務やその方向性を理解していない場合には、利用規約/プライバシーポリシーを作成するのは難しい。その企業が抱える既存プロダクトであれば、その対象業務やその方向性を把握しているかもしれない。しかし、新規SaaSになると、法務・弁護士にとっても初見のテーマで、知見や肌感覚がないことも多い。そのため、新規SaaSの企画検討を進めていく中で、プロダクトマネージャが収集した情報、特に当該新規SaaSの類似プロダクトとしてどのようなものがあるか（全くの新規の場合、少しでも似ているプロダクト）、その利用規約/プライバシーポリシーを準備した上で相談すると、法務からのレスポンスも良くなり、スピードアップにも繋がるだろう。

3 特許

次に特許に関する説明を進める。すでにリーガル対応の全体像で述べた通り、プロダクトの大枠が決まった段階で、他社の知的財産権を侵害していないか確認する以外に、特許取得の目的は大きく2つに大別される。1つ目は新規SaaSそのものを他社に真似され、同じようなプロダクトを展開されないようにするためである。特にコア機能に新規性があるのであれば、特許を取得しておき、今後他社が同様のプロダクトを展開してきた時に守れるように最低限担保すべきだろう。もう1つは万が一新規SaaSを展開する上で、他社が保持する知的財産権を侵害してしまった場合に新規SaaSの知的財産権も侵害していると抗弁し交渉できるようにしておくことである。

上記のような観点で取得すべき項目を挙げて、特許出願を行っていくことになる。特許は長年の研究開発を伴った世界的に特殊な開発技術を中心に認められると思われがちである。しかし意外と特許はユーザインターフェースを含めたシステムや、ローカライズに伴う機能開発、ビジネスモデル自体の新規性などを持って権利化できるケースも多い[※35]。特許に対して変な先入観を持たずに、まずはプロダクトの概要を弁理士や弁護士に説明し、特許化の可能性を洗い出すところから着手すると良いだろう。

また特許出願の構成要件である新規性について、詳細に確認していきた

[※35]　参照『知財戦略のススメ　コモディティ化する時代に競争優位を築く』（鮫島 正洋、小林 誠［著］、日経BP、2016/2）、p.41〜p.43：「機能性以外に関わる技術も特許になる」

い。これは特許を取得する対象となる技術が広く世の中に認知されているものではなく、公知されていないことを指す。この条件により、開発が終わっても特許出願を待ってリリースという流れになってしまう。これはプロダクトマネージャの視点からすると、どこかもったいない気持ちに陥る[※36]。このような事態にならないように特許出願には準備期間を見込んで、取得すべき技術の洗い出し、申請プロセスを組んでおく必要がある。プロダクトリリースの早期化と特許出願が相反しないように心がけたい。

やや技巧的だが上記論点を回避する手段として、クローズドベータ版としてのリリースがある。秘密保持契約（Non-Disclosure Agreementを意味し、以後、NDAと表記する）を締結することで限定されたユーザへの公開に留め、守秘義務のない第三者が発明の内容について技術的に知り得ないことを担保できる[※37]。したがって、特許対象の新規性を維持することができるのである。もちろん各ユーザに毎回秘密保持の確認を行う手続きを踏む煩雑さを伴う。そのため大規模なマーケティング施策にはなじまず、なかなか初期ユーザが集まらないデメリットにも繋がりかねないので、注意すべきだろう。

逆に特許出願を行い、一定期間が経過すると、特許に関する情報が公開されてしまうので、ある意味類似プロダクトの展開は容易になる。そのため、プロダクトのコア部分を特許として権利化するか、あるいは社内のノウハウとしてため込むかは判断を要することになる。ただし、SaaSのようなプロダクトでユーザインターフェースを含む形で特許出願を行う場合、フリートライアルなどを通して競合他社の目に触れるケースも多いため、情報の公開が論点となりにくいと言えるだろう。

最後に出願は弁理士などを通して行うのが一般的であり、出願費用は比較

[※36] 参照『リーン・スタートアップ　ムダのない起業プロセスでイノベーションを生みだす』（エリック リース［著］、井口 耕二［訳］、伊藤 穣一［解説］、日経BP、2012/4）、p.150〜p.153：「MVPを作る際の問題点」

[※37] 参照『知財戦略のススメ　コモディティ化する時代に競争優位を築く』（鮫島 正洋、小林 誠［著］、日経BP、2016/2）、p.198：「新規性」

的高額（50万円～）になる。また特許は申請して終わりではなく、最終的な特許の登録までに長期間（数年程度）要する場合も珍しくない。

4 商標

最後に商標を取り上げる。これは事業者が取り扱う商品・サービスを他人（他社）のものと区別するために使用するマーク（識別標識）を指す。事業者が自助努力によって商品やサービスに対する消費者の信用を積み重ねることにより、ブランドイメージの構築ができるようになる。このようなブランドイメージを守るために商標権を取得することになる。これにより、他社が同じようなロゴやテキストを活用してきた際、全く同じでなくても一定以上類似が認められるものを排除することができるようになる。プロダクトの根幹をなすロゴやプロダクトの名称などは保険と思って、取っておくと良いだろう。商標は特許に比して短期（1年程度）・安価（10～30万円程度）で取得できる。

Chapter 7 コミュニケーションのデザイン

プロダクトの開発が進むにつれて関わるメンバーが多くなり、メンバー間のコミュニケーションのあり方や、メンバー以外への協力の呼びかけ、情報発信も大きなテーマの1つとなる。

本Chapterでは、メンバー間のコミュニケーションとして、定例ミーティングの設計と1on1の活用可能性、さらに情報共有のあり方について詳述する。また、メンバー以外に対しては社内共有や問い合わせ窓口に関して紹介する。

1 定例ミーティングの設計

新規SaaSの立ち上げには大きく4つのフェーズがあることはすでに述べ、ここまでその詳細を説明してきた。それぞれのフェーズで運用を開始すべき定例ミーティングの組み方とその目的や、参加者を整理していきたい。

1. 事前/深掘り調査とプロトタイプ
2. 開発
3. ゴー・トゥ・マーケット戦略
4. リリース

事前 / 深掘り調査とプロトタイプ

まず、事前/深掘り調査とプロトタイプから運用を始め、検討開始からリリースまで首尾一貫して実施すべき3つのミーティングを紹介したい。それらはステアリングコミッティ、OKRレビュー、プロジェクト運営である。

1つ目のステアリングコミッティとは月次で今後の大きな方針を決める場である（図5.7.1）。新規事業の立ち上げは事前/深掘り調査結果や、開発の進捗、プライシングに関する調査など、今後の方針を大きく変えうるインプットが毎週のように出てくる。そのため少なくとも月次でインプットを踏まえた今後の方針をその場で決めていくことになる。この場は情報共有ではなく、議論して結論を出していくことに主眼がある。参加者はどんな論点でもその場で意思決定できる必要最低限の人数に抑え、スケジュールを押さえておくことが重要である。次いで、OKRレビューである。これは目標設定に応じて定期的に振り返る場である。立ち上げ期であればOKR自体がフェーズに応じて大きく変わるため、丁寧にOKRを見直し、設定し、さらにその振り返りが必要である。

最後のプロジェクト運営は、SaaSの立ち上げに関与している各ファンクションの責任者で運用されるプロジェクトの進捗確認のためのミーティングである。立ち上げに関係するファンクションは多岐に渡り、人数も非常に多くなる。そのため各ファンクションの責任者を集め、四半期ごとやリリースに向けて絶対に対応が必要なことを洗い出し、それを相互に確認し合うことで連携が必要なものを円滑に進めていける環境を作ることが肝要である。

ステアリングコミッティ

目　　的：意思決定事項（OKRの設定、プロダクトの方針、アサイン、予算、スケジュールなど）を議論し、最終判断を行う
オーナー：プロダクトマネージャ
開催時期：検討開始当初からリリース後半年程度
頻　　度：月1回
参 加 者：経営陣、事業部長陣、その場で意思決定可能なプロジェクトメンバーから各ファンクション1名ずつ

OKRレビュー

目　　的：OKRのレビュー
オーナー：プロダクトマネージャ
開催時期：検討開始当初から
頻　　度：月1回
参 加 者：CPO/VPoP、プロジェクトメンバーから各ファンクション1名ずつ

プロジェクト運営

目　　的：各ファンクションのタスクの進捗確認
オーナー：プロダクトマネージャ
開催時期：検討開始当初からリリース後半年程度
頻　　度：週1回
参 加 者：プロジェクトメンバーから各ファンクション1名ずつ

図5.7.1：事前/深掘り調査とプロトタイプフェーズから運用を開始する定例ミーティング

開発

開発を進めるに当たって、スプリントレビューを設定することになる（図5.7.2)。スプリントレビューはスクラムを回していく上で、定期的に実施することが推奨されているもので、スプリントという開発期間の単位ごとに開発した機能のデモ/モンキーテスト[※38]の実施などを通して、計画に対して開発の進捗を確認する場になる。その他スプリントを回していく上での振り返りや、次の開発項目の計画及び見積もりを行う場も兼ねることが多い。

スプリント レビュー

目　　的	デモやスプリントのKPT（Keep、Problem、Tryを指し、振り返りのフォーマット)、今後のプロダクトのバックログの確認
オーナー	エンジニアリングマネージャ、もしくはスクラムマスター
開催時期	開発が始まったタイミング
頻　　度	1〜2週間ごとに1回
参 加 者	プロダクトサイド全員、必要に応じてビジネスサイドから各ファンクション1名ずつ

図5.7.2：開発フェーズから運用を開始する定例ミーティング

ゴー・トゥ・マーケット戦略

開発が進み、具体的なプロダクトの要件が見えてきたタイミングからプロダクトマネージャ/プロダクトマーケティングマネージャが中心となり、ゴー・トゥ・マーケット戦略を議論していく場を設定していくことになる(図5.7.3)。具体的には、リリース時の要件を元にプライシングをどう決めて

[※38]　ソフトウェア、システムにおけるQAの手法の1つで、対象箇所や操作手順などを事前に設定せずテスターがその場の思いつきで操作してみて、挙動に違和感がないか確認するものを指す。

いくか、またプライシングを踏まえた上での事業計画や販売戦略などについて議論を行う。新たにリリースするプロダクトを実際に販売していくための上流工程の決定を行う場と捉えると理解しやすいかもしれない。

ゴー・トゥ・マーケット戦略

目　　的	プライシング、事業計画、ゴー・トゥ・マーケット戦略を議論する場
オーナー	プロダクトマーケティングマネージャ、（サブとして、プロダクトマネージャ）
開催時期	開発が始まり、リリース時の要件が定義されたタイミング
頻　　度	隔週もしくは月次
参 加 者	CPO/VPoP、経営/事業企画、プロダクトマーケティングマネージャ、プロダクトマネージャ、ビジネスサイドから各ファンクション1名ずつ

図5.7.3：ゴー・トゥ・マーケット戦略フェーズから運用を開始する定例ミーティング

リリース

リリース準備のフェーズに入って新たに出てくる論点がブランディングとマーケティングである（図5.7.4）。ここではプレスリリースや、プレスイベント、LP、リリース直後のセミナー、展示会などを活用して露出を担保し、新規SaaSの認知を広げていかなければならない。思っている以上にリリースに併せて準備をする必要がある。

ブランディング、マーケティング

目　　的	ブランディング、マーケティングの各種タスクの進捗確認
オーナー	プロダクトマーケティングマネージャ
開催時期	ブランディング、マーケティングに関する施策を進め始めるタイミング（目安としてリリース2〜3ヶ月前）
頻　　度	1〜2週間ごとに1回
参 加 者	ブランディング、マーケティング関連のビジネスサイド全員、必要に応じてプロダクトサイドから各ファンクション1名ずつ

図5.7.4：リリースフェーズから運用を開始する定例ミーティング

そして、めでたく新規SaaSをリリースできると、さらに議論すべき論点がプロダクトサイドとビジネスサイド共に出てくるため、別途定例ミーティングを立てて議論、共有を進めていくことになる（図5.7.5）。プロダクトサイドでは一度リリースすると、プロダクトマーケットフィットを勝ち取るために施策を検討し、開発を進めていくことになる。スプリント単位の計画、レビューはこれまで通りスプリントレビューで実施するが、年間や四半期ごとのOKRやロードマップの策定に向け、開発案件の洗い出しや来年の方向性を踏まえた上で、優先順位付けを定期的に行う必要がある。ビジネスサイドについても商談などを踏まえ、ターゲットの選定や提案方法の具体化などを行う場を設置することになる。プロダクトサイドとビジネスサイド共に、プロダクトマーケットフィットに向けてユーザから受けたフィードバックを元に新規SaaS自体や潜在ユーザとの接点を改善していくことになる。これらを実現する上での新たな場を設定し、運営していきたい。

プロダクト戦略

目　　的：今後のプロダクトの方針をどう実現していくか議論する場
オーナー：プロダクトマネージャ
開催時期：リリース前から開催
頻　　度：1〜2週間ごとに1回
参 加 者：プロダクトサイドから各ファンクション1名ずつ

ビジネス進捗

目　　的：ビジネス周りの各種タスクの進捗確認、商談、受注件数の確認
オーナー：プロダクトマーケティングマネージャ
開催時期：ビジネスの体制構築後
頻　　度：1〜2週間ごとに1回
参 加 者：ビジネスのメンバー全員、必要に応じてプロダクトサイドから各ファンクション1名ずつ

図5.7.5：リリース後から運用を開始する定例ミーティング

必要最低限と言いつつ、すでに8本ものミーティングを推進することを提案してしまった。もちろんSaaSの立ち上げの検討開始からリリースまで、メンバーはどんどん増えていく。進捗に応じて定期的にミーティングのあり方を逐次確認し、あるべき運営に徐々にシフトしていくことが重要である。必ず8つの定例ミーティングを実施すべきということではなく、新規SaaSの内容や、自社の体制や直接担当しているメンバーなどにより、不要なミーティングもあるだろう。あくまで一例だと捉え、必要に応じてミーティングを統廃合するなどして運営されたい。

私もfreeeプロジェクト管理というSaaSを展開するに当たって、図5.7.6のように定例ミーティングの運営を行った。後々、主要メンバーや経営陣のスケジュールに振り回されて、リリースなどのイベントが前後しないためにも、十分事前にセットすることを心がけた。

定例ミーティングをセットする中で、特に気を付けたのは早めに相談を行うことと、ミーティングの開催が惰性になっていないの確認であった。新規SaaSの立ち上げというプロジェクトは本当に刻々とその主要論点が移っていく。そのため毎四半期ごとに来期の主要論点がどこになりそうか俯瞰した上で、ミーティングのラインアップと参加者を眺め、ミーティング自体の改廃と参加者の調整を繰り返していた。新しく論点が出てくるのであれば、メンバーにとにかく早めに事前共有を行い、誰と協働すべきなのかを割り出し、ミーティングなどを活用して一緒に推進できる環境構築に努めた。逆に大まかに議論し尽くして収束したテーマも出てくるので、その際はミーティングを解散するなどの対応も行う。突然新規SaaSの立ち上げのような論点に呼ばれなくなると不審がる人も一定数いるので、ミーティングの改廃や参加者の増減などについて大きな変更がある場合は、その変更内容や理由を広く周知するようにした。特に議論を求めているのではなく、単なる情報共有に留まるミーティングの開催はただ参加者の時間を奪うことになるので、議事録の展開などにより担保するなどの工夫を行った。この活動は単なる情報発信に留まらず、直接関わるメンバーのモチベーションアップや間接的にしか関わらないメンバーを含む広範囲なムーブメントの醸成と活発な議論に一躍買ったと思う。

	概要	経営陣	PM	UX	Eng	QA	Analyst	PMM	Marketer	Sales	AM	CS
ステアリングコミッティ	・リリースまでは毎月実施 ・経営判断や意思決定を行う場	✓	✓	✓	✓*	―	―	✓	✓*	✓*	―	―
OKRレビュー	・月次で、OKRの策定や振り返りを実施	✓	✓	✓	✓*	―	✓	✓	✓*	✓*	―	―
プロジェクト運営	・週次で、プロジェクトコアメンバーによる進捗確認	―	✓	✓	✓*	✓	✓	✓	✓*	✓	✓	―
スプリントレビュー	・週次でデモの確認 ・スプリントレトロスペクティブ	―	✓	✓	✓	✓	✓	✓	―	✓	✓	✓*
ゴー・トゥ・マーケット戦略	・隔週でプライシング、事業計画、ゴー・トゥ・マーケット戦略策定	✓	✓	―	―	―	―	✓	✓*	✓	✓	―
マーケティング	・リリース時のブランディング、マーケ、LPリリースの進捗	―	✓	―	✓*	―	―	✓	✓	―	―	―
プロダクト戦略	・分析設計、ダッシュボード作成 ・ログなど要件面の確認など	―	✓	✓	✓*	―	✓	✓	―	―	―	―
ビジネス進捗	・ビジネスサイドの各種進捗確認や議論	―	✓	―	✓*	―	―	✓	―	―	―	✓*

*：該当ファンクションのマネージャのみ参加
PM：プロダクトマネージャ
Eng：エンジニア
UX：デザイナー
QA：QA
Analyst：アナリスト（ログの確認などデータ分析の事前準備とダッシュボード作成や分析を担当する）
PMM：プロダクトマーケティングマネージャ
Marketer：マーケター
Sales：セールス
AM：導入コンサル
CS：カスタマーサポート

図5.7.6：定例ミーティング一覧（例）

もちろん、何をいつ、誰と議論し、決めていくのかということはプロジェクトを推進していく上で、重要論点の1つである。新規SaaSの立ち上げはフェーズが進むにつれて関係者が多くなり、プロダクトマネージャがハブとなって、推し進めることも多い。そのため、常に現状に疑問を呈し、成功に向け、ミーティングや情報発信のあり方を改善し続けてほしい。

2 SaaSの立ち上げにおける1on1の活用余地

ミーティングの設計や、社内向けのコミュニケーションについて言及してきたが、昨今組織運営を行う上でよく導入されている1on1という会議体についても説明していきたい。

そもそも1on1は四半期ごとや1年ごとの評価だけではなく、マネージャがメンバーに対して成長支援を行う場として設定されることが多く、ピープルマネジメントの一手法として取り入れられるのが一般的である[※39]。

今回のテーマであるSaaSの立ち上げでは、非常に多岐に亘るファンクションのメンバーとクロスファンクションチームを組成し、プロジェクトを推進していくことになる。Part2 Chapter3 Section1「プロダクトマネージャの役割」の中でも見た通り、プロダクトマネージャはアラインメントとオートノミーを担保してチーム運営を行い、目標達成に動くのであり、参画しているメンバーのピープルマネジメントを担当するわけではない。そもそもの1on1の定義からすると、ピープルマネジメントに主眼が置かれたものであり、原理的にはクロスファンクションチームで行うものではない。

むしろ、前Sectionで確認した通りテーマごとにミーティングを設定し、関係者で広く議論を行い、前に進むような設計を担保すべきである。SaaS立ち上げというプロジェクトにおいて、1on1のように個別にメンバー間で議論し始めてしまうと、メンバー全体で共通認識を醸成できず、アラインメントを確保できなくなってしまうのである。あまりに個人間のコミュニケーションが多くなってきたと感じたら、まずは定例ミーティングやチャット、情報発信の頻度などを強めていくことをお勧めしたい。なお、同じファンクションから複数名参画しており、マネージャとメンバーの双方が参画してい

[※39]　参照　『1兆ドルコーチ――シリコンバレーのレジェンド　ビル・キャンベルの成功の教え』（エリック・シュミット、ジョナサン・ローゼンバーグ、アラン・イーグル［著］、櫻井 祐子［訳］、ダイヤモンド社、2019/11）、p.89：「「1on1」と「業績評価」のためのビルのフレームワーク」

るのであれば、レポートラインであるという関係性から1on1を実施することは本来の目的に合致しており、ここで取り上げるべき論点ではない。

少しまとめると、1on1は原則としてピープルマネジメントの一環として成長促進のために用いられる。新規SaaSの立ち上げのためにクロスファンクションチームが組成されるが、このチームでプロダクトマネージャはアラインメントとオートノミーを維持し、SaaSの立ち上げに責任を持つことになる。あくまでこの2点を担保するためにメンバー間のコミュニケーションや情報共有のあり方などを設計していくに留まり、チームメンバーのピープルマネジメントに責任を持つものではない。そのため同じファンクションから複数名参画しているような場合を除いて、それほど1on1を通して議論すべきことはないのである。

3 情報共有の対象

上述で確認したミーティングの構成の通り、リリースに近づくほどメンバーが増えてくるので、情報共有の重要度も上がってくる。ここでは新規SaaSを立ち上げていく上での情報共有の対象を整理しておきたい。定例ミーティングの設計同様、フェーズに沿って情報共有のあり方を示していく。

事前/深掘り調査とプロトタイプ

最初に検討初期の事前/深掘り調査とプロトタイプのフェーズでは、検討チームで腰を据えて議論し、その検討資料を残すに尽きる。ここでは検討チームも2〜5名程度なので、インプットを受ける量も議論もさほど多くはない。またメンバーも閉じていることが多いが、後々協働するメンバーが増えていくことになるので、この初期における議論や特に意思決定の流れはしっかりまとめておきたい。ここで作成したまとめは結果的に今後のチームがスケールアウトしていく中で、SaaS立ち上げの背景から現状までキャッチアップできる環境を整えることになるのである。

開発

次に開発に入ると、当然エンジニアを中心にデザイナーやQAが参画することになる。リリース時の要件に基づいて開発が進んでいくことになるため、開発の進捗が確認できるスプリントレビューの議事録などを定期的に発信していくことが重要である。メンバー間ではスプリントレビューを通して定期的に開発進捗を追うだけに留まらず、開発に次いで議論を行うビジネスサイドに共有するという意味で、広く発信していくべきである。また、メンバー以外から見ると、開発着手段階は「本当に進んでいるの？」という不安な思いを持たれやすい状況にある。そのため、とにかく透明性を担保し、モックやプロトタイプなど目で見て、開発が進んでいる印象を持ってもらうようにすることが何よりも肝要である。

ゴー・トゥ・マーケット戦略

ゴー・トゥ・マーケット戦略は最終的にターゲットとなるユーザセグメントの特定と、リリース時の要件や価格感を元に、どのような販売をしていくのかを決めていくことになる。

プロダクトサイドが開発を進めていく上で議論しているモックやプロトタイプなどをしっかり共有できていると、ビジネスサイドもどのように販売していくべきかをイメージしやすくなる。逆に、プライシングを含むゴー・トゥ・マーケット戦略はすぐ決まるような論点ではなく、調査結果を踏まえて、定期的に議論を行うことで練り上げていくという性格が強いため、継続的に調査結果や議事等を共有していくべきである。当然開発側も自分達が作っているものが市場に出る時にどのような評価を得られるかは関心事項であり、場合によってリリース時の要件を変えることすらありえる。そのため、プロダクトマネージャやプロダクトマーケティングマネージャが中心となり、プロダクトサイドとビジネスサイドで双方向に情報共有できているか常に確認してほしい。既存プロダクトの改善と販売促進を行う上で、プロダクトサイドとビジネスサイドは直接連携することが少なかったり、連携の度合いが薄いことが多いが、SaaSの立ち上げにおいては、プロダクトサイドとビジネスサイドが相互に意識してお互いの状況を細かく共有しながら進めていきたい。

リリース

最後のフェーズであるリリース準備段階に入ると、さらにメンバーが増え、正直誰が何を知っているのか、どこまで共有できているのかわからなくなる。この段階になると、開発、セールス、導入支援以外にも、リリース初期のブランディング、マーケティング、サポート体制の構築など、様々な観点で継続的に議論する場を持つようになっていく。この定期的な議論をできる限り広く共有し、同じ前提知識を持った人を1人でも多く立ち上げることに焦点を当てたい。

また、このタイミングになると、並列で進んでいる案件やタスクが多すぎて、議事録を展開するだけでは正直共通認識を持つことは難しい。そのためタスクの洗い出しを行い、ガントチャートやチケット管理を行うなどして、常に最新の進捗状況を更新し、共有できる仕組みが不可欠になる。このような仕組みがないと新規SaaSの立ち上げには協働する人が多すぎて、プロジェクトのハブになるようなプロダクトマネージャやプロダクトマーケティングマネージャは、常にどの案件やタスクがどこまで進んでいて、いつ終わるのかを質問され続けることになるだろう。このフェーズにおけるプロジェクトマネジメントの本質は進捗管理ではなく、プロジェクトが問題なく進んでいることをメンバーで確認し合う状況共有にあるのである。

4 情報共有の方法

ではフェーズごとに情報共有する対象について整理ができたので、ここからは情報共有する方法について2点ほど説明していきたい。

1点目として情報共有する対象はミーティングでの議事録や報告資料などが中心になるので、実際活用されたものはすでにWord［※40］やGoogle Docs［※41］等のドキュメントツールにまとめられていることが多い。ただドキュメントのURLを共有するだけだと読まずに流してしまいやすいので、社内で活用しているMicrosoft Teams［※42］、Workplace［※43］などの情報共有ツールを活用して情報発信していくのが望ましい。他にも一部進捗管理やモック、プロトタイプが共有対象になることもあるが、社内で活用しているツール上で公開するなどして共有していきたい。

2点目はチャットツールの活用である。定例ミーティング等では拾い切れない即時性の高い議論を拾う意味で活用をお勧めしたい。開発やリリース初期のブランディングなどのテーマでSlack［※44］等チャットツールを活用し、公開チャネル（誰でも参加できるチャネル）を立てておくと論点が定まり、質問や議論がしやすくなる。もちろん、全部テーマごとにチャネルを作ってしまうと、多くなりすぎてしまうので、注意が必要である。また、チャネルの設定を公開か非公開かで迷うシーンもあると思うが、私がSaaSの立ち上げを行った際には、ほとんどの議論は公開チャネルで議論を進めて問題なかったように思う。一部プロジェクトにアサインされるメンバーの人事に関するものだけは注意が必要だが、それ以外で公開すべきでない議論はほぼなかった。むしろ新規SaaS立ち上げのハブになるようなメンバーによるコミュニケーションの1〜2割以上がダイレクトメッセージによるものになっていたら、プロジェクトに関する情報の共有方法や透明性に問題があると思ったほうが良いだろう。

［※40］ URL https://www.microsoft.com/en-ww/microsoft-365/word

［※41］ URL https://www.google.com/docs/about/

［※42］ URL https://www.microsoft.com/en-ww/microsoft-teams/group-chat-software

［※43］ URL https://www.workplace.com/

［※44］ URL https://slack.com/intl/ja-jp/

SaaSの立ち上げはクロスファンクションチームで推進するからこそ、できる限り透明性を担保し、公開された場所で議論し、使用した資料や議事録も全公開を基本とすることをお勧めしたい。なお、企業によっては別の部署の人を巻き込んだ議論の可否を上長に確認しなければならない場合もある。ただ、SaaSに限らずプロダクトを立ち上げていくにはスピード感が求められるので、いちいち確認していると競合他社やスタートアップなどの後塵を拝することになりかねない。そのため、事前に関係者で情報共有などに関するルールをすり合わせておき、その範囲であれば自治が認められるようにするなど工夫されたい。

5 社内協力の促進方法

プロダクトの開発が進むにつれてどんどん関わるメンバーが多くなり、リリース前にはきちんと社内における認知を獲得し、今後の事業展開をスムーズにできるようにしなければならない。SaaS特有のものは少ないが、大まかに以下4点ほど触れておきたい。

1. 社内共有
2. テストアカウントの展開
3. 社内問い合わせ窓口
4. 潜在ユーザの紹介窓口

1. 社内共有

企業の規模や、新規SaaSの位置付けにもよるが、開発やゴー・トゥ・マーケット戦略の策定が進み、リリース時期がある程度見えてきた段階で、社内向けにコミュニケーションを始めていくことになる。全社ミーティングのような場で新規SaaSの背景と概要、場合によってデモなどを行う形式が王道だろう。その他にも社内のビジネスサイド全員向けにプロダクトの説明を行う。これはすでに既存事業があり、実際商談を行ったり、カスタマーサクセスなど別プロダクトのユーザと接しているメンバーがいれば、その場で新規SaaSの同時提案やクロスセルに繋がる可能性がある。この機会を逃さないためにも、とにかくビジネスサイドに広く知ってもらい、新規SaaS自体や、その提案方法のイメージを持ってもらうことが重要である。

2. テストアカウントの展開

上記に併せて、社内のテストアカウントなども用意しておくと、試しに使ってもらえる可能性を担保できる。これにより所属部署では新規SaaSに対してどのようなアクションを行うべきか、さらに強くイメージしてもらえるかもしれない。運が良いとテストアカウントに留まらず、本番アカウントの発行、導入を行い、実際業務を進める上で利用してくれることもありえる。この場合リリース前に調整コストなしで、ユーザの実利用に触れることができる。当然担当業務を阻害しない範囲という前提はつくが、社内に担当者がいるので直接ユーザフィードバックをもらえるし、機能追加についても企画段階で気軽に確認してもらうことができる。社内で新規SaaSを導入する機会があるのであれば、これを逃す手はないだろう。

3. 社内問い合わせ窓口

説明会やテストアカウントを共有すると、新規SaaSに直接関係するメンバー以外にもリリース時に自分の業務に何か影響が出るのか、事前に準備しておくべきことを考えたり、実際手にとって要件の確認をしていたりすると、自然と質問や議論をしてみたくなるだろう。このような素朴な質問こそが、新規SaaSを展開する上で、考慮漏れを防ぐヒントを与えてくれたり、今後の機能拡充のアイデアに繋がったりする可能性があるのである。そのため、社内でも新規SaaSに関する問い合わせ窓口を立てておくことが重要である。もちろんリリースに近づけば近づくほど、質問は増えていくことになるが、新規SaaS立ち上げのハブになっているプロダクトマネージャやプロダクトマーケティングマネージャなどが中心になりつつも、メンバー全員が自発的に質問対応していく文化が醸成できると良い。このような文化がないとプロダクトマーケティングマネージャやエンジニアリングマネージャ、プロダクトマネージャなどSaaSの立ち上げを推進しているハブになるメンバーに質問が集中してしまい、ボトルネックになってしまう懸念もある。そのため、少し間違っていてもいいので、メンバー全員が助け合って、早く回答ができるような設計を取るべきである。

4. 潜在ユーザの紹介窓口

最後に最も重要なのは新規SaaSを購入してくれそうな潜在ユーザのリストアップである。既存プロダクトをすでに展開しており、販促活動を行っている場合、新規SaaSの同時提案や既存プロダクトのユーザへのクロスセルの可能性もある。新規SaaSに直接関わるメンバー以外がこのような可能性に触れた際、気軽に潜在ユーザを紹介できるような社内窓口を設置しておくことで、1社たりとも逃さず提案に繋げられるだろう。企業や事業が大きくなればなるほど、他プロダクトなどの商談機会があり、新規SaaSへのクロスセルの可能性がある案件も一定数存在するだろう。もちろん全く新しい業務やテーマに対するSaaSで、既存プロダクトからのクロスセルが難しい場合もあるが、企業の発注先や受注元など取引がある企業や、従業員の知り合いの企業など、様々な関係から潜在ユーザの紹介を受けることがあるので、気軽に紹介できるように準備しておくべきである。

Chapter 8 まとめ

ゴー・トゥ・マーケット戦略は、プライシング、事業計画、販売戦略の3つに分解できる。これらは相互に独立したものではなく、互いに連関し合うので、行ったり来たりしながら議論し、決めていくことになる。

プロダクトマネージャは何のために誰にどんなプロダクトを作るのかに焦点を当てることが多い。もちろん、SaaSの場合でもこれらの観点を重視し、サービスとしてソフトウェアを提供し、ユーザに価値を届けていくことになる。さらに、プライシングを主導し、ユーザが享受する価値をベースにその対価を設定していくこともある。プライシングと聞くと、売り主の経験と勘によって決められるような印象があるかもしれないが、SaaSの場合、その設定手法はかなり体系化されており、かつ実践的である。

各種調査を元に、プライシングの候補を洗い出し、それらを踏まえた上で事業計画を立てたり、逆に事業計画のシミュレーションありきで採用すべきプライシングを割り出したりすることになる。プライシングとの整合性を取るべき対象は事業計画だけでなく、実際販売していく上での方針や体制などをまとめた販売戦略とも相互に齟齬がないかを確認していくことになる。販売戦略は立てて終わりではなく、事業を成長させるべく、実践していくことになる。その実践の内容は非常に広く、潜在ユーザに訴求すべく、SaaSの名称やロゴの作成から最終的にユーザが継続的にSaaSを通して価値を感じられるように導入支援の実施やカスタマーサポートの立ち上げを行っていくのである。

ところで、ゴー・トゥ・マーケット戦略に直接挙げられることは少ないが、リリースまで対応すべきビジネスサイドの論点として、リーガルもここで合わせて確認しておきたい。SaaSの立ち上げに関して、検討初期に致命的なリーガルリスクがないか確認し、ある程度プロダクトの方針が決まった時には、さらに細かく確認することになる。具体的には、利用規約とプライバシーポリシー、特許、商標に関して、事前に対応を行うべきだろう。

開発までは、そのほとんどがプロダクトサイドで完結していたが、ゴー・トゥ・マーケット戦略ではビジネスサイドと協働することになり、一気にSaaS立ち上げの関係者が多くなる。そのため、このタイミングを見越し、SaaS立ち上げメンバー内外でのコミュニケーションを確立させておきたい。

Part 6

リリース

Chapter 1 | リリースの概要

Chapter 2 | リリースの事前準備

Chapter 3 | ベータ版リリース

Chapter 4 | 正式版リリース

Chapter 5 | プロジェクト全体の振り返り

Chapter 6 | まとめ

Chapter 1 リリースの概要

事前/深掘り調査とプロトタイプ、開発、ゴー・トゥ・マーケット戦略の策定と長い道のりを経て、ようやく新規SaaSがリリースを迎え、日の目を見ることになる。リリースは、ここまでの準備を踏まえて、プロダクトとしてまとめ上げ、世に送り出す重要なマイルストーンになる。本Partではリリースをベータ版、正式版展開と2段階に分けて、まず共通する論点としてリリース判断基準の整理を行い、その後、それぞれについて詳述を進めながら、リリースに関するダイナミズムについて語っていくことにする。さらにリリース後についても少し言及し、事前/深掘り調査とプロトタイプからリリースまでのフェーズごとに、どのように振り返るべきか紹介する。

なお、ベータ版の定義を確認した上でその必要性がない場合、いきなり正式版展開を行うケースもありえる。ベータ版リリースの要否は社内におけるプロダクトの位置付けや、プロダクトの特徴やユーザ、競合にも関係することになるので、ここでは詳述しない。

Chapter 2

リリースの事前準備

リリースの内容に関して説明する前に、リリースを進めていく上で事前に確認すべきことを整理していく。リリースを乗り切る体制やリリースまでのプロジェクト管理手法をまず確認し、その後リリースする上での判定基準の位置付けとその内容を詳述していく。

1 リリースに向けた進め方

リリースを意識するフェーズに入ると、プロジェクトマネジメントとメンバーのやりきる気持ちが最も重要になる。ここでは前者のリリースに向けたプロジェクトマネジメントについて詳述していく。

SaaSに限らず、新規プロダクトをリリースすることは、どんな組織やプロダクトであれ、かなりの数のメンバーに協働してもらい、壮大な計画を着実にこなしていくことになる。そのため、役割分担をしていく上で、リリースという同じ目標を各ファンクションのメンバーで共有し、自走できるメンバーと協働し、推進していく必要がある。ここで言う自走とは新規プロダクトのリリースに向けて、ファンクションの責任者として対応方針をゼロから設計でき、それに基づいたタスクの洗い出しとその実行を行うことができることを指している。タスクと言っても非常に広範囲であり、自分だけで完結するものだけでなく、部門間連携や場合によって他社との協働も含めて行うようなものも当然含まれることになる。各部門でエースと言われるようなメンバーを、プロダクトマネージャ、デザイナー、エンジニアリングマネージャ、テックリードを始めとするプロダクトサイドに加え、ビジネスサイドとの連携役になるプロダクトマーケティングマネージャ、そしてマーケター、セールス、導入コンサルなどのビジネスサイドも含めて一同に会し、アラインメントとオートノミーだけを担保し、一斉にリリースに向けて協働し合える状態を作る必要がある。ファンクション間に壁を作ってタスクの押し付け合いをするのではなく、お互いの役割を理解した上で自然と連携している状態を目指したい。

上記のメンバーが集まり、まずリリースまでのタスクの洗い出しから始めていく。各人がリリースまでに必要なこと、誰が何をいつまでにやるのか、ただこの3点をひたすら列挙するだけである。これを持ち寄って読み合わせていき、ファンクション間でオーナーが不在のタスクがないかを確認することから始まる。例えば、新規SaaSの開発を進めていると、どうしても機能要件に目が行きがちで、非機能要件やインフラ面の対応の洗い出しが粗くなり、リリースが近づいてくるにつれ、やるべきことが新たに見つかるケースが多い。しかし、リリース目前で新たなタスクが見つかるたびにチームは悲壮感に苛まれることになる。そのため、リリースまでに時間的余裕があるうちから、毎週など定期的にタスクの進捗だけでなく、その洗い出しを常にし続けるべきなのである。

つまり、タスクの洗い出しが開始直後からいきなり精度高くできていることは稀であり、継続的に新たなタスクが本当にないか、何も出てこなくなるまで洗い出すことにより、円滑なリリースを手繰り寄せることができるのである。このリストを出し切るのが早い段階であればあるほど、プロジェクト全体の進捗を肌で感じる機会が増え、時として尊重し助け合い、時として牽制し合うことで、チームとしての結束も強まっていくことになる。

各ファンクションで責任を持ち、自走できる人を集め切ることと、リリースに向けて必要なタスクを洗い出し続け、その精度を高く保ち、1つずつ着実に進めていくこと、この2点こそが円滑なリリースを生む根源的な要素なのである。

なお、各ファンクションで自走できるメンバーで進めることが理想的だが、当然一ファンクションが欠けていたり、メンバーのスキルセットに不足があったりすることも多い。このような場合でも、とにかくタスクリストの完成度を高めるべく、チーム内で不安であれば、新規リリースを何度も経験している人に定期的にレビューしてもらうなども有用な手段になるだろう。後から想定外のタスクが出てくると、次から次へと調整事項が蓄積されていくので、どんな状況でもできる限りの手を尽くして、リリースに必要不可欠なタスクの洗い出しの精度を高めてほしい。

2 リリース判定基準

新規SaaSをベータ版、正式版と2段階でリリースするに当たり、それぞれの目的に応じたリリース判定基準を定義する必要がある。この定義をきちんとステークホルダーで事前に確認を行い、少なくともリリース1〜2週間前に最終確認を行い、リリースに向けた残タスクをこなせるか認識を揃えてリリースの意思決定を行うことになる。では、リリースに向けた確認項目の議論に移っていきたい。下記の通り、大きく分けて6つほど確認すべき項目がある。

1. ユーザストーリーが実装されており、QAが完了していること
2. 非機能要件の実装とQAが完了していること
3. 不具合に対する重要度、優先度を踏まえ、不具合対応が完了しており、品質が担保できていること

4. プロダクト全体で掲げるデザインレベルやテイストが担保されていること
5. ターゲットに応じて、ビジネス上で利用可能なパフォーマンスが担保されていること
6. 脆弱性テストが完了していること

1. ユーザストーリーが実装されており、QAが完了していること

新規SaaSを展開する上で、ユーザが価値を感じる最低限の機能セットが実装されていて、ユーザストーリーが実現できるか確認することになる。具体的には実装された機能に対してQAを行い、全機能に対してQAが完了している必要がある。

2. 非機能要件の実装とQAが完了していること

SaaSとして展開するにはユーザストーリーによって可視化されないサインアップや課金などの非機能要件の充足も必要になる。ユーザへの提供価値の創出という観点からは外れることが多い。しかし、ユーザの目に触れないまでも、SaaSを通して価値提供する上で前提になる要件であり、実装だけでなくQAの完遂も必須である。

3. 不具合に対する重要度、優先度を踏まえ、不具合対応が完了しており、品質が担保できていること

Part4 Chapter5 Section4「QAを行う上での不具合に対する評価方法」で確認した通り、機能要件、非機能要件共にQAを実施し、確認できた不具合に対して重要度、優先度を付けていく。その上でリリースまでに何を対応し、再度QAを行い、品質を担保するか決めることになる。

リリースが近づくにつれ、新規開発だけではなく、不具合対応も並行して進めていくことになる。リリースまでに対応すべき不具合の残存数も確認しながら、スプリントのプランニングを進めていくべきだろう。

なお、事前に決めた品質を担保できていないにも関わらず、リリースを優先するような場面を見かけることがある。しかし、まずは事前に決めた品質を担保できているのかを確認し、まだ対応すべき不具合が残っているにも関わらずリリースに踏み切る際は、個別に重要度、優先度まで遡り、事前に懸念等を洗い出し、議論を経て意思決定すべきだろう。

4. プロダクト全体で掲げるデザインレベルやテイストが担保されていること

新規プロダクトの要件が多く、複数のデザイナーが協業している場合や、すでに既存プロダクトを展開している場合において、プロダクト全体で掲げるデザインレベルやテイストの統一感が欠如し、問題になることがある。その対策として配色やシソーラスなどユーザインターフェースの設計思想や文言の統一感を確認していくことになる。プロダクトの性質にもよるが、必要なレベルでアクセシビリティ[※1]が担保されていることもこの項目と併せて確認することで、効率的に進めることができる。

5. ターゲットに応じて、
ビジネス上で利用可能なパフォーマンスが担保されていること

リリース時の要件が実装され、QAも問題がない場合でも、ビジネス上で利用可能なパフォーマンスが担保できなければ、ユーザへの価値提供を実現できない。そこで、実際のユースケースにおいて問題なく使えるパフォーマンスか確認していくことになる。具体的には、フロントエンドとバックエンドでそれぞれテストを行う。前者ではユーザの利用を想定したシナリオを新規SaaS上で操作し、リクエストからレスポンスまでの時間が業務上利用可能なレベル感に収まっているか確認する。後者はクエリやAPIのレスポンスまでの時間が実利用に耐えうるものか、また想定される最大リクエスト数を

[※1] 参照 『デザイニングWebアクセシビリティ - アクセシブルな設計やコンテンツ制作のアプローチ』(太田 良典、伊原 力也 [著]、ボーンデジタル、2015/7)、p.10〜p.11:「アクセシビリティとは」

捌き切れるかが確認事項となる。

なお、想定ユーザの特徴に焦点を併せてパフォーマンスの検証を行うべきである。他にも、対象とする業務自体に季節性などがある場合、一定の季節や時期にだけ利用が急増し、パフォーマンスが低下することもある。そのため、ピーク時における利用状況を踏まえ、パフォーマンスの確認を行う必要がある。例えば、確定申告や年末調整向けのSaaSを想定すると、年度末や年末にアクセスのピークを迎えることになる。このような季節性などもパフォーマンスを低下させる一要因なので、検証する際に加味されたい。

6. 脆弱性テストが完了していること

最後の脆弱性テストは外部からの攻撃に耐えうる状態になっているかの確認である。Part4 Chapter5 Section5の「QAの対象」で詳述しているので、併せて確認してほしい。

Chapter 3 ベータ版リリース

本Chapterでは、ベータ版について細かく見ていく。具体的にはベータ版を展開する目的を確認した上で、どのような類型がベータ版にはあるのか整理していく。その上で、ベータ版の目的に応じてリリース時に対応すべき内容が変わるので、併せて確認を行う。ベータ版であってもリリースを行えば、販売などを通してテストユーザ獲得を行うことになる。

すでに本書でベータ版について何度も言及しているが、それらも踏まえて、改めてベータ版の位置付け、目的、リリースなどを整理して説明していく。

1 ベータ版の位置付け

ベータ版と言っても厳密に定義が決まっているわけではなく、その目的やあり方は様々である。一般的には、ベータ版は正式版リリース前にリリースされ、テストユーザに実際導入してもらい、問題なく利用できるものになっているのか確認するためのものとして捉えられることが多い。そのため、ベータ版と謳うだけでリリースしても、大きく要件が変わる可能性があるものとしてテストユーザが認識した上で使ってもらえるのである。また、好意的なテストユーザは積極的にベータ版の導入を進め、実利用を踏まえた上で足りない機能や使いにくいポイントなどを具体的にフィードバックしてくれることもある。

上記ベータ版の目的やあり方を踏まえ、さらに公開範囲と課金という2つの軸でベータ版の展開方法を整理していく。

公開範囲

1つ目の軸はベータ版の公開範囲をオープンベータとして広く伝えるのか、それとも一部の潜在ユーザに対してクローズドな状態での展開に留めるのかである。オープンベータは多くの潜在ユーザに訴求できるため、テストユーザの確保がしやすく、フィードバックが集めやすい。逆に潜在ユーザに広く訴求してしまうため、正式版リリース時のインパクトが弱くなりかねない。具体的には、不特定多数の潜在ユーザにダイレクトメールを送信したり、検索可能なLPを公開したりすることで、その分公知となり、プレスリリース時のインパクトは低下して、メディアに取り上げてもらいにくくなるのである。また、公知になることで特許申請上の要件となっている新規性を満たしにくくなったり、競合他社からも意識されたり、場合によって対応策を講じられるという懸念も出てくる。

他方、クローズドベータを活用する場合はベータ版を訴求する範囲を絞るので、正式版リリースのインパクトを最大限引き出すことができ、競合他社の目を惹く可能性も低く、特許申請を行う上での懸念もない。しかし、テストユーザの確保を行うに当たって、既存プロダクトのユーザや従業員の知り合いなど、すでに関係値がある潜在ユーザに直接連絡するしか手段がなく、テストユーザの確保が難しくなる。

上述の通り、オープンベータ、クローズドベータはいずれにもメリット、デメリットがある。そのため、テストユーザの確保、特許出願の必要性や競合他社の意識、正式版リリース時のインパクトなどの利益衡量によりオープンベータか、クローズドベータかを選び展開していくことになる。

課金

ベータ版の展開方法におけるもう1つの軸はベータ版における課金の有無である。課金を行うのであれば、テストユーザといえども、商談を経て受注することになる。SaaSとしての価値提供が前提となり、正式版展開前に実際購入してもらえる水準にあるのか、受注した上で価値を感じてもらえるのかを確認することになる。このように課金を行う場合はベータ版といえども、プロダクトを販売することになるので、ほぼ正式版リリース後と同じプロセスを踏むことになる。逆に、正式版リリースと異なり、正式版展開後には許容できないような大胆な値引きなどが可能になるのである。すでにPart5 Chapter2 Section9「プライシングにおける定性調査の誤謬」で確認した通り、定性/定量調査を踏まえてもなお実際の商談とは状況が異なるので、ベータ版を活用することで、プライシングの妥当性をより精緻に確認できる。そのため、正式版リリース時とは異なり、値引きなどのオプションを広く認め、幅広いプライシングを提案することで潜在ユーザの価格受容性を確認するのである。

他方、課金を行わない場合は半年、1年などの期間を設定し、無料テストユーザを募ることになる。これは、ベータ版が数ヶ月程度という限られた期間の中で正式版リリースに向けて各種検証を進めなければならないことに起因する。そのため、テストユーザをできるだけ早く確保しなければならないことから、商談や価格交渉なしにとにかく使ってもらうことを優先し、最初から無料として展開するのである。このケースの場合、単に無料で利用してもらうだけでなく、プロダクトに関してフィードバックしてもらったり、導入事例として取り上げ、正式版リリース時のLPへの掲載やプレスイベントなどへの登壇に協力してもらうこともある。

この2つの方法をハイブリッドさせて、無料テストユーザを募り、一定数を担保しつつ、他は価格面も含めた検証を行うべく課金前提での展開を行うこともある。この分野に長けている人ならば最初課金前提で価格検証を行い、どうしてもテストユーザとして使ってもらいたい場合は、無料テストユーザを提案する流れを思いつくことだろう。この発想はSaaSの提供者として真っ当な発想である。しかし、ここでユーザ目線に立ち返ってほしい。新規SaaSの提案として検証も兼ねるので、初期提案は少し高めの価格設定で実施される。この提案を受けた潜在ユーザはまず機能面で実際の業務に耐えうるものになっているのか確認することになる。しかし正式版リリース前のタイミングで過不足なく現状の業務すべてをSaaSに置き換えられないことのほうが多い。そのため運用でカバーできない機能不足があると、失注に繋がってしまう。安い高いではなく、そもそも導入余地がないと判断され、その後無料で提案してもプロダクトの進化に協力してくれる潜在ユーザは少ない。逆に最初から無料テストユーザとして実際の導入を想定して使ってくださいと提案を行うと、実際導入できないことは最初からわかっていながら、今後のプロダクトの進化の一翼になるならと協力してくれる潜在ユーザもいる。ベータ版時点から使おうと思ってくれる潜在ユーザは無料であれ、有料であれ、イノベーターやアーリーアダプターとしてプロダクトの思想に共感し、想像で足りない機能を補ってくれ、貴重なフィードバックをくれる。有償での提案を行ってしまったがゆえに、多くのイノベーターやアーリーアダプターを失う可能性があることを念頭に置き、どう提案すべきなのかをきちんと精査した上で、初回提案に臨むべきだろう。

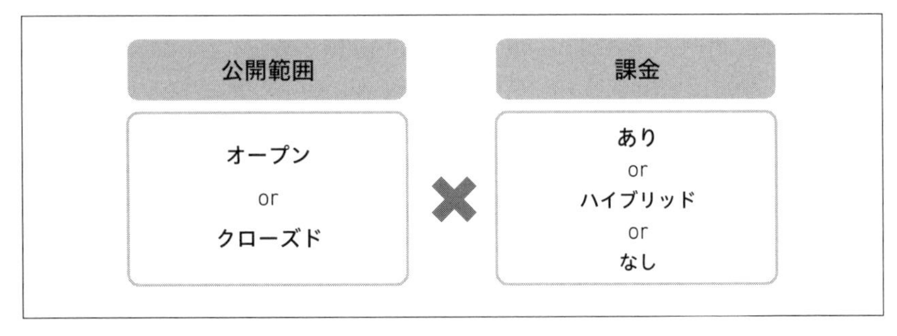

図6.3.1：ベータ版の類型

本Sectionをまとめると、ベータ版と一言で言っても、何をどこまで検証したいのかによって、オープンベータ/クローズドベータや、無償/有償/ハイブリッドという選択肢があり、どれを選択するかによって、大きく展開方法が変わる（図6.3.1）。「ベータ版だから」の一言にまとめてしまわず、ベータ版としての検証項目とその結果によって今後展開をどのように意思決定していくのかを言語化してから臨みたい。

2 ベータ版の目的に応じたリリース対応

Part6 Chapter3 Section1「ベータ版の位置付け」に応じて、リリース判定基準を立てて、それらを元に確認を行い、リリース判断を行うことになる。

まず、ベータ版の目的によって大きくリリース判定基準の程度が変わることを確認したい。例えば、ベータ版の展開を広く周知し、課金を前提とする場合だと、正式版展開と同等レベルのリリース判定を行うことになるだろう。逆にベータ版の周知を行わず、クローズドなテストユーザに対して、無料でとにかく使えるものになっているか確認の意味で導入してもらう場合であれば、リリース判定基準は簡素なものになる。むしろベータ版に協力してもらえる潜在ユーザと一緒に正式版向けのリリース判定基準に向けてプロダクト開発を進めることさえある。したがって、ベータ版の目的を明確化し、それに準じたリリース判定基準を立てることになる。

次に、リリース判定基準の取り扱いについて触れたい。大きな流れとしてリリース判定基準を事前にチーム内ですり合わせ、リリースの1～2週間前に基準に照らし合わせてチェックを行うことになる。リリース判定を行うタイミングが迫るにつれて、残作業の洗い出しと進捗確認をこまめに行い、リリースへのコミットメントを高めていくことになる。どれだけプロジェクトマネジメントに長けた人でも瀬戸際は少しでも品質を上げようと意識が高くなる。このような状況を見込んで、バッファを積んでおくのも有用であるし、逆にリリース前のお祭り感を楽しむという開き直りが、時としていい風を呼び込むこともある。その時のチームの雰囲気やプロダクトの品質も考慮に入れて進めていきたい。なお、リリース判定基準確認のタイミングになっても、まだユーザストーリーの実現に向けた機能開発を行っているような場合はリリースまでの残タスクの洗い出しを再度行い、リリースのリスケジューリングに踏み切る決断を行うことになるだろう。

最後に、クローズドで課金を前提とするベータ版を採用する時に注意すべき点を確認しておく。このケースでは、テストユーザの確保に手こずる可能性が高く、リリースしたからと言ってすぐに使い始めてくれるテストユーザがいないことがある。クローズドで課金を前提とすることにより、リリースしたからと言って、すぐテストユーザにプロダクトを使ってもらえるわけではない。つまり、ベータ版を潜在ユーザに提案し、受注することでようやくテストユーザを確保できるのである。BtoCでユーザ数の多いプロダクトや知名度がある企業でプロダクトマネージャをしていた方からするとややもの足りなさを感じるかもしれないが、新規SaaSのベータ版リリースは華やかなものではない。ビジネスサイドの予算やリソースの張り方次第でもあるが、大規模なマーケティングをしない限り、徐々に商談をこなし受注することで1件、また1件と導入件数を伸ばしていくことになる。

3 ベータ版の展開

ベータ版のリリースを行うと、販売などの展開を進めていくことになる。その上で、まず事前/深掘り調査とプライシングにおける調査を元に開発したプロダクトと販売戦略が機能するのかを確認することになる。

事前/深掘り調査とプライシング時の調査を綿密に行えば行うほど、プロダクトと販売戦略は調査によって検証され、想定通り潜在ユーザにプロダクトを受け入れてもらえ、販売戦略が機能しやすくなる。プロダクトマネージャは事前/深掘り調査とプライシング時の調査と、すでに調査を2度も主導し、すでに相当きめ細やかな状況把握ができており、これに基づいたプロダクトと販売戦略を携えて、ベータ版の展開を進めることになる。

他方、リリースに向けてアサインされたセールス担当の人は徐々にキャッチアップを始めていく。そのため、プロダクトマネージャ目線ではセールスからの共有事項が既知のことの繰り返し見えるかもしれない。しかし、調査を超えて、実際の商談や導入を踏まえ、ユーザから純粋なフィードバックを直接受けられる最初の機会なので、ぜひこの機会をこれまでの調査における仮説と実際の販売におけるギャップの有無を確認し、ギャップがあった場合、その理由までしっかり把握する場として活用されたい。

例えば、過去、私が担当した新規SaaSの展開において、最初からターゲットではないと思い込んでいたユーザセグメントにセールスがアプローチしたところ、価値を感じてもらえて、受注に繋がった経験がある。リリース前に設定したターゲットは各種調査により検証したものである。しかし、あくまで調査を通して検証したものに留まるので、リリース後導入検討を行っている潜在ユーザを目の前にすると、そもそも前提に齟齬があるようなケースも出てくる。つまりリリース前に検証した事実は、リリース後改めて仮説として捉え直し、ベータ版の販売を通して起こったことに真摯に向き合い、必要に応じて認識を変える覚悟を持つべきだろう。

最後にクローズドベータの場合、なかなか検証が進まないこともあるので、丁寧に進めていきたい。クローズドベータ版として展開していくことになると、よほど初期リードの洗い出しができていない限り、もどかしい思いをすることだろう。まだ公表していないSaaSを潜在ユーザが知る余地はなく、インバウンドで商談機会を獲得できる可能性はない。そのため、ターゲットになりそうな企業を紹介してもらえないか社内で当たったり、既存プロダクトがすでにあればクロスセルの可能性がありそうな潜在ユーザにアプローチしたりすることになるだろう。クローズドで当たっていくことを担保できる範囲で、提案を進められる潜在ユーザを洗い出し、1件ずつ丁寧に提案を行い、獲得を進めていきたい。

4 ベータ版展開の振り返り

ベータ版の展開を通して正式版リリースに向け、どのような観点で振り返るべきか確認しておく。ユーザストーリーマッピングを起点に設計した新規プロダクトが本当に利用してもらえ、そして価値を感じてもらえるかが最も重要な観点である。この観点から正式版リリース時の要件を再精査することになるだろう。ただし、ベータ版の検証項目はプロダクトに関する点だけでなく、実質的な商談の内容やリード獲得から商談を進めていくプロセスなど、ビジネスサイドへのフィードバックも含まれる。

例えば、フィールドセールスやカスタマーサクセスは参画していたが、提案機会の取得を行うインサイドセールスがおらず、一次提案を行うまでのプロセスもすべてフィールドセールスが担当することになってしまい、最も重要な商談自体を進められず、ベータ版の受注が進まない事態もありうる。このケースの場合、結果的にユーザからのフィードバックが集まらないという事態を引き起こす可能性もあり、最初からインサイドセールスを立てていくべきという示唆に繋がることもある。

他にも、意外とリード獲得から受注までの流れはスムーズにバトンを回していくことができたとしても、それを管理するシステムが導入できておらず、毎回カスタマーサクセスがインサイド/フィールドセールスに事細かに質問してしまい、進めるべき商談に影響が出てきてしまうこともありえる。このケースからはインサイドセールスからカスタマーサクセスまでの引き継ぎ内容の精査と顧客管理ツールの導入などに繋がることが多い。また、リリース前において事業計画はあくまで計画値でしかなく、ベータ版の展開などを通してリリース後のビジネスインパクトをより精度高く推計にすることもある。ベータ版を通して、プロダクトマーケットフィットの確度を向上させてから正式版のリリースに踏み切るという順序を経ることも多い。販売開始時期こそ少し遅くなるが、計画の精度向上を上げることができる。

このように、ベータ版の展開はプロダクトの利用に関するフィードバックを得ること以外にも、正式版リリースに向けビジネスサイドのオペレーションや事業計画の精度を確認する上で貴重な機会になるのである。

とはいえ、ベータ版の展開時には、まだ少数精鋭で商談を行う傾向が強く、例えばフィールドセールスを1人で担当することも少なくない。しかし実際の商談内容から鋭いユーザフィードバックに繋げていくには1人で商談を振り返って悶々と思考するよりも、一緒に商談を行ったメンバーで軽い議論をしたほうが、提案内容の精査や販売プロセスの改善を行う上で有用な手段になることが多い。コロナ禍を経て、リモートでの商談も多くなり、なかなか往訪の道中雑談する機会も減ってしまったが、できる限り個別の商談後に振り返りを複数人で行うなどして、ユーザフィードバックに昇華させていくべきだろう。

上記のようにベータ版から様々な示唆を汲み取るには、一定の量を担保する必要が出てくる。その際、商談にこだわらず、いきなり無料によるテストユーザを確保するのも一案である。無料で商談もいらないので、とりあえず登録する潜在ユーザは多く、ユーザフィードバックを獲得できる対象は広がるだろう。ただし、無料だったら使ってもらえるというのは提供者側の考えでしかなく、実際の業務を進める上でとりあえず登録だけしてみるのではなく、時間を割いて導入するかどうかは潜在ユーザがプロダクトの提供価値を理解し、導入に踏み切れるかどうか次第である。そのため、すでに競合プロダクトが展開されている場合、差別化要因を明確に訴求できれば、無料であることはフックになり、登録や導入に踏み切りやすくなるだろう。他方、競合プロダクトがなく、ユニークなプロダクトの場合、商談を通してプロダクトの提供価値を伝えたほうが登録や導入を促進させやすくなることが多い。プロダクトの特性や課金の有無などを踏まえ、ベータ版を展開し、とにかく最短でフィードバックの量を担保する方法を模索してほしい。

少しまとめると、ベータ版の展開を通して、どのような潜在ユーザに刺さるのか、そして受注し、価値を感じてもらえるのかを確認した上で、リードの獲得チャネルを明確にし、LPにおけるメッセージや商談時の提案ストーリーを言語化していくことになる。具体的にはプロダクトにおける機能面で過不足がないのか確認し、正式版リリース時の要件の微調整をしていく。ビジネスサイドでは、ユーザフィードバックを踏まえて、新規プロダクトのメッセージングや提案ストーリーなど改善していくことになる[※2]。そのため、正式版リリース時の要件と新規プロダクトのメッセージングや提案ストーリーの整合性を確認すると良いだろう。

このような整理できていれば、正式版リリースに向けの機能要件としてどこが足りていないのか確認できているだろう。正式版リリースタイミングとその時の機能要件を見比べながら、メリット・デメリットを挙げて、議論を行い、最終的には論理的に解を出すというよりは、意思決定を行うことになるだろう。

5 ベータ版の展開を進める上で陥りやすい4つの罠

まずプライシングの定性調査で何度も聞くことになる好意的なコメントを真に受けて、商談に臨むと面食らうことになる。プロダクトの内容やインタビューした潜在ユーザにもよるのだが、同じ潜在ユーザでも、インタビューされに来ている場合と新規SaaSの導入検討をしに来ているのとでは、商談時のリアクションは全く異なるだろう。プライシングなど各種定性調査ではインタビュワーとして呼ばれた人は何かいいフィードバックをしようというバイアスがあり、評価が高く出る傾向にあるので、一定程度割り引いて受け止めておいたほうが良いだろう。インタビュワーもプロダクトマネージャな

[※2] 参照 SaaStr 2019、「LESSONS FROM SURVEYMONKEY: 7 TIPS FOR USING CUSTOMER FEEDBACK TO BUILD RABID FANS AND MAKE MORE MONEY」(LEELASRINIVASAN)
URL https://www.saastr.com/customer-feedback-rabid-fans/

ど、企画、開発を進めている中心的なメンバーが担うことになり、当然良いフィードバックを過大評価しがちになってしまうのである。

ビジネスサイドの経験がないプロダクトマネージャが新規SaaSの立ち上げを担当する場合、ベータ版の販売を経て、ユーザが利用を開始してフィードバックしてもらえる状態になるまで想定以上に時間がかかることを知らないかもしれない。ベータ版の販売を進める際は、リードの洗い出しや商談の予定の調整、潜在ユーザ内での社内調整（予算確保、稟議、導入のスケジュールなど）を行うことになり、場合によって非常に時間がかかるのである。他方BtoCのプロダクトだと、潜在ユーザがその場でスマートフォンにダウンロードし、プロダクトの登録を行い、利用を開始できる。ここまで進めるだけで、1ユーザとしてプロダクトの利用ができ、何らかのフィードバックができるようになるのである。BtoCのプロダクトマネジメント経験が長い人からすると、新規SaaSのベータ版の検証は相当長い期間かかるので、かなり前もってスケジューリングをしておく必要がある。比較的小回りの利くSMB向けの販売であっても、導入してフィードバックをもらえるようになるまでに2〜3ヶ月は最低限確保しておきたい。

Part6 Chapter3 Section1「ベータ版の位置付け」で触れた通り、ベータ版の目的をしっかりと言語化できているかどうかによって、検証の精度は大きく変わる。実際売り始めると、検証であるという位置付けが立ち消え、目の前の売れ行きや潜在ユーザからのフィードバックに一喜一憂してしまう。検証すべき項目に応じて、どのようなユーザセグメントに何件導入してもらい、どんなユースケースに対するフィードバックをもらうのか、どういうフィードバックであれば問題なく、正式版リリースに駒を進められるのかを常に念頭に置きたい。

また、せっかく導入してくれたユーザからフィードバックを収集し、対応を進めているにもかかわらず、フィードバックをしてくれたユーザに対応方針や開発、機能追加についてコミュニケーションが疎かになることが多い。ベータ版という微妙な位置付けからコミットしてくれているユーザは、もはや1ユーザという立て付けではなく、一緒にSaaSを作っていくパートナーであるという認識を持つべきだろう。そのため正式版リリースまでは少なくとも定期的にコミュニケーションを取るようにするなど、リレーションの構築を心がけたい。

Chapter 4

正式版リリース

1 正式版リリースに向けた確認事項

ベータ版による検証を経て、無事ターゲットとして掲げていた潜在ユーザからの受注や導入が進み、ユーザストーリーの実現ができた先に待ち構えているのが、正式版リリースである。ベータ版の立て付けによってその準備の重さが変わってくるので、注意が必要だろう。

プロダクトとしては完成しているが、ユーザストーリー実現の最終確認という意味でベータ版をテストマーケティングとして行っていた場合は、リリースに向けた作業としては、ベータ版という看板を外すだけで大きな対応は不要だろう。他方、クローズドなユーザに対して無料で提供していたような場合には、潜在ユーザと一緒に正式版向けに機能開発を進めていたり、非機能要件としてサインアップや課金、脆弱性のテストなど正式版リリースには完遂しなければならない開発が残っている可能性が高い。再度Part6 Chapter2 Section2「リリース判定基準」に遡って、現状との差分を洗い出し、対応計画を立てていくべきだろう。

仮にベータ版で広くマーケティングしていたような場合でも、正式版リリースとなれば、正式にLPの展開を行い、プレスリリースやイベントの準備、展示会への出展や広告の出稿などを始めることになる。すでにリリースに必要なことはPart5 Chapter5「販売戦略実現に向けた準備」で述べたので、ここではリリース日を迎えるための確認項目を挙げておきたい。

このタイミングで、確認すべき事項は以下3点である。

1. ベータ版から正式版リリースまでのリードタイムとその先
2. メンバー間の情報共有の設計
3. リリースを通して伝えたいメッセージの磨き込み

1. ベータ版から正式版リリースまでのリードタイムとその先

ベータ版のリリースから商談及び導入でそれぞれ2〜3ヶ月ずつ期間を設けておいたほうが良いと述べたが、検証項目も正式版リリースに向けた対応も夢が膨らみ、タスクリストも膨大になっていく。当然リリーススケジュールに合わせて絞っていくことになるのだが、メンバーの意思が高ければ高いほど、土壇場でも手を抜かずにやり抜こうとする。ただプロダクトサイドには、ベータ版リリースに続き、正式版リリースと大きな波が立て続けに2つも押し寄せることになるので、根を詰めすぎないようにスケジューリングしていきたい。またどんなプロダクトもリリースしてからが本番なので、リリース後何を開発するかだったり、どういう順序でターゲットへのアプローチを行い、販売方法の確立を行ったりするのかなど、常に1〜2歩先の問題提起をメンバー間で気軽にできる状態を作っておきたい。

2. メンバー間の情報共有の設計

次に上記にも関係するのだが、リリースが近づけば近づくほど、後は各人でこなすだけの作業ではなく、同じ目標に向かって依存関係があるタスクを分担していくことが多い。そのため、かなり広範囲のメンバーになるが、同じタスクリストを読み合わせる場を設けて、進捗管理を行い、リリース日までに対応を終えるようにしたい。

3. リリースを通して伝えたいメッセージの磨き込み

最後に新たなプロダクトを生むことは、スタートアップではもちろん、大企業でも社内外に注目される契機になりえる。正式版リリースを通じて何を市場に伝えていき、どうしていきたいのか、つまり、プロダクトビジョンの細かいワーディングを含めた調整を行うことになる。プロダクトビジョンを形成したプロダクトの企画検討時点とは異なり、ユーザにどう伝えていくのかという視点でブランディングやマーケティングを確認していくことになる。この時点で大きな方向転換はないものの、潜在ユーザや市場に対して発信していくことになるので、一言一句気持ちを込めて推敲すると良いだろう。

2 正式版リリース直前にプロダクトマネージャとしてできること

私がプロダクトマネージャとして新規プロダクトなどを担当する際、正式版リリースの3〜6ヶ月前ぐらいから、残りの時間どう動くべきかと何度も自問自答するようにしている。もちろん自分で考えるだけでなく、チームで集まる場で、ひたすら何か考慮漏れがないか、定期的に議論を行うことで、リリースまでの計画をより精緻なものへと昇華させていくべきである。これは、新規プロダクトのリリースが非常に多岐のメンバーを巻き込み進められるもので、たった1つの考慮漏れがリリースを遅らせることに繋がる恐れさえあるからである。

Part6 Chapter4 Section1「正式版リリースに向けた確認事項」で挙げた通り、リリース1ヶ月や半月前に立て直そうとしても、どうしようもないものが多く、事前に計画性を持って対応を進めることが求められる。

そのため、意外かもしれないが、正式版リリース直前、例えばリリースの2週間前まで来ると、プロダクトマネージャとしてやることがなくなる。刻一刻と緊張感が高まる開発を見守りながら、チャットなどのやり取りに気の利いたスタンプを付けるぐらいのほうがいいのかもしれない。逆にラスト2週間、プロダクトマネージャが忙しくしていたら、リリースまでの計画に不備があったか、何か問題が起こった証拠だろう。もしそうなのであれば、状況把握、整理を素早く行い、メンバーを集めて、今後の方針を決めてしまわなければならない。とはいえ、想定外の事態が何も起こらないことのほうが稀なので、緊急時に備えていつでも動けるように、心身共に余裕を持てるようにしておきたい。

3 正式版の展開

正式版リリースは、ベータ版のリリースの時と基本的には同じで、導入を決めたユーザがいないうちはリリースと言っても使い始められる状態を担保しているだけと言える。リリースに合わせた大規模マーケティングなどにより、数十万から数百万を超えるようなユーザが一斉に使い始めることすらありえるBtoCのプロダクトの場合と比較すると、新規SaaSのリリースは非常に控えめなものになることが多い。とはいえ、正式版展開に合わせて各種ブランディング施策等、本当に様々なファンクションのメンバーによる協業を経てこの日に向けて準備を進めていたことがようやく日の目を見ることになる。当然ベータ版より反響も大きく、このタイミングに合わせてプロダクトの紹介セミナーなどを行うことにより一定数の集客が可能であることも多い。

日々着実にマーケティング活動を進めることで、潜在ユーザから新規SaaSへの問い合わせを受けて、提案を行う機会に結び付き、最終的に受注に至るケースが出てくる。これまで見てきた通り、新規SaaSの立ち上げはたゆまぬ調査を定性、定量共に繰り返し、潜在ユーザに寄り添った末辿り着いた1つの答えである。この答えに至った思いを理解してくれて、使ってくれるユーザが出てくることに感動を覚える。

誰かに何かサービスを提供していれば、この感情は当然と言えば当然なのかもしれない。ここまで日夜取り組んできたことが報われたような気持ちになる。この感情こそが今後のプロダクトを進化させていく上での原動力になるので、大切に次の論点であるプロダクトマーケットフィットに向けもう一度潜在ユーザに向き合い、プロダクトの進化を続けてほしい。

4 リモート環境でもリリースできる仕組み作り

SaaSに限らずプロダクトのリリースを推し進めていくと、どれだけ事前に計画していても、不測の事態が次から次に出てきて、プロダクトマネージャを始めとしたコアメンバーはその調整に右往左往することになる。この状況を乗り切るには対面のコミュニケーションを基本とし、状況把握、方針の策定、その実行を繰り返し、リリースを手繰り寄せていくものである。コロナ禍を迎える前はこのような進め方を行うことが当たり前だったように思う。

しかし、私がプロダクトマネージャとして担当していたfreeeプロジェクト管理は、当時2020年4月にリリースを予定しており、誰1人として対面でコミュニケーションできない状況下で、新規SaaSのリリースを迎えることになったのである。私はこれまで10年ぐらい、プロダクトマネジメントを中心にプロダクトに関わる経験を積んできたが、リモート環境下でプロダクトをリリースするということは初めてだった。

当時、急遽リリース向けた開発、リリース直後の各種ブランディング施策をいかにリモート環境で完遂するかが、メイントピックに躍り出たのであった。ただ不幸中の幸いとして、もともと主要メンバーが東京、大阪、愛媛に点在しており、定期的にお互い出張しあっていたものの、ここまでのプロダクト開発をリモート環境を中心に推進してきたことが大きく、特段コロナだからといって変えなくても良かった。この経験を通して、リモート環境で新規SaaSのリリースをしていくには以下4つのポイントが重要だと感じたので、ここで紹介する。

1. プロジェクトの目的目標のすり合わせ
2. 四半期ごとの定例ミーティングの整理
3. 資料のオンライン化とその共有
4. リモート環境を前提としたコミュニケーションデザイン

1. プロジェクトの目的目標のすり合わせ

Part2 Chapter2 Section2「SaaS立ち上げ時におけるOKRの設定」で説明した通り、新規SaaSの企画検討、開発、ゴー・トゥ・マーケットとフェーズによってプロダクトマネージャが注力すべきポイントは刻々と変化していく。そのため四半期程度で何を主眼に置くのかメンバーで見定め、所属部門の目標との整合性を確認し続け、月や四半期程度で振り返りを行う必要がある。オフラインを前提とした働き方だと、何となくランチや雑談で自然と目的目標に関することを話す機会も多く、気が付けば同じモチベーションで目的目標に向かっていることが多いように思う。しかしリモートが前提となると、このようなコミュニケーションは自然には生まれにくく、目的目標の内容を議論し共通認識にすべく、意識的に取り組むべきだろう。

2. 四半期ごとの定例ミーティングの整理

意思決定事項や継続議論を行うべき事項、部署横断の進捗確認などの共有事項を都度洗い出し、各ミーティングの設計、運用の改善を繰り返した。フランクにその場で気軽にミーティングをセットして進めるほうが、無駄が少ないというメリットはあるが、新規SaaSのリリースにはメンバーが多くなりがちで、毎回予定の調整をしていると、リリース前などはそれだけで忙殺されかねない。そのため上記のようにトップダウンでミーティングの整理、設計を行うことで、冗長的かもしれないが、議論できなくて困ることはなくなる。当然事前に議題がなければスキップしたり、資料のみ展開したりして、オンライン上でコメントのやり取りで済ますなどの工夫も検討すべきだろう。Part5 Chapter7「コミュニケーションのデザイン」で詳細に記載しているので、今一度参考にしてほしい。

3. 資料のオンライン化とその共有

ミーティングなどで資料を利用する場合、リモート環境だと参加者の誰かが印刷して配布することはできない。社内向けであればミーティング前にできるだけ資料を共有し、事前に確認してもらえる状況を作っておきたい。こうすることでミーティング開始と同時に資料自体の詳細説明なしに、いきなり資料の不明点を確認することから始められ、すぐに内容の議論に入っていくことができるメリットがある。また物理的なホワイトボードやノートなどを活用して議論した場合、それもすかさず写真等に収め、オンライン上にアップロードし共有することを心がけたい。さらに最近ではmiro[※3]やJamboard[※4]などのオンラインホワイトボードを活用し、最初からオンライン化してしまう動きも出てきている。iPad[※5]などのタブレット端末で採用されているタッチペンを活用することで、ノートにメモを取るような感覚で、オンライン上のノートに自由に記入することができる。さらにプロダクトの画面キャプチャなどの画像を貼り付けたりすることもできる。このおかげでワイヤーフレームや画面の構成に関する議論だけでなく、具体的な画面キャプチャを活用したニュアンスレベルの議論ができるようになってきているのである。

4. リモート環境を前提としたコミュニケーションデザイン

もはやコロナ禍において当然かもしれないが、ミーティングの開始時間になると、カレンダーツールに設定されているオンライン会議システムへのリ

[※3]　URL　https://miro.com/
[※4]　URL　https://jamboard.google.com/
[※5]　URL　https://www.apple.com/ipad/

ンクをクリックし、オンラインミーティングを開始する。会議室に向かうのではなく、パソコンに接続されたカメラに向かうのである。中にはカメラをオフにして音声だけでミーティングを行う人も多い。カメラをオンにしても画面に映るのは顔を中心にした上半身だけだが、思った以上に表情やジェスチャーにより表現の幅が広がり、話し手が伝えたいことのニュアンスを補完する。在宅でのリモートワークの場合プライベート環境でもあるため、カメラの使用を強要できるものではない。ただ長年オフラインを前提とした働き方をしていた人にはいきなり音声だけのやり取りは孤独を感じさせるかもしれないので、何かしらの手段でニュアンスの補完を試みるべきだろう。さらに最近では録画機能を活用し、これまで複数回やっていた社内向けの説明会を1度にし、後は録画の配信に留め、オンライン上でFAQを行うことも可能である。

上記4点をまとめると、目的目標のすり合わせとそれを実現する上でのミーティング群の設計はリモートかどうかに関わらず重要なポイントである。リモートを前提とした時に何気なくやっていた日々の雑談が相当意識しない限り実現できなくなる。これらを補完する意味でより意識して取り組む必要がある。後半2点の資料とコミュニケーションのオンライン化は、リモートを実現する上での前提とも言えることである。まずはこの2点について業務を移行し、その上で前半2点の不足ポイントを充足していく流れが良いと思われる。

5 リモート環境における人事評価

敢えて脱線するが、このようなリモート環境において人事評価を行う場合、どのような困難が生じるか言及しておきたい。

プロダクトマネージャは、①設定したOKRへの取り組み方と、②その再現性が評価で重視されることが多い。特に新規SaaSの立ち上げではフェーズの変遷に合わせてがらっと目標を変えていく必要がある。そのため追うべき目標を常に考え続け、達成に向けたタスクの洗い出しとその遂行が求められる。この状況下でリモート環境で仕事することになったと仮定してほしい。

前述した通り、リモート環境の特徴として、資料、コミュニケーションのオンライン化が前提となり、目的目標の共有とミーティングの整理が重要となる。同じオフィスにいないことにより、誰が何時間働いているかなどが、感覚的に把握しにくい状況となる。さらに対面での議論がなくなったり、個々人の思いが伝わりにくくなったり、アウトプットベースの評価になりやすい。

これにより、どれだけ仕事をやったかという評価基準ではなく、何を成し遂げたか、その成果を基準に評価していくことになる。これまで時間をかけてしっかりと業務に向かい合っていたことを理由に評価されている人には逆風で、逆に効率が良すぎて傍から見て頑張っているように見えていなかった人にとっては追い風になるかもしれない。

業務に当たり評価される人からすると、成果だけで評価されるよりも評価者に成果を出すまでのプロセスや働き方などの状況を把握しもらい、それらも含めて評価されたほうが、一から成果をアピールするよりは楽な側面もある。しかし同じ場所で働いているからこそ把握できていたことがリモート環境になることで、ごっそり評価のインプットから落ちてしまい、成果をベースにした評価になるだろう。

では、SaaSの立ち上げを進めるプロダクトマネージャを評価していく上で考慮すべきことはあるだろうか。

SaaSの立ち上げは業務内容の抽象度が高く、プロダクトリリースやビジネスインパクトの創出に高いコミットメントが求められる。そのため、頑張っている姿を直接見せることにより評価されている人がアサインされることは少なく、実際のプロジェクト進行などの成果にコミットできる人がその責務を担うことが多い。つまり、事前/深掘り調査を行い、開発の意思決定を行える状態にすることや、リリース時の要件策定と開発の完遂、販売戦略の策定など、各フェーズで実現しなければならないことが明確にあるので、これらをプロダクトマネージャが目標として追うことにより、その成果に対して評価することができるのである。

したがって、新規SaaSの立ち上げにおけるプロダクトマネージャの評価において特段意識することは少ない。ただ、後でサプライズにならないように、リモート環境における評価基準を事前にできるだけ言語化しておき、個々のプロダクトマネージャの期待値や実際のプロジェクトの進捗における期待値を明確にしておくと良いだろう。

6 ユーザ接点

正式版リリースに向け最適化を行うべき要件の1つにユーザとの接点がある。ベータ版販売の目的にもよるが、そもそも受け入れてもらえるのか、ターゲットは正しいのか、導入時のハードルがないかなどを確認していくことになる。マーケティングやセールス、導入コンサルなど、人が介在することを前提に検証を進めることになるが、正式版リリース後もそのままでいいのか、できることならテックタッチに寄せるべきではないか、という議論が出てくる。

ユーザ接点（特にセールス、導入コンサル）に対する類型論として、よくハイタッチ、ロータッチに分類されることが多い。ハイタッチは読んで字のごとく、潜在ユーザによる購入の判断や、導入に対して、対面でのセールスや、導入のサポートを行うことを指す。現状の業務が複雑で、非常に導入初期から高度な活用をする必要がある場合などにも綿密な導入計画策定やその実行支援などをサポートすることがある。他方、ロータッチは対面でのサポートを基本的に行わず、期間やID数など制限を設けた形で無料のトライアルを通して価値を実感してもらうことや、その上でユーザ自身で購入の意思決定を行い、デモ動画やオンライントレーニングなどを通して導入を完遂してもらえるようにサポートすることにある。特にロータッチの大部分は何かしらのテクノロジーを活用することが多く、テックタッチと言われることもある。

7 テックタッチ（ロータッチ）の全体像とその導入

ところで、前者のハイタッチに関してはその主戦場はビジネスサイドにあり、その方法論については、Part5 Chapter4 Section4「SaaSを取り巻くビジネスサイドの全体像」で触れた。ここでは後者のテックタッチについて詳述したい。

まずテックタッチの対象は大きく2つに分類できる。1つ目はプロダクトの内部から配信したり、プロダクト自体の機能としてユーザに提供したりするものである。具体的には期間やID数など制限を設けた形での無料トライアル、ユーザ自身でID追加やプラン変更ができるセルフアップセル機能、導入時のチュートリアルやデモ動画、他にもチャットボットやヘルプページの提供、各種アラートメールなどのコミュニケーションが挙げられる。2つ目はプロダクト外におけるユーザ接点であり、LP、機能拡充や導入事例の紹介を行う動画コンテンツ、すでに導入したユーザ間のコミュニティプラットフォームなどがある。プロダクトの内外で分類したため、前者がセールス、導入コンサル、後者がマーケティングの色彩が強い。

前提としてベータ版から正式版リリースにかけては大々的にマーケティングを行うことは稀であり、リードが潤沢にないことが多い。そのため、まずは潜在ユーザが価値を感じる瞬間を起点にプロダクト内でテックタッチを整備し、導入してくれているユーザに向け最適な状態を提供し、限りあるリードの受注率を最適化することから進めていく。そして、徐々に最適化の範囲をプロダクト外に広げていくことが定石とされる。ただし、あくまで定石であり、新規SaaSを取り巻くビジネスサイドの役割であるマーケティング、セールス、導入コンサルなどを俯瞰し、どこからテックタッチに寄せていくと、新規SaaSをグロースさせることができそうかを見定めると良い。その上で、企画、開発工数/難易度を踏まえ、対応していきたい。

リリースタイミングで議論すべき論点ではないかもしれないが、無料トライアルの先の論点として、フリーミアムモデルがある。これは、利用できるID数や機能制限は一定あるが、無料で永続的に活用できるプランの提供を行うことを指す。フリーミアムを通して、多くの潜在ユーザにリーチできるようになるが、当然その分運営コストもかかる。これを有料プランへアップセルする潜在ユーザで賄うことができるかという観点で比較衡量を行い、導入可否を検討することになる。

テックタッチはいわばマーケティング、セールス、導入コンサルなどの一部をプロダクト化していくことに近い。そのため、ビジネスサイドとプロダクトサイドが最も直接的に連携を行い、作り上げていく他ない。この論点を実りあるものにしていくには、プロダクトマネージャがビジネスサイドの業務内容を理解し、プロダクトを通して表現、代替できるかを検討し、実現できるかにかかっている。また逆に、ビジネスサイドからも自分が行っている業務をどのようにプロダクト化し、代替、促進できるようにするかを検討し、プロダクトサイドと協働できるかにも起因する。テックタッチがうまく行っているかどうかは、プロジェクトが一体感を持って進められているか、メンバーが尊重し合い、協働しアウトプットできる状況になっているかを指し示す分水嶺の1つなのかもしれない。

8 機能不足を踏まえた上での新規プロダクトの販促手法

正式版展開後、すぐ直面する壁として機能不足が挙げられる。リリースに向け、提供価値を最小限で実現できる要件に留め、開発を行っていることから機能不足を理由に失注を続けることになる。大企業になればなるほど、新しいSaaSを導入しても現状の業務プロセスを変えずに運用しようとする傾向が強いように思う。潜在ユーザからのニーズとは裏腹に、社内では新規事業には大きな期待を寄せられ、強気の事業計画が掲げられていることが多い。

では、この状況をどのように打開すべきだろうか。SaaSが対象とする領域はBtoBであり、潜在ユーザのニーズを充足できるかどうかが鍵になる。このように考えると、新規SaaSは機能不足による失注を避けることができず、なかなか受注に至らないことが多い。しかし、このような状況でも特効薬とまでは行かないまでも、機能不足を理由に失注することを減らす方針が3つあるので紹介したい。

まず、開発に関して何も述べず、熱意を持ってプロダクトビジョンを伝え、共感してもらい、受注に至るケースである。そもそも新規プロダクトはきめ細やかな機能を有していることは少ない代わりに各種調査を綿密に行い、検証を繰り返しながら確立したプロダクトビジョンこそが強みである。競合プロダクトよりも現状を詳細に捉え、プロダクトビジョンの構築やプロダクトの設計を行ってきた。そのため、商談などの場で強みであるプロダクトビジョンに共感してもらい、受注に至ることは新規プロダクトの特性を活かした販売手法と言えるだろう。

次に、ロードマップまでは公開しないものの、機能追加などの実績を見せ、開発のスピード感を伝えることで、潜在ユーザからの期待を得て、受注に至るケースである。これは1点目のプロダクトビジョンを起点にした販売をより強固にする意味でも有用である。というのも単にプロダクトビジョンを伝えるだけでなく、これまでのプロダクト進化の過程やそのスピード感を伝えることで、潜在ユーザがいつどんな形でプロダクトビジョンが実現されそうか想像できるようになるからである。

最後は、リリース後の開発ロードマップを潜在ユーザにも公開し、プロダクトの進化を広く宣言することで、今後の展開も含めてプロダクトと認識してもらい、受注に至るケースを指す。この手法はロードマップセリングと呼ばれる。2点目のプロダクト進化の過程やそのスピード感を伝えるだけではなく、実際社内で策定した開発ロードマップをも潜在ユーザに公開することで、具体的にいつ、どのような形でプロダクトビジョンを実現していくのかを明言することを指す。

1、2点目のプロダクトビジョンの公開や、これまでの機能追加などの実績を見せ、開発のスピード感を伝えることは潜在ユーザに対して今後の開発を約束するものではないため、積極的に活用していくべきだろう。

しかし、3点目のロードマップセリングは開発の進捗など不確定要素の多い内容は売るべきではないとされることが一般である。確かにリリース後も継続して開発期間が取れ、ある程度機能が揃ったプロダクトの場合、商談などの場で追加機能を訴求するのであれば、リリースされた状態かそれに準ずる状態でしか訴求すべきではないだろう。ある程度機能が揃っていれば、それだけで受注可能性がある。逆にリリース前の機能を訴求し、予定通りリリースできないような事態に陥ることで、プロダクトや開発チームの信頼を落としかねない。したがって、リリース前の機能訴求は原則避け、今プロダクトとして実現できる範囲で販促活動を行うべきとされる。

しかし、一般論としてはロードマップセリングは忌避の対象になるだろうが、新規プロダクトの場合、原則に則ってロードマップセリングを忌避して受注できるなら良いが、受注できないのであれば多少のリスクを冒しても受注を獲得しなければならない時がある。ただし、盲目的にロードマップセリングを行うことは遵守できない開発を約束してしまい、ユーザからの信頼を失うことに繋がりかねないので、以下のような注意を最低限払うべきである。

まず、社内における開発ロードマップをそのまま潜在ユーザに伝えるのではなく、リリース時期に余裕を持たせて、この時期までには絶対リリースできているという確信の持てるスケジュールを伝えるようにすべきである。次に、ロードマップを公開する潜在ユーザや公開する機能を絞るなどして、ロードマップセリングの条件を限定し、小さく始めることで、一気にリスクを取ることを避けるべきである。3つ目は潜在ユーザの期待調整を行うべきである。期待ばかりを膨らませても、後で解約されてしまうだけなので、今この時点で期待として持ってもらって問題ない範囲でロードマップに関して話すことが重要である。最後に、ロードマップセリングに関する振り返りを定期的に実施すべきである。少なくとも、ロードマップに掲げたどの機能により販売が促進されたか、スケジュール通りロードマップを実現できているかの2点は詳細に振り返るべきだろう。前者はロードマップセリングの対象を最適化していく上で直接的な示唆になるし、後者はロードマップセリングの実現可能性を検証することに他ならない。

このように新規プロダクトは機能不足の中、どのように販促していくか、その方策を考え、実行していくことが求められる。

Chapter 5 プロジェクト全体の振り返り

事業展開という意味では新規SaaSのリリースはほんの始まりでしかない。しかし、ここまで説明してきた通り、長大な道を歩み抜きようやくリリースを迎えることになる。そのため、リリース直後はSaaSの立ち上げというプロジェクト全体を振り返る上で絶好のタイミングである。ここではリリース後1〜2ヶ月後に、プロダクトとビジネスの両面での振り返りを行うことを想定し、本書の全体構成でもある以下の3点についてポイントを確認していく。

- 事前/深掘り調査とプロトタイプ
- 開発
- ゴー・トゥ・マーケット戦略

各項目に関与したメンバーを今一度招集し、振り返りを行っていくことになる。

1 事前/深掘り調査とプロトタイプにおける振り返り

Part3「事前/深掘り調査とプロトタイプ」は、市場規模、潜在ユーザ課題を元にアイデアを出してプロトタイピングを行い、仮説の精度を高めていくフェーズだった。ベータ版の展開や正式版リリースを経て、実際の商談や導入支援、場合によってユーザの行動ログなどを活用した利用動向分析をベースに振り返りを行うことになる。

事前/深掘り調査とプロトタイプのフェーズでは、最終的に開発投資判断を仰ぐべく、調査を通してわかったことやアウトプットしたものを一度まとめているはずである。ベータ版、正式版のリリース後に、その資料を引っ張り出して現状と齟齬がないか確認していくと一気に振り返りができる。確認対象としては開発投資判断時のレポーティング内容である6点だろう（図6.5.1）。

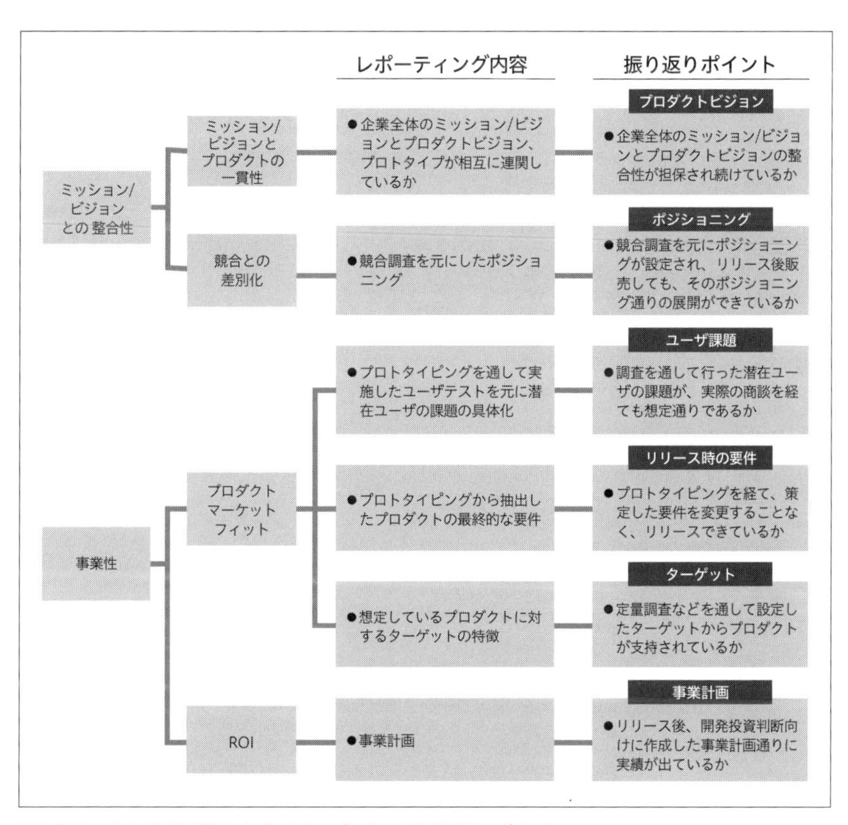

図6.5.1：事前 / 深掘り調査とプロトタイプにおける振り返りのポイント

上記の振り返りポイントに齟齬がある場合、それぞれプロダクトビジョン、ポジショニング、ユーザ課題、プロダクトリリース時の要件、ターゲット、事業計画の作成方法にどこかしら問題があったことになる。この場合はそれぞれの要素を策定していくために、特に活用した資料や議事録まで遡り、どこが問題だったのか精査すると良いだろう。

2 開発における振り返り

Part4「開発」で説明した通り、開発はデザイナー、エンジニア、QA担当が主導し、計画、実装を進め、QAを行うことになる。そのため、各ファンクションごとに主要なアウトプットを対して振り返りを行うことが多い。私はプロダクトマネージャとして振り返りの場に呼ばれたり、場合によってはファシリテーションを行うこともあった。ここでは、開発に関する振り返りを進めていく上で、デザイン、機能要件の開発、非機能要件の開発、QAの順で、プロダクトマネージャとして注視すべきポイントを列挙しておきたい(図6.5.2)。

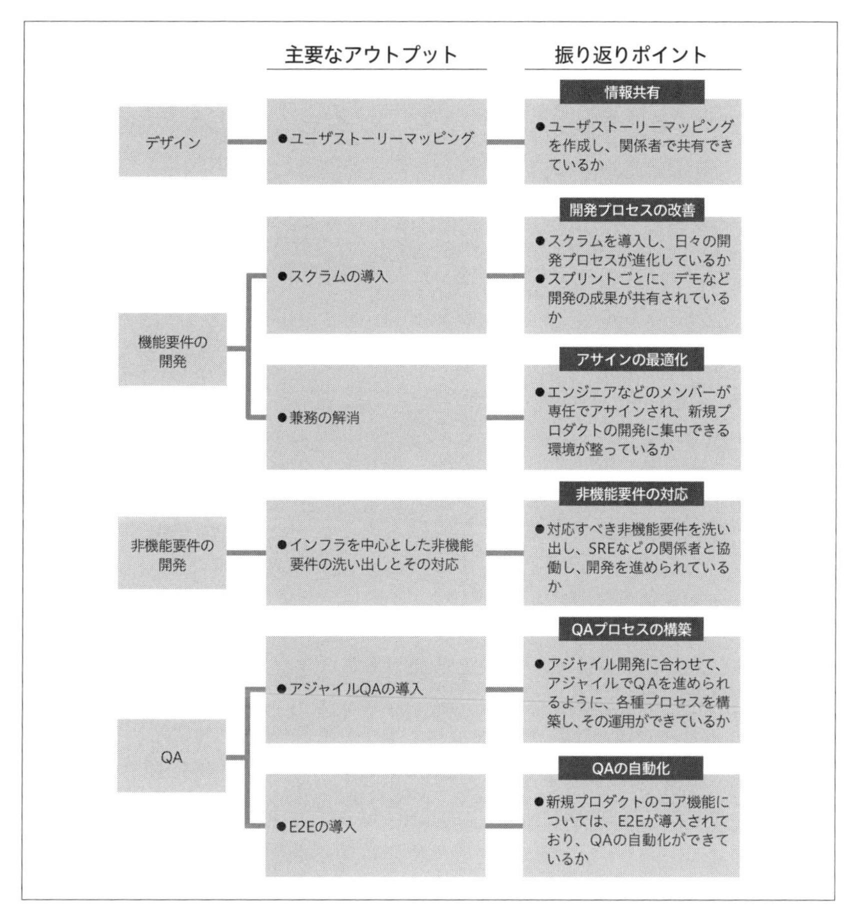

図6.5.2：開発における振り返りのポイント

デザイン

ユーザーストーリーマッピングをプロダクトに関わる全員で共有できていることは、開発を進める上で、すべての起点になる。これができていないと、外部ベンダーに開発を外注するような綿密な要件定義書をプロダクトマネージャが書くことになったりする。逆にしっかりできていると、それを元にエンジニア主導で要件を詰めたり、プロダクトマネージャが見落としていたポイントを補ってくれたりするため、より具体的な要件にしていくことができる。プロダクトサイドが中心になって開発を進めていく上で、最も重要なポイントである。そのため、ユーザストーリーマッピングを関係者全員で共有できていたか、もしできていなかったら、なぜ共有できなかったのか、共有したものは開発を進めるに当たり十分な精度だったかなども併せて振り返りたい。

開発

開発については、そのプロセスとアサインという2面から振り返りのポイントを確認していく。

まず、開発プロセスから取り上げる。新規SaaSの立ち上げではスクラムなどのアジリティを担保した開発手法を取り、一からその運用を設計していくことが多い。そのため、開発プロセスはスプリントごとのレトロスペクティブのたびに進化していき、その進化は開発陣の雰囲気を作り出す一因にもなるように思う。プロダクトマネージャの目線からは、この進化を経ることで、スプリントごとにデモなどを通して開発されたものを確認できるかが一番の関心事になる。これが実現されるには、スプリントの期間とタスクの粒度とのバランスが取れ、スプリントが適切なマイルストーンとして機能しているかが鍵となる。

次に、アサインについては、SaaSの立ち上げにおいてできうる限り兼務状態は避けて、専任でやるべきと強く主張した。しかし、それでも兼務で進めざるを得ない場合もある。特に新規SaaSの開発を進めるに当たり、主要エンジニアが兼務として参画していると、開発を進めていく上で他プロダクトやプロジェクトの影響を読みきれない事態に陥る。そのため、新規SaaSの立ち上げを計画通りに進めにくい状況になってしまう。このような状況下で開発に関する振り返りを行い、改善ポイントを挙げ、その理由を確認すると、すべて主要エンジニアが兼務であることに収束しがちである。実際兼務が理由なのかもしれないが、改めて開発の進捗を阻害した事象を洗い出し、事前にその事象を把握できたか、対応策はあったのか、実際に対応できたのかなど、1つずつ整理し、実のある振り返りにすべきだろう。

非機能要件

インフラを中心とした非機能要件は、対応すべき内容も広く、連携部署も多いため、その開発項目の洗い出しとプロジェクトマネジメントが肝となる。非機能要件は機能開発の着手前に検討を進めるべきものも多く、検討が遅れることにより開発全体のスケジュールに影響しやすい。実際遅れていたとしても目立ちにくい特性があるが、だからこそ計画通りに進捗したか確認すべきである。

具体的には、対応すべき非機能要件を洗い出せていたか、実際開発を進める上で適切な関係者と協働できていたか、スクラムを横断する開発の進捗管理ができていたか、などを確認していくことになる。

QA

SaaSのような機能拡充を前提としたプロダクトでは、大きなマイルストーンごとに開発を終えてからQAを行うのではなく、開発できたところから、アジャイル的にQAを進めていくことを紹介した。そのため、開発を始めるタイミング、つまりユーザストーリーマッピングを共有するところからQA担当に参画してもらえているかが重要なポイントとなる。この参画が遅れれば遅れるほどコードカバレッジがゼロに留まる期間が長くなり、リリース直前にQAが集中することになる。また、E2Eなどの技術も盛り上がっているので、どこまでテストの自動化ができているかもリリースを円滑に進める上で欠くことのできないポイントである。つまり、QA担当の参画タイミングとE2Eの進捗が、リリースまでのQAを円滑に進める上で起点になるため、この2点を中心に振り返ると良いだろう。

なお、本来の開発に関する振り返りは、もっと広範囲に及び、また深く行われる。ここではあくまでプロダクトマネージャ目線でリリース後に振り返りの場で確認すべき項目に留めている。

3 ゴー・トゥ・マーケット戦略における振り返り

Part5「ゴー・トゥ・マーケット戦略」に関する振り返りは、このフェーズのアウトプットでもあるプライシング、事業計画、販売戦略にプロダクトとターゲットを追加して、行っていく（図6.5.3)。個別に確認していく前に、前提事項の確認を行いたい。

ゴー・トゥ・マーケット戦略策定に関する振り返りは、ビジネスサイドが中心となって進めていくことになるが、内容的にはPart6 Chapter5 Section1「事前/深掘り調査とプロトタイプにおける振り返り」の裏返しになることが多い。プロダクトとゴー・トゥ・マーケット戦略はプライシングを支点に天秤のようなものであり、さらに互いに影響し合うものである。つまり双方とも振り返りを行っている対象は同じであり、その視点がプロダクト起点なのか、ビジネス起点なのかという違いでしかないのである。ぜひプロダクトマネージャはこの振り返りに呼ばれたら参加するというスタンスではなく、むしろ音頭をとって設定を行い、ファシリテーションを行うなど積極的に実施を促進していくべきだろう。

また、この振り返りはビジネス起点であることから、商談などを通して得たユーザフィードバックを元に行うことになる。商談時に得たユーザに関するデモグラフィックや業務内容などをしっかり収集できていれば、定量的に振り返ることができる。このように商談を様々な角度で集計することで、戦略と結果のギャップを明確に把握でき、振り返りを行う上で、非常に力強いアプローチになるのである。

ただし、注意しなければならない点として、どうしても目の前の商談や潜在ユーザの事例を一般的なものとして捉えてしまうという認知バイアスに陥りやすいことが挙げられる。ある程度商談数や、潜在ユーザ数がいれば、業種や規模によって集計するなどして、一般的な話なのか、潜在ユーザ特有の事象なのか判断をつけるべきだろう。しかしながら、リリース直後にそんな恵まれた状況になることは少なく、かなり厳密にファクトと仮説を分けて振り返り自体を実施したり、ある程度バイアスがあることを織り込んで、振り返りをすべきである。

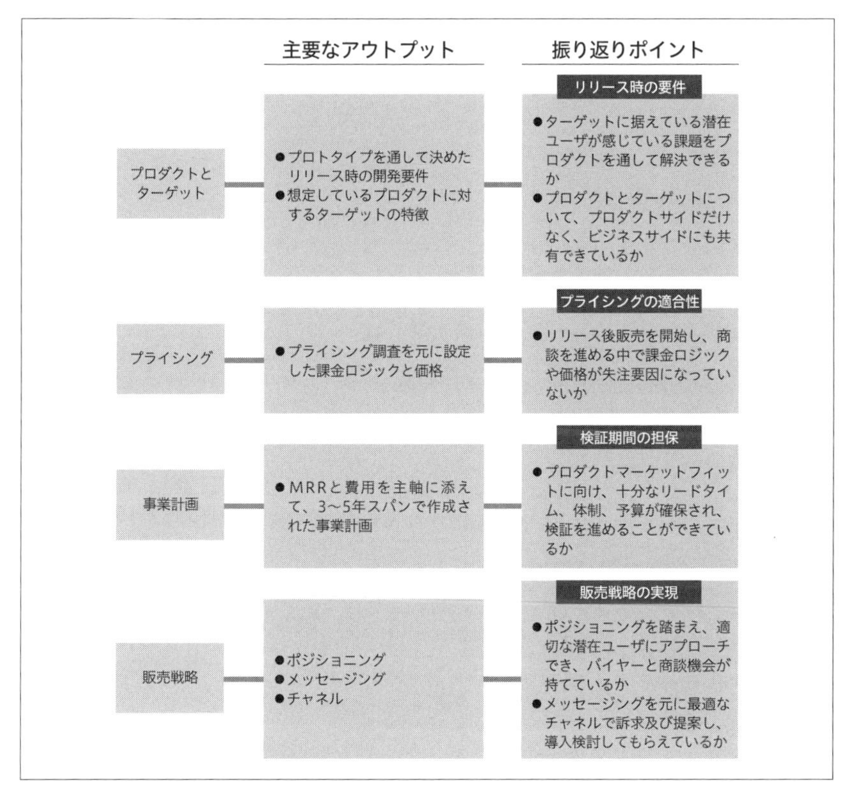

図6.5.3：ゴー・トゥ・マーケット戦略における振り返りのポイント

プロダクトとターゲット

プロダクトとターゲットを決めていく過程は、事前/深掘り調査とプロトタイプが中心となる。潜在ユーザへのインタビューを通して、課題の特定し、ターゲットとなるユーザセグメントを見定めていく。さらに、プロトタイピングを行い、リリースに向けて開発要件を固めていくことになる。

ゴー・トゥ・マーケット戦略の策定を進める上で、新たに振り返りのポイントとして出てくるのは、プロダクトとターゲットに関する調査や議論の過程や、決定事項などをビジネスサイドに共有できているかということである。なぜならば、プロダクトマーケティングマネージャやビジネスサイドが新たにSaaSの立ち上げに参画し、ゴー・トゥ・マーケット戦略の策定を進めていくからである。そのため、ビジネスサイドともプロダクトとターゲットについては詳細に連携が必要になるのである。したがって、振り返りを進める上で、ビジネスサイドの誰がどこまで共有を受け、どのように販売戦略を中心としたゴー・トゥ・マーケット戦略の策定を主導できたか、確認していくことから始めるべきだろう。

プライシング

プライシングは定性/定量調査を経て、様々な視点から検討を行い、設定される。ただ、Part5 Chapter2 Section9「プライシングにおける定性調査の誤謬」でも言及した通り、インタビューはあくまでインタビューであり、商談とは異なる。実際の商談を受ける潜在ユーザは業務上の課題を認識し、すでにプロダクトの導入を検討しており、機能要件や価格の比較を行っていることが多い。つまり、プライシングで行うべき振り返りは、インタビュー結果とリリース後の商談を比較し、差分がないか確認することである。

事業計画

プライシング時の定量調査などをインプットに、MRRと費用を様々な軸で分解し、3〜5年程度の事業計画を策定する。リリース直後、最も重要なポイントはプロダクトマーケットフィットを獲得するために、リソースや、予算、リードタイムがどこまで確保されているかという点である。そのため、事業計画を振り返り、場合によってその見直しを行う際は、販売戦略、特にリリース直後はプロダクトマーケットフィットを獲得するだけのリソースと、予算やリードタイムが確保できていたかを中心に確認すると良いだろう。

販売戦略

販売戦略の起点は、プロダクトマーケティングマネージャが中心になって具体化を進めていくプロダクトのポジショニングとメッセージング、さらにプロダクトを訴求していくチャネルである。これらは過去に行われた調査を元に決められていくが、リリース後にマーケティングを行い、MQLを認識し、SAL化し、提案機会を獲得できているか。また、この流れを推進していくことで、チャネルが最適で、メッセージを訴求できているかを確認することになる。

つまり、リリース前に設定していたポジショニングとメッセージング、チャネルが適切であったかを主軸に据え、振り返りを行うべきだろう。

最後に、プロダクトとターゲット、プライシング、事業計画、販売戦略の4つは独立に設定されるものではなく、相互に連関するものである。そのため、1つずつ議論を進めていく中で、前後の要素、例えば、事業計画の策定を進める場合、前後となるプライシングと販売戦略からインプットを受けることになる。つまり、ゴー・トゥ・マーケット戦略の構成要素であるプライシング、事業計画、販売戦略を単体で検討するだけでなく、プロダクトとターゲットを含めて4点を相互に行き来しながら、常にゴー・トゥ・マーケット戦略が一体となっているかどうかを確認事項に入れておきたい。

多くの場合、プライシングや販売戦略など単体でも策定していくのが非常に難しいものであり、一度取り掛かると、その策定に集中してしまいがちである。これらの4つの項目に対する議論の流れをまとめながら、意思決定した事項を時系列にまとめると、どの時点で4つの項目に齟齬が出始めたのか、そして修正できていたのかを確認しやすい。もし、項目間の連関に不安を感じたら、一度整理してみてほしい。

4 振り返りの振り返り

ところで、振り返った内容を見返したことはあるだろうか。新規SaaSの立ち上げは質、量共に壮大な仮説の構築を行い、1つずつ検証しながら、リリースまでこぎつけることになる。当然プロダクトマネージャ1人で実現するものではなく、様々なファンクションのメンバーを巻き込み、タスクを洗い出して、それをプロセスに落とし込み、1つずつ形にしていくことによって初めて実現される。しかし、こんなに壮大なことを成し遂げたにも関わらず、そもそも振り返りが行われなかったり、行ったとしても単なる備忘録として書き留められて終わったりすることが多い。

プロダクトマネージャといえども、新規プロダクトを立ち上げるような機会は実は少なく、よほど立ち上げに特化したスキルに長けていない限り、何度も同様のプロジェクトにアサインされることは少ない。つまり自分だけのことを考えると、備忘録的にメモとして残っていれば事足りてしまう。しかし、SaaSに限らず、新規プロダクトを開発するということは既存プロダクトの運営に関わらず、理想的なプロダクトマネジメントやデザイン、開発を追求できる絶好の機会なのである。そのため、組織全体から見れば、新規プロダクトの立ち上げに関する知見やノウハウは資産になる。既存プロダクトの改善による事業伸長は、いつかは止まるため、第2、第3の柱となるプロダクトや事業を生み出す必要性に駆られることが多い。そこで不確定要素の多い新規プロダクトを蓋然性高く立ち上げることができれば、「新たに立ち上がったプロダクト以上にその知見やノウハウのほうが、価値が高い」と言っても過言ではないだろう。そして、もちろんこの資産は、新規プロダクトの立ち上げではなく、新たに機能を追加するような場合でも活用できるのである。メンバーだけで振り返りを行い、備忘録を残して終わりとするのではなく、少なくとも振り返りの結果を全社に共有するところまでをゴールとすると良いだろう。

私自身が新規SaaSを立ち上げた際に振り返りの振り返りとして実施して良かった事例が2つあるので、併せて紹介したい。

まずは企画検討からリリースなど一連の流れがあるものを連載などを組んで、媒体に寄稿したり、オウンドメディアやNoteを通して公開することである。実際にfreeeプロジェクト管理のリリース後にプロダクトマネージャから最終的にプロダクトマーケティングマネージャまで開発に携わったメンバーのリーダー陣で連載を実施した。プロダクト開発に関する専門誌への投稿ということもあり、きちんと読者をイメージし、今回新たにチャレンジした内容をしっかり盛り込み、どのような感想を持ってもらいたいかを念頭に置いた上で連載を行った。これによりチームメンバー内で振り返りを行った時とは異なり、リリースまでの流れを知らない読者をイメージした客観的な目線で再度各ファンクションから振り返ることができ、新たな発見があった。また公開した記事のメリットとして、後から参画したメンバーへのキャッチアップ資料にもなるし、事業展開を進める上で採用を行う必要が出た際に、候補者がポジションの理解を進める上での参考資料としても活用できる。新規SaaSの立ち上げメンバーにもメリットがあるだけでなく、今後のチームビルディングにも大きく貢献を期待できるので、ぜひ実施の検討をお勧めしたい。

もう1つは本書自体である。個々の記事ではなく、書籍という形に落とすにはSaaSの立ち上げのような壮大なテーマに関するインプットを総ざらいして、全体像を体系化する必要が出てくる。例えば、今まで作成した様々な資料や議事録などを読み返すことになるし、Section単位で書いたものを通して確認し、体系化することが求められる。さらに、プロダクトの企画検討からリリースまでに活用した知識を1つにまとめていく過程で、SaaSを立ち上げる上で論点に漏れがないか、より良い方法はなかったのかと探索的に確認を行う機会となった。また、再度コアメンバーにインタビューなどを行い、当時は持ち得なかった視点で再度振り返りができたり、認識の深掘りに繋がり、社内でも非常に再現性の高い手法になった。

このように、チームの振り返りや社内への共有だけでなく、社外に発信することを念頭に置いた振り返りを実施することで、そのリリースまでの過程や方法論が確立すれば、もう1つ大きな資産となることは間違いないだろう。

Chapter 6 まとめ

リリースと言っても、その対象は大きくベータ版と正式版に分かれる。ベータ版については目的に応じて、公開範囲と課金の有無によりさらなる分類が可能であり、その中から選択して展開することになる。また、恣意的なリリースにならないように、事前にリリース判定基準を立てて、関係者ですり合わせておくことで、基準に即した客観的な判断が可能になる。

ベータ版の展開を行い、ようやく辿り着く正式版のリリースは、事前/深掘り調査、プロトタイプを経て、開発、ゴー・トゥ・マーケット戦略を進めてきた集大成となる。最も大変な工程の1つであるが、リリースに向けたタスクリストなどを活用し、スムーズにリリースしてほしい。

ここまでの過程をただプロダクトを立ち上げるだけの成果にしてしまうのは本当にもったいない。立ち上げたプロダクトによる成果や実績と共に、そのプロセスもしっかり振り返り、体系化することで、自分や自社にしかない新規プロダクトの立ち上げプロセスに昇華すべきだと思う。

終わりに

本書は、SaaSを取り巻く環境を把握した上で、私がfreeeプロジェクト管理を立ち上げた経験をベースに、SaaSの立ち上げを大きく4つのフェーズに分けて、その中での一挙手一投足を綿密に語り尽くしたものである。SaaSを立ち上げる際、事前/深掘り調査とプロトタイプ、開発、ゴー・トゥ・マーケット戦略、そしてリリースというフェーズを、様々なファンクションが協力し合って、一歩ずつ進めていく。この流れを読者が感じ取ってくれていれば、本書の目的の1つは達成できたと行って良いだろう。

冒頭で語ったように、本書はプロダクトマネジメントに関して網羅的に解説した教科書ではなく、SaaSの立ち上げという目標に向かって、網羅的に書き上げた実用書である。個別の論点についても10名を超えるレビュワーに頼りながら、私自身もできる限り関係する文献を読み直したり、プロダクトマネジメントやSaaSに関するカンファレンスの動向を踏まえて、詳細にまとめたつもりだが、本書の強みはそこ自体にはない。1つのSaaSを実際立ち上げたメンバーによって様々な視点で検討され尽くしたものをベースに書き上げられたことにある。そのため、実際SaaSを立ち上げようとしたり、既存事業をSaaS化しようとしたりする際、何か迷いを感じたら、ぜひ本書に立ち戻ってほしい。私自身がSaaSの立ち上げメンバーや様々な文献から助けられたように、本書には何か現状を打開するきっかけがあるだろう。

ところで、「One for All, All for One」という言葉はご存知だろうか。これは、「1人はみんなのために、そしてみんなは1つの目的（勝利）のために」という意味で、2019年日本開催のラグビーワールドカップを戦った日本代表が標語に掲げていた言葉である。ラグビーは役割が異なる15人という大人数でチームを組んで行う球技で、パス、キック、モール、ラック、スクラム、ラインアウトなど様々なシチュエーションが目まぐるしく展開し、瞬時に攻守すら入れ替わることもよくある。このような中で、1人が個人プレイに走ってしまうと、チームが機能しなくなってしまう。そのため、個を押さえて、みんなのためにチームプレイに徹する。そして、みんなで勝利を手繰り寄せることを指している。

実は「ALL for SaaS」というタイトルはこの言葉に由来する。というのも、SaaSの立ち上げはビジネスサイドとプロダクトサイド双方から様々なファンクションを担うメンバーが集結し、進めていくものである。そして、事前/深掘り調査とプロトタイプ、開発、ゴー・トゥ・マーケット戦略、そして、リリースと大きくその局面が移り変わっていく。このような状況下で自分のことだけ考えて、業務に当たっても、すぐ限界が来てしまう。そのため、まだ見ぬSaaSをリリースするという1つの目標に向かい、みんなで協力し合うことが必要なのである。

SaaSを立ち上げていく上で、必要な方法論については網羅的に整理できたと思うが、もう1つ欠くことができない要素があるので、紹介しておきたい。それは、まだ見ぬSaaSを通して、ユーザに価値を提供したいという「想い」である。目の前の人を助けたい、自分も同じ業務をやってきて課題を感じていたので、その課題を解消したいなど、「想い」のあり方は様々だし、それを持つようになった経緯も様々だろう。

「想い」を類型化できるか、と聞かれると、うまく説明できない。よく見かける「想い」を挙げることはできるが、そもそも人によって千差万別であり、あまりまとめる意味もない。ただ、「想い」が必要かと聞かれると、必要と答えるだろう。

堅苦しく考え込む話ではなく、ちょっとした気付きで「想い」を見つけたり、すでに自分の中にある「想い」を再認識したりすることがあるだろう。企画検討を始める当初から見い出せていなくても、進めていく中で徐々に高まっていくこともある。

このように見い出された読者の皆様の多様な「想い」が、本書と合わさることで、SaaSとして具現化され、ユーザに送り届けられていく。本書ではSaaSをリリースするところまでしか言及できていないが、「想い」を具現化する触媒となれると幸いである。

SaaSは、ソフトウェアをサービスとして提供することにその本質があり、ユーザに価値を感じて使い続けてもらうことに主眼が向けられるべきである。ただ、本書で見た通り、ユーザに価値を感じてもらうまでは、非常に長く、困難の多い道のりである。この道を歩き切るには本書に綴られた方法論だけでなく、強靭な「想い」も必要であることを併せて覚えていてほしい。

「All for SaaS」とは、SaaS立ち上げの方法論だけを示したのではなく、それを進められるだけの「想い」を暗に示唆した言葉だったのかもしれない。

2021年7月吉日
宮田善孝

謝辞

すでに文中で何度か紹介しているので、お気付きの方も多いかもしれないが、本書のルーツはfreeeプロジェクト管理の立ち上げにある。

2019年に私がfreeeに入社した時はSaaSどころかBtoBのプロダクトマネジメントの経験すらなかった。にも関わらず、新規プロダクトの企画検討を担当することになったのである。この機会を通して、本当に恵まれた環境のもと、非常に優秀なメンバーや経営陣に囲まれ、freeeプロジェクト管理の企画、検討、開発を進めていくことができた。その中で、進めてきた軌跡を書籍にまとめることになり、多彩なレビュワーに協力を得て、様々な観点から指摘してもらい、書籍に足る品質に押し上げてもらえた。

改めて、この環境や、freeeプロジェクト管理の関係者、及びレビュワーに感謝の意を述べたい。

SaaSを立ち上げる環境

私がfreeeに入社した当時から、すでにfreeeは国内におけるSaaS業界を牽引する一翼を担っていた。そのため、SaaSというもの自体を理解し、それを立ち上げる全過程を一気通貫で設計し、実践していくには国内屈指の環境が揃っていたと言える。

ただ、SaaSに関する知見や実績が蓄積されているだけでなく、freeeはユーザのために本質的な価値の実現を泥臭く追い求めていく組織である。そのため、入社したその瞬間から、プロダクトを新たに立ち上げるに当たって、真摯にユーザに向き合っていくことはすべての基盤であり、前提であると強く植え付けてもらえたことに感謝したい。

freeeプロジェクト管理で協働したメンバー

次に、この環境の中で、共にfreeeプロジェクト管理の企画検討からリリースまで推進していってくれた方々を紹介したい。

事前/深掘り調査とプロトタイプから、エンジニアリングマネージャの竹田祥、デザイナーの篁玄太、テックリードの増田茂樹と協働することで、様々な角度から課題設定やソリューションアイデアの方向性、リリース時の要件のすり合わせを進めていくことができた。この時、議論したことは、リリース後の大きな財産になった。

実際開発を進めていく上で、私が開発経験のないプロダクトマネージャということもあり、開発の中核を担ってくれたエンジニアの熊倉洋介、SREの畑中優丞は、多様な開発関連の論点を早く検知し、私が気付く頃には対応してくれていた。そして、開発着手と同時期に、QAエンジニアの上村功一が参画し、QAの方針策定からリリースに向けた実査まで推進してくれた。リリース判定時に最後の砦としてリーダーシップを発揮してくれ、盤石なリリースを迎えることができた。

さらに、ゴー・トゥ・マーケット戦略の検討を進めていく上で、プロダクトマーケティングマネージャの伊関洋介が、新規SaaSのリリースに向けた非常に広範囲な準備を進めてくれた。リリース前後から加わってくれた新規プロダクト推進の髙村大器は、商談を通して改めてユーザと向き合うことで、市場に対する解像度を上げ、販売戦略の精度を向上した。

他にも忘れてはならないのは、リーガルの桑名直樹。改めてリーガルが対応すべき事項や時期を再認識させてくれ、リリース前に円滑に特許出願までを行うことができた。

ここに書き切れなかった多くのメンバーにも協働してもらい、最終的にリリースを迎えることができた。もちろん社内だけではなく、事前/深掘り調査やプライシング時のヒアリングに協力頂いた方々や有識者の皆様など、社外からのご協力に深謝の意を記しておく。

本書のレビュワー

freeeプロジェクト管理の立ち上げを一緒に進めたメンバー以外にも、様々な観点で査読を行い、私が想い先行で書き綴った駄文を書籍と言える品質に押し上げてくれたレビュワーを紹介したい。

まず、プロダクトマネジメントと他のファンクションを併せた視点により、双方の視点に立ってバランスを取ってくれたレビュワーから感謝したい。新たにカスタマーサクセスからプロダクトマネージャに転身し、ビジネスサイドとプロダクトサイド両面からフィードバックしてくれた石川美喜。彼女は異動直後ということもあり、SaaSのプロダクトマネージャとして立ち上がるための教科書として本書を活用してくれ、プロダクトマネージャの経験がなくても読み進められるレベルにしてくれた。もう1人、澤悠詩は事業企画とプロダクトマネージャ双方の経験を元にレビューしてくれた。プロダクトマネージャの目線から、専門性が高い事業計画やプライシングなどについて、その意義や重要性を再認識させてくれた。

次に、プロダクトマネジメントに従事しながら、書籍の執筆経験がある伊原力也と岡田悠からは、私のSaaSやプロダクトマネジメントへの思いを書籍として成立させていく上で、欠かせないフィードバックをくれた。特に、タイトルや構成に、想いを乗せていく上で参考にしかならない貴重な意見をくれた。

最後に、大学時代から友人である神澤太郎と、元同僚であり、SaaS業界の先輩である大内暁乃からはそもそもビジネス書としての体になっているかという視点に立って、構成から文言レベルまで綿密な指摘を受けた。これらの指摘を踏まえ、丁寧に追記、修正を繰り返すことによって、ただの散文から書籍と言える品質に押し上げることができた。

本書の企画をまとめ始めた当初、アジェンダだけ書き上げて、出版社に本書の企画を持ち込みさえすれば、後は文章にしていくという単純な作業だけで書籍になると思っていた。レビュワーの方々が親身になって、この壮大な勘違いを気付かせてくれ、刊行まで手を引いてくれたことに感謝したい。

経営陣

freeeプロジェクト管理の立ち上げという機会をくれて、リリースまで様々な観点で議論に付き合い、そして、フィードバックしてくれたfreeeの経営陣の佐々木大輔と尾形将行にも、この場を借りて感謝したい。SaaSを立ち上げるという機会自体がまだ国内では稀有な状況下で、本書で取り上げた内容は一種の競争力になりうる。しかし、SaaSの立ち上げをテーマに書籍として公開したいという私の提案をほぼ2つ返事で承諾してくれたのは、SaaSのリーディングカンパニーの一翼を担っている所以の1つなのだろうと強く感じた。

最後に、freeeという環境や協働したメンバー、さらに様々な観点によるレビュワー、そしてfreeeの経営陣の支えによって、本書を世に送り出せることを著者として光栄に思う。

参考文献

本書の執筆を進める上で、freeeプロジェクト管理を立ち上げる過程で作成した資料や各種MTGの議事録はもちろん、それ以外にも非常に多岐に亘る文献や、カンファレンスの動画や議事録を確認し直して、整理を進めてきた。

本書に取り上げ切れなかった要素も多分にあるので、参考文献として列挙しておく。ここでは、本書の構成に関わらず、SaaSを立ち上げていく上で全体的に参照したものから、各Partを進めていく上で詳しく理解するために確認したものまで取り上げている。本書では飽き足らず、より発展的な取り組みを推進していきたい読者は、ぜひ参考にしてほしい。

全体

カンファレンス

■ **Mind the Product**
- サンフランシスコを中心に世界数カ所で、Mind the Productというプロダクトマネジメントに関するカンファレンスを運営
- Product TankというMeetupを世界の主要都市で開催しており、各種記事も精力的に発信している

■ **Product Management Festival**
- スイスとシンガポールで、Product Management Festivalというプロダクトマネジメントに関するカンファレンスを運営
- Product NightというMeetupを世界の主要都市で開催している

■ **Turing Fest**
- スコットランドで、Turing Festというプロダクトマネジメントに関するカンファレンスを運営

■ **SaaStr**

- サンフランシスコを中心に世界数カ所で、SaaStrというSaaSに関するカンファレンスを運営している
- SaaS関連の各種記事やPodcastはもちろん、オンライン講座などまで幅広く展開している

■ **Pulse**

- Gainsightが運営しているカスタマーサクセスに特化したカンファレンス

プログラム

■ **Product Strategy**

- ノースウェスタン大学ケロッグスクールによるプロダクト戦略に関するオンラインコース

書籍

■ **ゼロ・トゥ・ワン　君はゼロから何を生み出せるか**
ピーター・ティール、ブレイク・マスターズ［著］、瀧本 哲史［序文］、関 美和［訳］、NHK出版、2014/9

■ **HARD THINGS　答えがない難問と困難にきみはどう立ち向かうか**
ベン・ホロウィッツ［著］、滑川 海彦、高橋 信夫［訳］、小澤 隆生［序文］、日経BP、2015/4

■ **リーン・スタートアップ　ムダのない起業プロセスでイノベーションを生みだす**
エリック・リース［著］、井口 耕二［訳］、伊藤 穣一［解説］、日経BP、2012/4

■ **スタートアップ・ウェイ 予測不可能な世界で成長し続けるマネジメント**
エリック・リース［著］、井口 耕二［訳］、日経BP、2018/5

■ **Behind the Cloud: The Untold Story of How Salesforce.com Went from Idea to Billion-Dollar Company-and Revolutionized an Industry**
Marc Benioff、Carlye Adler［著］、Wiley-Blackwell、2009/10

■ **INSPIRED 熱狂させる製品を生み出すプロダクトマネジメント**
マーティ・ケーガン［著］、佐藤 真治、関 満徳［監訳］、神月 謙一［訳］、日本能率協会マネジメントセンター、2019/11

■ **EMPOWERED 普通のチームが並外れた製品を生み出すプロダクトリーダーシップ**
マーティ・ケーガン、クリス・ジョーンズ［著］、及川 卓也［まえがき］、二木 夢子［訳］、日本能率協会マネジメントセンター、2021/6

■ **Product Leadership: How Top Product Managers Launch Awesome Products and Build Successful Team**
Richard Banfield、Martin Eriksson、Nate Walkingshaw［著］、O'Reilly Media、2017/6

■ **Building Products for the Enterprise: Product Management in Enterprise Software**
Blair Reeves、Benjamin Gaines［著］、O'Reilly Media、2018/3

■ **The Lean Product Playbook: How to Innovate with Minimum Viable Products and Rapid Customer Feedback**
Dan Olsen［著］、Wiley、2015/6

■ **プロダクトマネジメント ―ビルドトラップを避け顧客に価値を届ける**
Melissa Perri［著］、吉羽 龍太郎［訳］、オライリージャパン、2020/10

■ **ソフトウェア・ファースト あらゆるビジネスを一変させる最強戦略**
及川 卓也［著］、日経BP、2019/10

ブログなど各種メディア

■ **Saasスタートアップ創業者向けガイド**
Salesforceが作成したSaaSを立ち上げる上でのe-book
URL https://www.salesforce.com/content/dam/web/ja_jp/www/documents/ebook/saas-founders-guide_JP.pdf

■ **Inside Intercom**
Intercomがプロダクト、ビジネスを伸ばしていく上での手法を、記事やPodcastとして展開
URL https://www.intercom.com/blog/

■ **Silicon Valley Product Group**
『INSPIRED』『EMPOWERED』の著者であるマーティ・ケーガン氏が運営しており、Workshopや各種記事を展開
URL https://svpg.com/

■ **「新規SaaSの企画検討からリリースまで！ freeeの事例に学ぶプロダクト開発」連載一覧**
freeeプロジェクト管理の企画検討からリリースまでを全6回に亘り、詳述した記事
URL https://productzine.jp/article/corner/16

Part1：SaaSを取り巻く環境

書籍

■ **サブスクリプション――「顧客の成功」が収益を生む新時代のビジネスモデル**
ティエン・ツォ、ゲイブ・ワイザート［著］、桑野 順一郎［監訳］、御立 英史［訳］、ダイヤモンド社、2018/10

■ **サブスクリプションシフト DX時代の最強のビジネス戦略**
荻島 浩司［著］、翔泳社、2020/1

■ **クラウド化する世界～ビジネスモデル構築の大転換**
ニコラス・G・カー［著］、村上 彩［訳］、翔泳社、2008/10

■ **ソフトウエア企業の競争戦略**
マイケル・A. クスマノ［著］、サイコムインターナショナル［訳］、ダイヤモンド社、2004/12

■ **SaaS研究読本**
月刊Computerworld編集部［著］、アイ・ディ・ジー・ジャパン、2007/9

■ **クラウド大全**
日経BP社出版局［著・編］、日経BP、2010/4

■ **ITサービス 第2版**
佐藤 博子［著］、日本経済新聞出版、2008/10

ブログなど各種メディア

■ **日本発の強いSaaSビジネスを作るには？**
SaaSビジネスモデルを7年の経験から徹底解剖
freeeのCEO、佐々木 大輔氏による寄稿で、SaaSを通した事業の特性、主要KPI、投資の考え方について、freeeの経験を踏まえつつ紹介
URL https://jp.techcrunch.com/2019/09/27/freee-saas-feature/

■ **For Entrepreneurs**
SaaSを1テーマに掲げて、SaaS Metrixやゴー・トゥ・マーケット戦略に関して記事を展開
URL https://www.forentrepreneurs.com/saas/

■ **Subscription Economy Index**
Zuoraがまとめたグローバルにおけるサブスクリプションの実態調査レポート
URL https://jp.zuora.com/resource/subscription-economy-index/

■ **総務省令和元年版 / 2年度版 情報通信白書**
SaaSを含むクラウドサービスに関する統計データが含まれている
URL https://www.soumu.go.jp/johotsusintokei/whitepaper/ja/r02/pdf/index.html

Part2：SaaS構築の全体像

書籍

■ **Team Geek ―Googleのギークたちはいかにしてチームを作るのか**
Brian W. Fitzpatrick、Ben Collins-Sussman［著］、及川 卓也［解説］、角 征典［訳］、オライリージャパン、2013/7

■ **ティール組織 ― マネジメントの常識を覆す次世代型組織の出現**
フレデリック・ラルー［著］、嘉村 賢州［解説］、鈴木 立哉［訳］、英治出版、2018/1

■ **あなたのチームは機能してますか？**
パトリック・レンシオーニ［著］、伊豆原 弓［訳］、翔泳社、2003/6

■ **世界で闘うプロダクトマネジャーになるための本 トップIT企業のPMとして就職する方法**
Gayle Laakmann McDowell、Jackie Bavaro［著］、小林 啓倫［監訳］、小山 香織［訳］、マイナビ、2014/8

■ **Measure What Matters 伝説のベンチャー投資家がGoogleに教えた成功手法 OKR**
ジョン・ドーア［著］、ラリー・ペイジ［序文］、土方 奈美［訳］、日本経済新聞出版、2018/10

■ **OKR（オーケーアール）シリコンバレー式で大胆な目標を達成する方法**
クリスティーナ・ウォドキー［著］、及川 卓也［解説］、二木 夢子［訳］、日経BP、2018/3

■ **HIGH OUTPUT MANAGEMENT 人を育て、成果を最大にするマネジメント**
アンドリュー・S・グローブ［著］、小林 薫［訳］、日経BP、2017/1

ブログなど各種メディア

■ **Good Product Manager/Bad Product Manager**
Andreessen Horowitzの創業者であるベン・ホロウィッツ氏が、良いプロダクトマネージャと悪いプロダクトマネージャを比較した記事
URL https://a16z.com/2012/06/15/good-product-managerbad-product-manager/

■ **What It Takes to Become a Great Product Manager**
ハーバード・ビジネス・レビューで、良いプロダクトマネージャになるために必要なことをまとめた記事
URL https://hbr.org/2017/12/what-it-takes-to-become-a-great-product-manager

■ **How to Write a Good PRD**
マーティ・ケーガン氏がまとめたプロダクトリクワイアメントドキュメント（Product Requirements Document）の書き方に関する記事
URL https://svpg.com/assets/Files/goodprd.pdf

Part3：事前/深掘り調査とプロトタイプ

書籍

■ **UXリサーチの道具箱 ―イノベーションのための質的調査・分析**
樽本 徹也［著］、オーム社、2018/4

■ **ビジネスマンが大学教授、客員教授になる方法**
中野 雅至［著］、ディスカヴァー・トゥエンティワン、2013/9

■ **SPRINT 最速仕事術――あらゆる仕事がうまくいく最も合理的な方法**
ジェイク・ナップ、ジョン・ゼラツキー、ブレイデン・コウィッツ［著］、櫻井 祐子［訳］、ダイヤモンド社、2017/4

■ **Hooked ハマるしかけ 使われつづけるサービスを生み出す［心理学］×［デザイン］の新ルール**
ニール・イヤール、ライアン・フーバー［著］、Hooked翻訳チーム、金山 裕樹、高橋 雄介、山田 案稜、TNB編集部［訳］、翔泳社、2014/5

■ **イノベーションへの解 利益ある成長に向けて**
クレイトン・クリステンセン、マイケル・レイナー［著］、玉田 俊平太［監修］、櫻井 祐子［訳］、翔泳社、2003/12

■ **ロジカル・シンキング**
照屋 華子、岡田 恵子［著］、東洋経済新報社、2001/4

■ **ロジカル・ライティング―論理的にわかりやすく書くスキル**
照屋 華子［著］、東洋経済新報社、2006/3

■ **入門 考える技術・書く技術**
山崎 康司［著］、ダイヤモンド社、2011/4

■ **マッキンゼー流　図解の技術**
ジーン・ゼラズニー［著］、数江 良一、菅野 誠二、大崎 朋子［訳］、東洋経済新報社、2004/8

■ **マッキンゼー流　図解の技術　ワークブック**
ジーン・ゼラズニー［著］、数江 良一、菅野 誠二、大崎 朋子［訳］、東洋経済新報社、2005/7

■ **理科系の作文技術**
木下 是雄［著］、中央公論新社、1981/9

■ **世界のエリートはなぜ「美意識」を鍛えるのか？**
～経営における「アート」と「サイエンス」～
山口 周［著］、光文社、2017/7

■ **ハーバード・ビジネス・レビュー**
デザインシンキング論文ベスト10 デザイン思考の教科書
ハーバード・ビジネス・レビュー編集部［著・編集］、DIAMONDハーバード・ビジネス・レビュー編集部［訳］、ダイヤモンド社、2020/10

■ **Steal Like an Artist: 10 Things Nobody Told You About Being Creative**
Austin Kleon［著］、Adams Media、2014/4

■ **デザイン思考が世界を変える**
ティム・ブラウン［著］、千葉 敏生［訳］、早川書房、2019/11

ブログなど各種メディア

■ **Systems of Engagement and the Future of Enterprise IT**
URL https://info.aiim.org/systems-of-engagement-and-the-future-of-enterprise-it

Part4：開発

書籍

■ **ユーザーストーリーマッピング**
Jeff Patton［著］、川口 恭伸［監修］、長尾 高弘［訳］、オライリージャパン、2015/7

■ **WEB+DB PRESS Vol.121**
技術評論社、2021/2

■ **オブジェクト指向UIデザイン――使いやすいソフトウェアの原理**
ソシオメディア株式会社、上野 学、藤井 幸多［著］、上野 学［監修］、技術評論社、2020/6

■ **UXデザインの教科書**
安藤 昌也［著］、丸善出版、2016/6

■ **伽藍とバザール**
E.S.Raymond［著］、山形 浩生［訳］、USP研究所、2010/7

■ **ハッカーと画家**
ポール・グレアム［著］、川合 史朗［訳］、オーム社、2005/1

■ **スクラム　仕事が4倍速くなる"世界標準"のチーム戦術**
ジェフ・サザーランド［著］、石垣 賀子［訳］、早川書房、2015/6

■ **アジャイルレトロスペクティブズ　強いチームを育てる「ふりかえり」の手引き**
Esther Derby、Diana Larsen［著］、角 征典［訳］、オーム社、2007/9

■ **アジャイルな見積りと計画づくり ～価値あるソフトウェアを育てる概念と技法**
マイク・コーン［著］、安井 力［訳］、毎日コミュニケーションズ、2009/1

■ **トヨタ生産方式 脱規模の経営をめざして**
大野 耐一［著］、ダイヤモンド社、1978/5

■ **エンジニアリング組織論への招待**
～不確実性に向き合う思考と組織のリファクタリング
広木 大地［著］、技術評論社、2018/2

■ **ジョブ理論　イノベーションを予測可能にする消費のメカニズム**
クレイトン・M・クリステンセン、タディ・ホール、カレン・ディロン、デイビッド・S・ダンカン［著］、依田 光江［訳］、ハーパーコリンズ・ジャパン、2017/8

■ **初めての自動テスト ―Webシステムのための自動テスト基礎**
Jonathan Rasmusson［著］、玉川 紘子［訳］、オライリージャパン、2017/9

■ **ユニコーン企業のひみつ ―Spotifyで学んだソフトウェアづくりと働き方**
Jonathan Rasmusson［著］、島田 浩二、角谷 信太郎［訳］、オライリージャパン、2021/4

ブログなど各種メディア

■ **TEST PLAN OUTLINE（IEEE 829 FORMAT）**
IEEEによるテストに関するガイドライン
URL https://jmpovedar.files.wordpress.com/2014/03/ieee-829.pdf

Part5：ゴー・トゥ・マーケット戦略

書籍

■ **Monetizing Innovation: How Smart Companies Design the Product Around the Price**
Madhavan Ramanujam、Georg Tacke［著］、Wiley、2016/5

■ **BCG 経営コンセプト 構造改革編**
菅野 寛［著］、ボストンコンサルティンググループ［企画/解説］、東洋経済新報社、2016/11

■ **BCG 経営コンセプト 市場創造編**
内田 和成［著］、ボストンコンサルティンググループ［企画/解説］、東洋経済新報社、2016/11

■ **Product Marketing Debunked: The Essential Go-To-Market Guide**
Yasmeen Turayhi、Cali Schmidt［著］、Createspace Independent Pub、2018/8

■ **From Impossible to Inevitable: How SaaS and Other Hyper-Growth Companies Create Predictable Revenue**
Aaron Ross、Jason Lemkin［著］、Wiley、2019/6

■ **THE MODEL（MarkeZine BOOKS）**
マーケティング・インサイドセールス・営業・カスタマーサクセスの共業プロセス
福田 康隆［著］、翔泳社、2019/1

■サブスクリプション・マーケティング――モノが売れない時代の顧客との関わり方
アン・H・ジャンザー［著］、小巻 靖子［訳］、英治出版、2017/11

■サブスクリプションで売上の壁を超える方法
西井 敏恭［著］、翔泳社、2020/1

■たった一人の分析から事業は成長する 実践 顧客起点マーケティング
西口 一希［著］、翔泳社、2019/4

■♯HOOKED 消費者心理学者が解き明かす
「つい、買ってしまった。」の裏にあるマーケティングの技術
パトリック・ファーガン［著］、上原 裕美子［訳］、TAC出版、2017/6

■インサイドセールス 究極の営業術
水嶋 玲以仁［著］、ダイヤモンド社、2018/12

■Data-Driven Sales: Learn how sales leaders at HubSpot, Salesloft, and other top B2B companies use data to grow faster
Clearbit、Matt Sornson［編］、Independently published、2018/4

■「紫の牛」を売れ！
セス・ゴーディン［著］、門田 美鈴［訳］、ダイヤモンド社、2004/2

■チャレンジャー・セールス・モデル 成約に直結させる「指導」「適応」「支配」
マシュー・ディクソン、ブレント・アダムソン［著］、ニール・ラッカム［序文］、三木 俊哉［訳］、海と月社、2015/10

■リーン顧客開発
シンディ・アルバレス［著］、堤 孝志、飯野 将人［監修］、エリック・リース［編］、児島 修［訳］、オライリージャパン、2015/4

■おもてなし幻想 デジタル時代の顧客満足と収益の関係
マシュー・ディクソン 、ニック・トーマン、リック・デリシ［著］、神田 昌典、リブ・コンサルティング［監修］、安藤 貴子［訳］、実業之日本社、2018/7

■カスタマーサクセス
――サブスクリプション時代に求められる「顧客の成功」10の原則
ニック・メータ、ダン・スタインマン、リンカーン・マーフィー［著］、バーチャレクス・コンサルティング［訳］、英治出版、2018/6

■イノベーションのジレンマ 増補改訂版
クレイトン・クリステンセン［著］、玉田 俊平太［監修］、伊豆原 弓［訳］、翔泳社、2001/7

■ **1兆ドルコーチ シリコンバレーのレジェンド ビル・キャンベルの成功の教え**
エリック・シュミット、ジョナサン・ローゼンバーグ、アラン・イーグル［著］、櫻井祐子［訳］、ダイヤモンド社、2019/11

■ **知財戦略のススメ コモディティ化する時代に競争優位を築く**
鮫島 正洋、小林 誠［著］、日経BP、2016/2

ブログなど各種メディア

■ **STATE OF PRODUCT MARKETING REPORT**
Product Marketing Allianceという団体が発行しているプロダクトマーケティングに関するレポート
URL https://productmarketingalliance.com/state-of-product-marketing-2020/

■ **The Anatomy of SaaS PRICING STRATEGY**
ProfitWellが実施しているプライシング戦略に関するレポート
URL https://www.priceintelligently.com/hubfs/Price-Intelligently-SaaS-Pricing-Strategy.pdf

■ **THE ULTIMATE SAAS PRICING GUIDE FOR EXPANSION STAGE COMPANIES**
OpenViewが作成した拡大期のSaaS向けに作成されたガイドライン
URL https://cdn2.hubspot.net/hubfs/366266/Downloadable%20Assets%20-%20Migrate/ultimate-saas-pricing-guide.pdf

Part6：リリース

書籍

■ **デザイニングWebアクセシビリティ - アクセシブルな設計やコンテンツ制作のアプローチ**
太田 良典、伊原 力也［著］、ボーンデジタル、2015/7

■ **NO RULES（ノー・ルールズ）世界一「自由」な会社、NETFLIX**
リード・ヘイスティングス、エリン・メイヤー［著］、土方 奈美［訳］、日本経済新聞出版、2020/10

索引

数字

A/B/C

D/E/F

G/H/I

J/K/L

M/N/O

P/Q/R

S/T/U

V/W/X/Y/Z

あ

か

さ

た

な

は

ま

や

ら

わ

本書の付属データについて

会員特典データのご案内

会員特典データは、以下のサイトからダウンロードして入手頂けます。

・会員特典データのダウンロードサイト
URL https://www.shoeisha.co.jp/book/present/9784798167633

注意

会員特典データをダウンロードするには、SHOEISHA iD（翔泳社が運営する無料の会員制度）への会員登録が必要です。詳しくは、Webサイトをご覧ください。

会員特典データに関する権利は著者及び株式会社翔泳社が所有しています。許可なく配布したり、Webサイトに転載したりすることはできません。

会員特典データの提供は予告なく終了することがあります。予めご了承ください。

会員特典データ免責事項

会員特典データの記載内容は、2020年7月現在の法令等に基づいています。

会員特典データに記載されたURL等は予告なく変更される場合があります。

会員特典データの提供にあたっては正確な記述に努めましたが、著者や出版社などのいずれも、その内容に対して何らかの保証をするものではなく、内容に基づくいかなる運用結果に関してもいっさいの責任を負いません。

会員特典データに記載されている会社名、製品名はそれぞれ各社の商標及び登録商標です。

著作権等について

会員特典データの著作権は、著者及び株式会社翔泳社が所有しています。個人で使用する以外に利用することはできません。許可なくネットワークを通じて配布を行うこともできません。個人的に使用する場合は、自由です。商用利用に関しては、株式会社翔泳社へご一報ください。

2021年7月
株式会社翔泳社　編集部

本書内容に関するお問い合わせについて

このたびは翔泳社の書籍をお買い上げ頂き、誠にありがとうございます。
弊社では、読者の皆様からのお問い合わせに適切に対応させて頂くため、以下のガイドラインへのご協力をお願い致しております。
下記項目をお読み頂き、手順に従ってお問い合わせください。

ご質問される前に

弊社Web サイトの「正誤表」をご参照ください。これまでに判明した正誤や追加情報を掲載しています。

正誤表　https://www.shoeisha.co.jp/book/errata/

ご質問方法

弊社Web サイトの「刊行物Q&A」をご利用ください。

刊行物Q&A　https://www.shoeisha.co.jp/book/qa/

インターネットをご利用でない場合は、FAXまたは郵便にて、下記翔泳社愛読者サービスセンターまでお問い合わせください。電話でのご質問は、お受けしておりません。

回答について

回答は、ご質問頂いた手段によってご返事申し上げます。ご質問の内容によっては、回答に数日ないしはそれ以上の期間を要する場合があります。

ご質問に際してのご注意

本書の対象を越えるもの、記述箇所を特定されないもの、また読者固有の環境に起因するご質問等にはお答えできませんので、予めご了承ください。

郵便物送付先及びFAX番号

送付先住所　〒160-0006　東京都新宿区舟町5
FAX番号　03-5362-3818
宛先　㈱翔泳社 愛読者サービスセンター

※本書に記載されたURL等は予告なく変更される場合があります。

※本書の出版に当たっては正確な記述に努めましたが、著者や出版社などのいずれも、本書の内容に対して何らかの保証をするものではなく、内容に基づくいかなる運用結果に関しても一切の責任を負いません。

※その他、本書に記載されている会社名、製品名はそれぞれ各社の商標及び登録商標です。

※本書の内容は、2021年7月執筆時点のものです。

著者プロフィール

宮田 善孝（みやた・よしたか）

freee株式会社 VP of Product Management。
日本CPO協会理事。
2019年にfreeeに入社し、新規事業と会計freeeのコア機能のプロダクトマネジメントを統括し、2021年1月より現職。
現職に至る以前は、Booz and company、及びAccenture Strategyにて、事業戦略、マーケティング戦略、新規事業立案など幅広い経営コンサルティング業務を経験。M&Aを前提とした市場調査、ターンアラウンド、PMIにも従事。
DeNA、SmartNewsにてBtoC向けの多種多様なコンテンツビジネスをデータ分析、プロダクトマネージャの両面から従事。海外展開、海外オフィスとの連携案件なども多数経験。
京都大学法学部卒業。
米国公認会計士。

装丁・本文デザイン ____ 大下 賢一郎
DTP ____ 株式会社シンクス
校正協力 ____ 佐藤 弘文

ALL for SaaS
SaaS立ち上げのすべて

2021年 8月 6日 初版第1刷発行
2023年10月20日 初版第2刷発行

著　者 ____ 宮田 善孝（みやた・よしたか）
発行人 ____ 佐々木 幹夫
発行所 ____ 株式会社翔泳社（https://www.shoeisha.co.jp）
印刷・製本 ____ 株式会社シナノ

＊本書へのお問い合わせについては、382ページに記載の内容をお読みください。
＊落丁・乱丁はお取り替え致します。03-5362-3705までご連絡ください。

ISBN978-4-7981-6735-0
Printed in Japan